중등 **2-1**

구성과 특징

대단원 도입

대단원별 학습 계획을 세워 자기주도학습을 할 수 있도록 하였습니다.

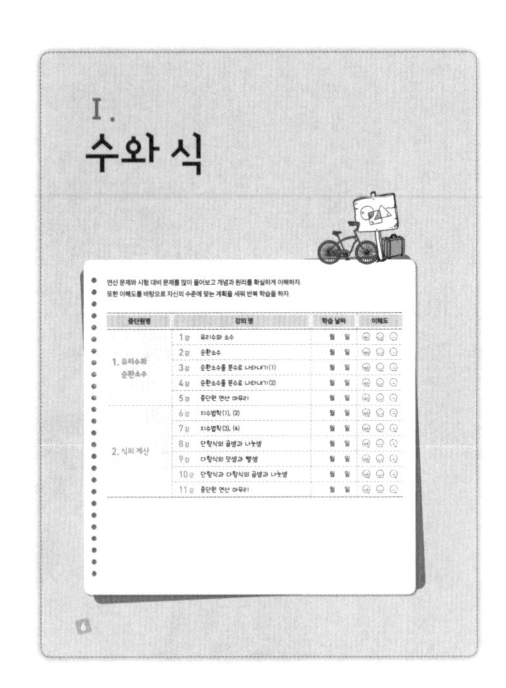

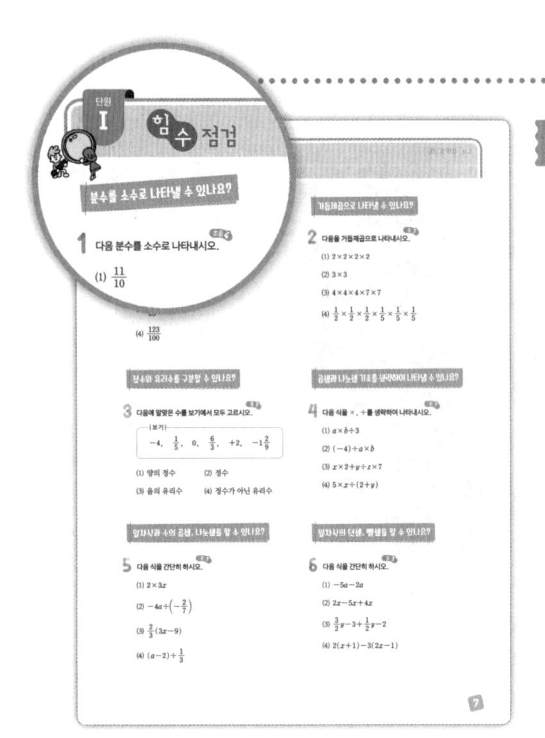

힘수 점검

연산을 다시 풀어보기

이전에 배운 내용 중에서 본 학습과 연계된 연산 문제를 제공함으로써 본 학습 내용을 쉽게 이해하고 수학의 흐름을 한눈에 볼 수 있도록 하였습니다.

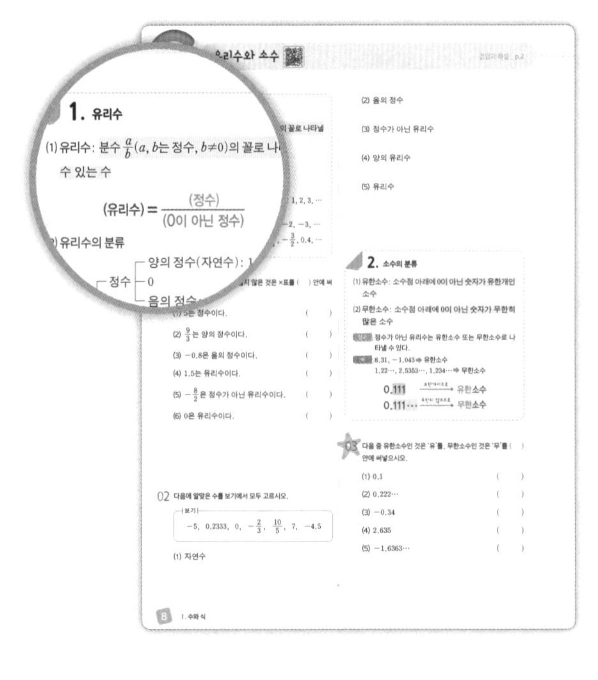

교과서 핵심 개념 이해

각 단원에서 교과서 핵심을 세분화하여 정리하였고 그 개념을 도식화, 도표화하여 보다 쉽게 개념을 이해할 수 있도록 하였습니다.

✚ 교과서 개념에서 나올 수 있는 연산 관련된 개념을 세분화해서 정리하여 공부할 수 있도록 하였습니다.

✚ 각 강마다 연산 문제를 2~4쪽씩 제공하여 많이 풀 수 있도록 하였고, 중단원마다 그 연산 문제를 반복할 수 있도록 하였습니다.

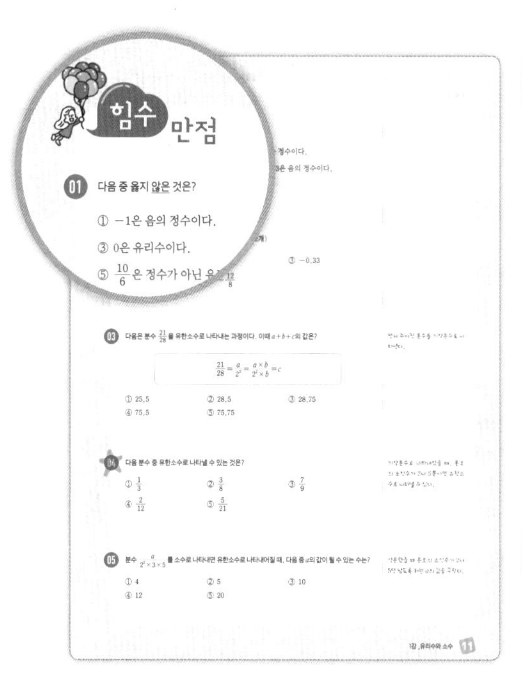

힘수 만점

연산을 적용한 문제 풀기

앞에서 배운 연산 문제를 이용하여 풀 수 있는 문제들로 구성하여 개념을 쉽게 익힐 수 있도록 하였습니다.

중단원 연산 마무리

중단원마다 앞에서 나왔던 연산 문제보다 난이도가 있는 문제들로 구성하여 내신 대비를 할 수 있도록 하였습니다.

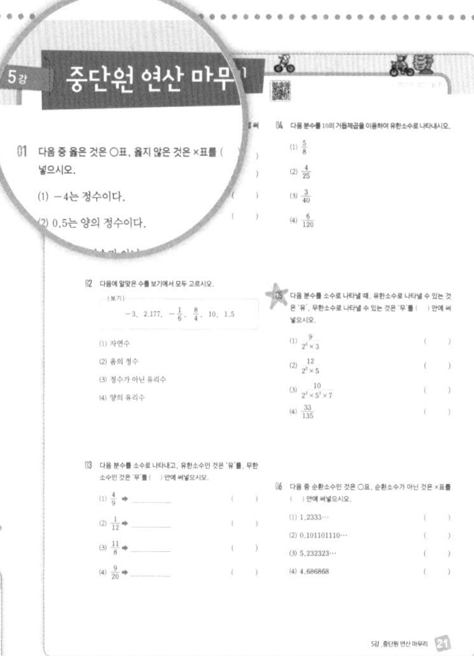

정답과 해설

혼자서도 쉽게 이해할 수 있도록 자세하고 친절한 풀이를 제시하였습니다.

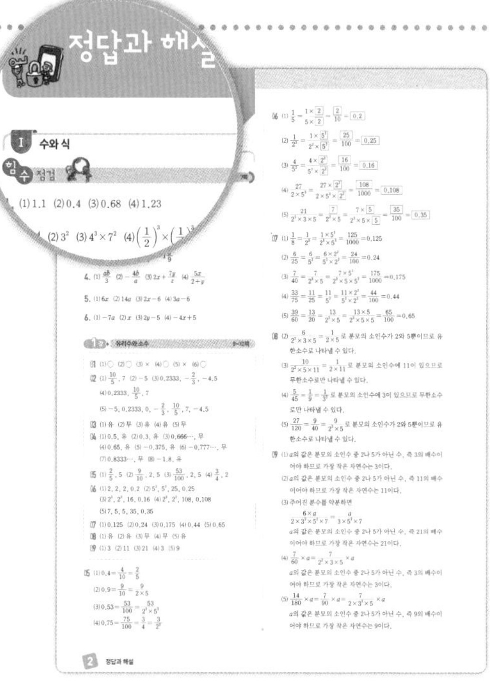

이 책의 차례

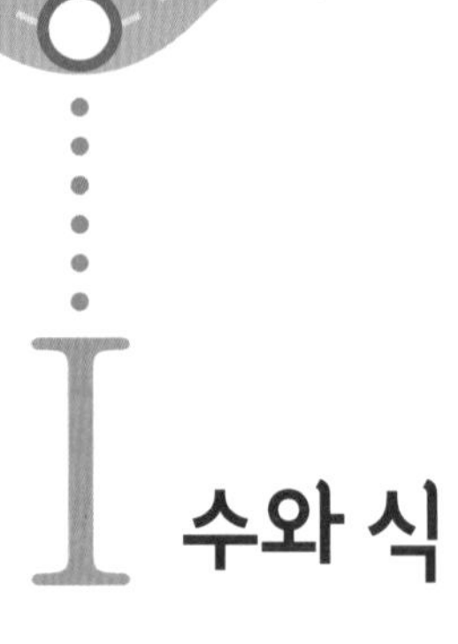

I 수와 식

1 유리수와 순환소수

2 식의 계산

Ⅱ 부등식과 방정식

1 일차부등식

2 연립방정식

Ⅲ 일차함수

1 일차함수와 그래프

2 연립방정식과 일차함수

Ⅰ. 수와 식

연산 문제와 시험 대비 문제를 많이 풀어보고 개념과 원리를 확실하게 이해하자.
또한 이해도를 바탕으로 자신의 수준에 맞는 계획을 세워 반복 학습을 하자.

중단원명	강의 명	학습 날짜	이해도
1. 유리수와 순환소수	1강 유리수와 소수	월 일	
	2강 순환소수	월 일	
	3강 순환소수를 분수로 나타내기(1)	월 일	
	4강 순환소수를 분수로 나타내기(2)	월 일	
	5강 중단원 연산 마무리	월 일	
2. 식의 계산	6강 지수법칙(1), (2)	월 일	
	7강 지수법칙(3), (4)	월 일	
	8강 단항식의 곱셈과 나눗셈	월 일	
	9강 다항식의 덧셈과 뺄셈	월 일	
	10강 단항식과 다항식의 곱셈과 나눗셈	월 일	
	11강 중단원 연산 마무리	월 일	

힘수 점검

정답과 해설 _ p.2

분수를 소수로 나타낼 수 있나요?

1 다음 분수를 소수로 나타내시오. 초등4

(1) $\frac{11}{10}$

(2) $\frac{2}{5}$

(3) $\frac{17}{25}$

(4) $\frac{123}{100}$

거듭제곱으로 나타낼 수 있나요?

2 다음을 거듭제곱으로 나타내시오. 중1

(1) $2\times2\times2\times2$

(2) 3×3

(3) $4\times4\times4\times7\times7$

(4) $\frac{1}{2}\times\frac{1}{2}\times\frac{1}{2}\times\frac{1}{5}\times\frac{1}{5}\times\frac{1}{5}$

정수와 유리수를 구분할 수 있나요?

3 다음에 알맞은 수를 보기에서 모두 고르시오. 중1

보기

$-4,\quad \frac{1}{5},\quad 0,\quad \frac{6}{3},\quad +2,\quad -1\frac{2}{9}$

(1) 양의 정수 (2) 정수

(3) 음의 유리수 (4) 정수가 아닌 유리수

곱셈과 나눗셈 기호를 생략하여 나타낼 수 있나요?

4 다음 식을 ×, ÷를 생략하여 나타내시오. 중1

(1) $a\times b\div3$

(2) $(-4)\div a\times b$

(3) $x\times2+y\div z\times7$

(4) $5\times x\div(2+y)$

일차식과 수의 곱셈, 나눗셈을 할 수 있나요?

5 다음 식을 간단히 하시오. 중1

(1) $2\times3x$

(2) $-4a\div\left(-\frac{2}{7}\right)$

(3) $\frac{2}{3}(3x-9)$

(4) $(a-2)\div\frac{1}{3}$

일차식의 덧셈, 뺄셈을 할 수 있나요?

6 다음 식을 간단히 하시오. 중1

(1) $-5a-2a$

(2) $2x-5x+4x$

(3) $\frac{3}{2}y-3+\frac{1}{2}y-2$

(4) $2(x+1)-3(2x-1)$

1강 유리수와 소수

정답과 해설 _ p.2

1. 유리수

(1) 유리수: 분수 $\frac{a}{b}$(a, b는 정수, $b \neq 0$)의 꼴로 나타낼 수 있는 수

$$(\text{유리수}) = \frac{(\text{정수})}{(0\text{이 아닌 정수})}$$

(2) 유리수의 분류

- 유리수
  - 정수
    - 양의 정수(자연수): $1, 2, 3, \cdots$
    - 0
    - 음의 정수: $-1, -2, -3, \cdots$
  - 정수가 아닌 유리수: $\frac{1}{3}, -\frac{3}{2}, 0.4, \cdots$

01 다음 중 옳은 것은 ○표, 옳지 않은 것은 ×표를 ( ) 안에 써넣으시오.

(1) 5는 정수이다. ( )

(2) $\frac{9}{3}$는 양의 정수이다. ( )

(3) -0.8은 음의 정수이다. ( )

(4) 1.5는 유리수이다. ( )

(5) $-\frac{8}{2}$은 정수가 아닌 유리수이다. ( )

(6) 0은 유리수이다. ( )

02 다음에 알맞은 수를 보기에서 모두 고르시오.

보기

$-5, \ 0.2333, \ 0, \ -\frac{2}{3}, \ \frac{10}{5}, \ 7, \ -4.5$

(1) 자연수

(2) 음의 정수

(3) 정수가 아닌 유리수

(4) 양의 유리수

(5) 유리수

2. 소수의 분류

(1) 유한소수: 소수점 아래에 0이 아닌 숫자가 유한개인 소수

(2) 무한소수: 소수점 아래에 0이 아닌 숫자가 무한히 많은 소수

참고 정수가 아닌 유리수는 유한소수 또는 무한소수로 나타낼 수 있다.

예 $8.31, \ -1.043$ ➡ 유한소수

$1.22\cdots, \ 2.5353\cdots, \ 1.234\cdots$ ➡ 무한소수

0.111 —유한개이므로→ 유한소수

$0.111\cdots$ —무한히 많으므로→ 무한소수

03 다음 중 유한소수인 것은 '유'를, 무한소수인 것은 '무'를 ( ) 안에 써넣으시오.

(1) 0.1 ( )

(2) $0.222\cdots$ ( )

(3) -0.34 ( )

(4) 2.635 ( )

(5) $-1.6363\cdots$ ( )

04 다음 분수를 소수로 나타내고, 유한소수인 것은 '유'를, 무한소수인 것은 '무'를 ( ) 안에 써넣으시오.

(1) $\frac{1}{2}$ ➡ ________ ( )

(2) $\frac{3}{10}$ ➡ ________ ( )

(3) $\frac{2}{3}$ ➡ ________ ( )

(4) $\frac{13}{20}$ ➡ ________ ( )

(5) $-\frac{3}{8}$ ➡ ________ ( )

(6) $-\frac{7}{9}$ ➡ ________ ( )

(7) $\frac{5}{6}$ ➡ ________ ( )

(8) $-\frac{9}{5}$ ➡ ________ ( )

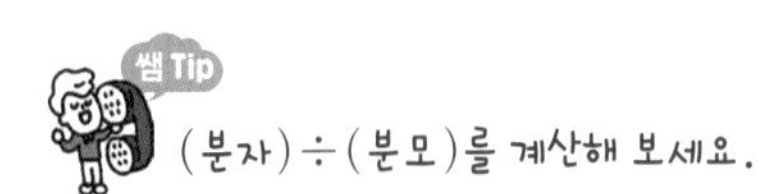

(분자)÷(분모)를 계산해 보세요.

3. 유한소수의 분수 표현 up+

(1) 모든 유한소수는 분모가 10의 거듭제곱 꼴인 분수로 나타낼 수 있다.

(2) 유한소수를 기약분수로 나타내면 분모의 소인수는 2 또는 5뿐이다.

유한소수이다. ⟷ **분모의 소인수가 2나 5뿐이다.**

05 다음 유한소수를 기약분수로 나타내고, 분모의 소인수를 구하시오.

(1) 0.4
➡ 기약분수:
분모의 소인수:

(2) 0.9
➡ 기약분수:
분모의 소인수:

(3) 0.53
➡ 기약분수:
분모의 소인수:

(4) 0.75
➡ 기약분수:
분모의 소인수:

06 다음은 10의 거듭제곱을 이용하여 분수를 유한소수로 나타내는 과정이다. □ 안에 알맞은 수를 써넣으시오.

(1) $\frac{1}{5}=\frac{1\times\square}{5\times\square}=\frac{\square}{10}=\square$

쌤 Tip 분모, 분자에 같은 수를 곱해야 해요.

(2) $\frac{1}{2^2}=\frac{1\times\square}{2^2\times\square}=\frac{\square}{100}=\square$

(3) $\frac{4}{5^2}=\frac{4\times\square}{5^2\times\square}=\frac{\square}{100}=\square$

(4) $\frac{27}{2\times5^3}=\frac{27\times\square}{2\times5^3\times\square}=\frac{\square}{1000}=\square$

(5) $\frac{21}{2^2\times3\times5}=\frac{\square}{2^2\times5}=\frac{7\times\square}{2^2\times5\times\square}=\frac{\square}{100}=\square$

쌤 Tip 먼저 주어진 분수를 기약분수로 나타내어 보세요.

07 다음 분수를 10의 거듭제곱을 이용하여 유한소수로 나타내시오.

(1) $\frac{1}{8}$

(2) $\frac{6}{25}$

(3) $\frac{7}{40}$

(4) $\frac{33}{75}$

(5) $\frac{39}{60}$

4. 유한소수와 무한소수의 판별 up+

주어진 분수를 기약분수로 나타낸 후 분모를 소인수분해했을 때

(1) 분모의 소인수가 2 또는 5뿐이면 유한소수로 나타낼 수 있다.

(2) 분모의 소인수에 2와 5 이외의 수가 있으면 유한소수로 나타낼 수 없다. 즉, 무한소수이다.

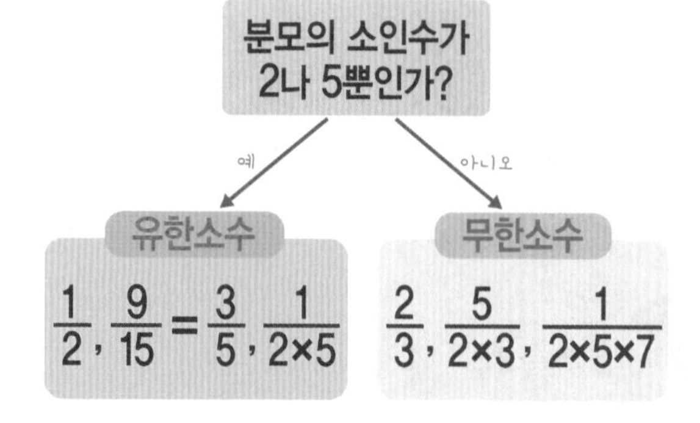

08 다음 분수를 소수로 나타낼 때, 유한소수로 나타낼 수 있는 것은 '유', 무한소수로 나타낼 수 있는 것은 '무'를 ( ) 안에 써넣으시오.

(1) $\frac{3}{2^2\times5^2}$ ( )

(2) $\frac{6}{2^2\times3\times5}$ ( )

(3) $\frac{10}{2^2\times5\times11}$ ( )

(4) $\frac{5}{45}$ ( )

(5) $\frac{27}{120}$ ( )

09 다음 유리수가 유한소수로 나타내어질 때, a의 값이 될 수 있는 가장 작은 자연수를 구하시오.

(1) $\frac{a}{2\times3}$

(2) $\frac{a}{2\times5^2\times11}$

(3) $\frac{6\times a}{2\times3^2\times5^2\times7}$

(4) $\frac{7}{60}\times a$

(5) $\frac{14}{180}\times a$

쌤 Tip

a의 값은 분모의 소인수 중 2 또는 5를 제외한 소인수의 배수가 되어야 해요.

만점

정답과 해설 _ p.3

01 다음 중 옳지 않은 것은?

① -1은 음의 정수이다.
② $\frac{15}{5}$는 정수이다.
③ 0은 유리수이다.
④ -1.23은 음의 정수이다.
⑤ $\frac{10}{6}$은 정수가 아닌 유리수이다.

02 다음 중 정수가 아닌 유리수를 모두 고르면? (정답 2개)

① $\frac{16}{2}$
② -11
③ -0.33
④ 0
⑤ $-\frac{12}{8}$

03 다음은 분수 $\frac{21}{28}$을 유한소수로 나타내는 과정이다. 이때 $a+b+c$의 값은?

$$\frac{21}{28}=\frac{a}{2^2}=\frac{a\times b}{2^2\times b}=c$$

① 25.5
② 28.5
③ 28.75
④ 75.5
⑤ 75.75

먼저 주어진 분수를 기약분수로 나타낸다.

04 다음 분수 중 유한소수로 나타낼 수 있는 것은?

① $\frac{1}{3}$
② $\frac{3}{8}$
③ $\frac{7}{9}$
④ $\frac{2}{12}$
⑤ $\frac{5}{21}$

기약분수로 나타내었을 때, 분모의 소인수가 2나 5뿐이면 유한소수로 나타낼 수 있다.

05 분수 $\frac{a}{2^2\times3\times5}$를 소수로 나타내면 유한소수로 나타내어질 때, 다음 중 a의 값이 될 수 있는 수는?

① 4
② 5
③ 10
④ 12
⑤ 20

약분했을 때 분모의 소인수가 2나 5만 남도록 하는 a의 값을 구한다.

2강 ••• 순환소수

정답과 해설 _ p.3

1. 순환소수

(1) 순환소수: 소수점 아래의 어떤 자리에서부터 일정한 숫자의 배열이 한없이 되풀이되는 무한소수

(2) 순환마디: 순환소수의 소수점 아래에서 일정하게 되풀이되는 한 부분

(3) 순환마디의 표현: 순환소수는 순환마디의 양 끝의 숫자 위에 점을 찍어 나타낸다.

0.222… (2가 반복) —순환마디 2→ $0.\dot{2}$

0.1232323… (23이 반복) —순환마디 23→ $0.1\dot{2}\dot{3}$

1.212121… (21이 반복) —순환마디 21→ $1.\dot{2}\dot{1}$

1.023023023… (023이 반복) —순환마디 023→ $1.\dot{0}2\dot{3}$

01 다음 중 순환소수인 것은 ○표, 순환소수가 아닌 것은 ×표를 ( ) 안에 써넣으시오.

(1) 3.333… ( )

(2) 0.525252… ( )

(3) 1.2345… ( )

(4) 4.3212121… ( )

(5) 5.121121112… ( )

02 다음 순환소수의 순환마디를 쓰시오.

(1) 1.222…

(2) 0.747474…

(3) 2.6555…

(4) 1.231231231…

(5) 3.1808080…

03 다음 순환소수를 순환마디에 점을 찍어 간단히 나타내시오.

(1) 3.333…

(2) 0.6888…

(3) 4.141414…

(4) 2.3353535…

(5) 1.045045045…

04 다음 중 순환소수의 표현이 옳은 것은 ○표, 옳지 않은 것은 ×표를 ( ) 안에 써넣으시오.

(1) 0.721721721… ➡ $0.\dot{7}2\dot{1}$ ( )

(2) 1.341341341… ➡ $\dot{1}.3\dot{4}$ ( )

(3) 5.9212121… ➡ $5.9\dot{2}\dot{1}$ ( )

(4) 2.666… ➡ $2.\dot{6}\dot{6}$ ( )

(5) 3.141414… ➡ $3.1\dot{4}\dot{1}$ ( )

05 다음은 분수를 소수로 나타내는 과정이다. □ 안에 알맞은 것을 쓰고, 구한 소수를 순환마디에 점을 찍어 간단히 나타내시오.

(1) $\frac{2}{3}$

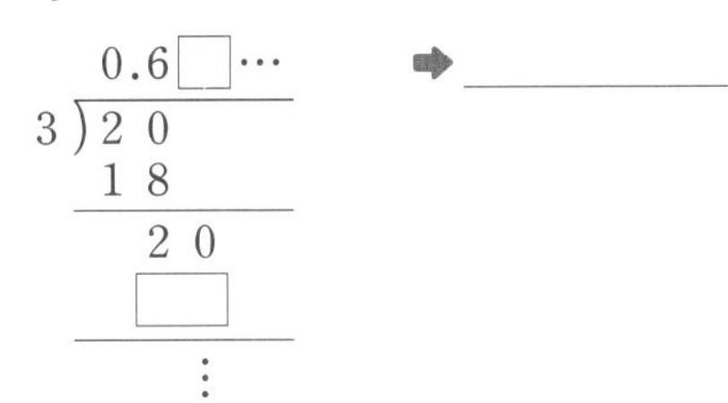

➡ ______

셈 Tip
나머지가 같은 수가 나오면 나눗셈 과정도 반복되요.

(2) $\frac{4}{9}$

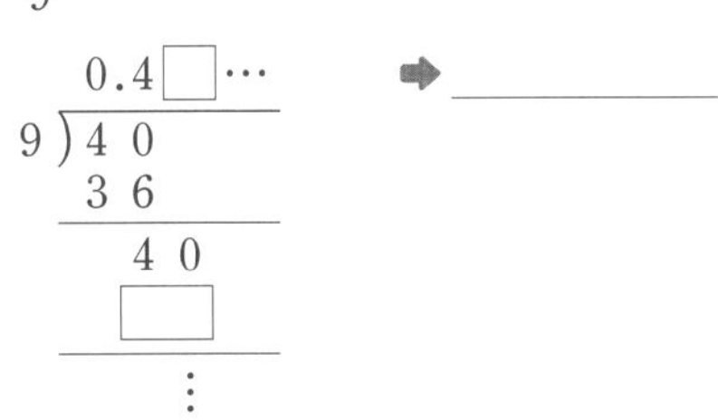

➡ ______

(3) $\frac{3}{11}$

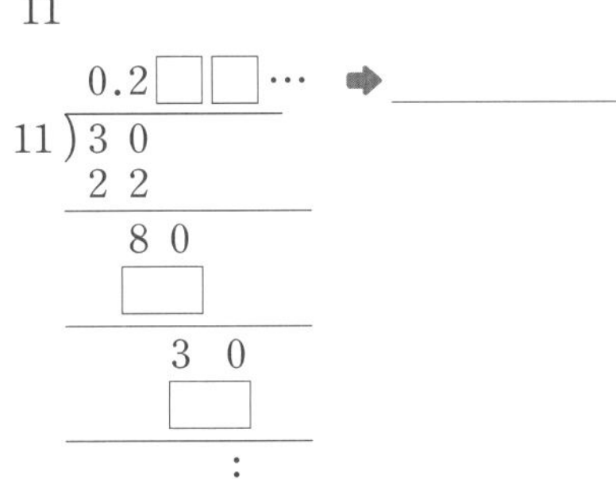

➡ ______

(4) $\frac{5}{6}$

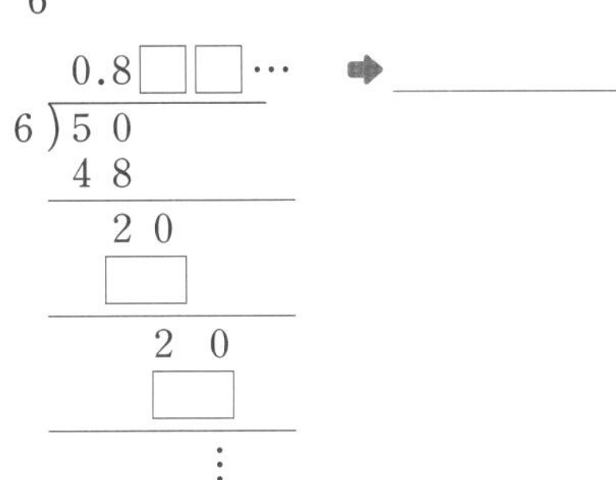

➡ ______

06 다음 분수를 소수로 나타낸 후 순환마디에 점을 찍어 간단히 나타내시오.

(1) $\frac{1}{9}$

(2) $\frac{2}{15}$

(3) $\frac{5}{33}$

07 순환소수 $0.\dot{5}\dot{8}$에 대하여 다음을 구하시오.

(1) 소수점 아래 15번째 자리의 숫자

(2) 소수점 아래 24번째 자리의 숫자

(3) 소수점 아래 31번째 자리의 숫자

셈 Tip
순환마디를 이루는 숫자의 개수를 이용하세요.

08 순환소수 $1.\dot{2}7\dot{9}$에 대하여 다음을 구하시오.

(1) 소수점 아래 12번째 자리의 숫자

(2) 소수점 아래 20번째 자리의 숫자

(3) 소수점 아래 37번째 자리의 숫자

정답과 해설 _ p.4

01 다음 중 순환소수의 순환마디를 바르게 나타낸 것은?

① $1.555\cdots$ ➡ 55
② $0.138138\cdots$ ➡ 138
③ $0.24646\cdots$ ➡ 246
④ $4.242424\cdots$ ➡ 42
⑤ $2.0909\cdots$ ➡ 9

순환마디는 소수점 아래에서 맨 처음 되풀이되는 부분이다.

02 다음 중 순환소수의 표현으로 옳은 것은?

① $0.333\cdots$ ➡ $0.\dot{3}\dot{3}$
② $2.6363\cdots$ ➡ $2.\dot{6}\dot{3}$
③ $1.851851\cdots$ ➡ $\dot{1}.\dot{8}\dot{5}$
④ $1.342342\cdots$ ➡ $1.\dot{3}\dot{4}\dot{2}$
⑤ $4.17272\cdots$ ➡ $4.\dot{1}7\dot{2}$

순환마디의 양 끝의 숫자 위에 점을 찍어 표현한다.

03 두 분수 $\frac{3}{11}$과 $\frac{2}{15}$를 순환소수로 나타낼 때, 순환마디의 숫자의 개수를 각각 a개, b개라 하자. 이때 $a+b$의 값을 구하시오.

주어진 두 분수를 각각 (분자)÷(분모)를 계산하여 순환소수로 나타낸다.

04 다음 분수를 소수로 나타내었을 때, 순환마디의 숫자의 개수가 가장 많은 것은?

① $\frac{1}{3}$
② $\frac{1}{6}$
③ $\frac{1}{7}$
④ $\frac{2}{11}$
⑤ $\frac{7}{12}$

05 순환소수 $1.\dot{3}65\dot{2}$의 소수점 아래 150번째 자리의 숫자를 구하시오.

3강 ••• 순환소수를 분수로 나타내기(1)

정답과 해설 _ p.4

1. 소수점 아래 첫째 자리부터 순환마디가 시작되는 경우

❶ 순환소수를 x로 놓는다.

❷ ❶의 양변에 순환마디의 숫자의 개수만큼 10의 거듭제곱을 곱하여 소수점 아래의 부분이 같은 식을 만든다.

❸ 위의 두 식을 변끼리 빼서 x의 값을 구한다.
(두 식을 빼면 소수점 아래 부분이 없어진다.)

예 순환소수 $0.\dot{1}\dot{3}$을 분수로 나타내어 보자.

❶ $x=0.1313\cdots$

❷ $100x=13.1313\cdots$

❸ ❷−❶을 하면 $99x=13$ $\quad\therefore x=\dfrac{13}{99}$

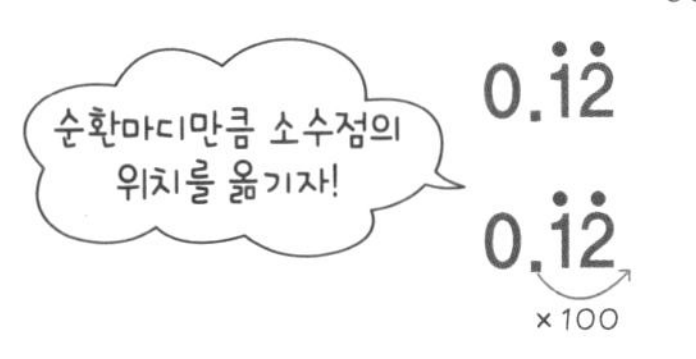

01 다음은 순환소수를 기약분수로 나타내는 과정이다. □ 안에 알맞은 수를 써넣으시오.

(1) $0.\dot{2}$

> $0.\dot{2}$를 x로 놓으면
> $x=0.222\cdots$ ⋯⋯ ㉠
> ㉠의 양변에 □을 곱하면
> $\square x=2.222\cdots$ ⋯⋯ ㉡
> ㉡−㉠을 하면 $\square x=\square$ $\quad\therefore x=\square$

(2) $0.\dot{1}\dot{9}$

> $0.\dot{1}\dot{9}$를 x로 놓으면
> $x=0.1919\cdots$ ⋯⋯ ㉠
> ㉠의 양변에 □을 곱하면
> $\square x=19.1919\cdots$ ⋯⋯ ㉡
> ㉡−㉠을 하면 $\square x=\square$ $\quad\therefore x=\square$

(3) $1.\dot{7}\dot{3}$

> $1.\dot{7}\dot{3}$을 x로 놓으면
> $x=1.7373\cdots$ ⋯⋯ ㉠
> ㉠의 양변에 □을 곱하면
> $\square x=173.7373\cdots$ ⋯⋯ ㉡
> ㉡−㉠을 하면 $\square x=\square$ $\quad\therefore x=\square$

02 다음 순환소수를 분수로 나타내기 위해 필요한 가장 편리한 식을 보기에서 고르시오.

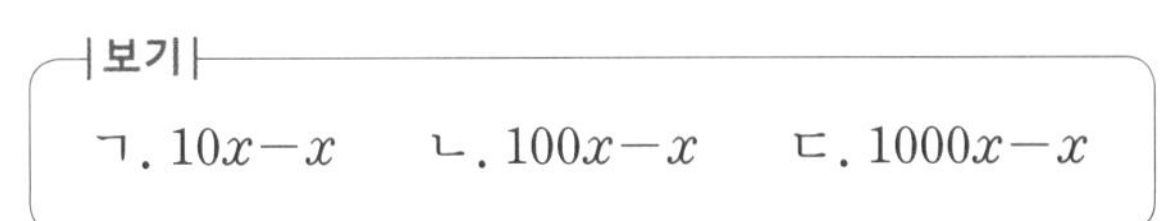

|보기|

ㄱ. $10x-x$ ㄴ. $100x-x$ ㄷ. $1000x-x$

(1) $x=0.\dot{4}$

(2) $x=1.\dot{1}\dot{9}$

(3) $x=0.\dot{3}1\dot{8}$

(4) $x=3.\dot{0}2\dot{7}$

03 다음 순환소수를 기약분수로 나타내시오.

(1) $0.\dot{5}$

(2) $0.\dot{8}\dot{6}$

(3) $2.\dot{0}\dot{7}$

(4) $1.\dot{1}0\dot{8}$

2. 소수점 아래 바로 순환마디가 오지 않는 경우

❶ 순환소수를 x로 놓는다.

❷ ❶의 양변에 소수점 아래에서 순환하지 않는 숫자의 개수만큼 10의 거듭제곱을 곱한다.

❸ ❶의 양변에 소수점 아래에서 순환하지 않는 숫자의 개수와 순환마디의 숫자의 개수만큼 10의 거듭제곱을 곱하여 ❷와 소수점 아래의 부분이 같은 식을 만든다.

❹ ❷, ❸의 두 식을 변끼리 빼서 x의 값을 구한다.

예 순환소수 $0.1\dot{3}$을 분수로 나타내어 보자.

❶ $x=0.1333\cdots$

❷ $10x=1.333\cdots$

❸ $100x=13.333\cdots$

❹ ❸−❷를 하면

$90x=12 \qquad \therefore x=\frac{12}{90}=\frac{2}{15}$

첫번째 순환마디의 앞, 뒤로 소수점의 위치를 옮기자!

$0.1\dot{2}$ ×10

$0.1\dot{2}$ ×100

04 다음은 순환소수를 기약분수로 나타내는 과정이다. □ 안에 알맞은 수를 써넣으시오.

(1) $0.3\dot{2}$

> $0.3\dot{2}$를 x로 놓으면
> $x=0.3222\cdots$ ······ ㉠
> ㉠의 양변에 10을 곱하면
> $10x=$□ ······ ㉡
> ㉠의 양변에 100을 곱하면
> $100x=$□ ······ ㉢
> ㉢−㉡을 하면 $90x=$□
> $\therefore x=$□

(2) $0.1\dot{2}\dot{7}$

> $0.1\dot{2}\dot{7}$을 x로 놓으면
> $x=0.12727\cdots$ ······ ㉠
> ㉠의 양변에 10을 곱하면
> $10x=$□ ······ ㉡
> ㉠의 양변에 1000을 곱하면
> $1000x=$□ ······ ㉢
> ㉢−㉡을 하면 $990x=$□
> $\therefore x=\frac{\square}{990}=$□

05 다음 순환소수를 분수로 나타내기 위해 필요한 가장 편리한 식을 보기에서 고르시오.

보기
ㄱ. $100x-10x$ ㄴ. $1000x-10x$
ㄷ. $1000x-100x$

(1) $x=0.4\dot{8}$

(2) $x=1.1\dot{9}\dot{7}$

(3) $x=0.13\dot{5}$

(4) $x=3.0\dot{2}$

06 다음 순환소수를 기약분수로 나타내시오.

(1) $0.2\dot{6}$

(2) $0.5\dot{4}\dot{6}$

(3) $1.1\dot{0}\dot{7}$

(4) $0.14\dot{3}$

정답과 해설 _ p.5

01 다음은 순환소수 $0.\dot{3}\dot{5}$를 분수로 나타내는 과정이다. (가)~(마)에 들어갈 수로 옳지 <u>않은</u> 것은?

> $0.\dot{3}\dot{5}$를 x로 놓으면
> $x=0.3535\cdots$ …… ㉠
> ㉠의 양변에 [(가)]을 곱하면
> [(나)]$x=35.3535\cdots$ …… ㉡
> ㉡−㉠을 하면
> [(다)]$x=$[(라)]
> $\therefore x=$[(마)]

① (가) 100 ② (나) 100 ③ (다) 90
④ (라) 35 ⑤ (마) $\frac{35}{99}$

02 다음 중 순환소수를 분수로 나타내는 과정에서 주어진 순환소수를 x라 할 때, $100x-x$를 이용하는 것이 가장 편리한 것은?

① $2.\dot{9}$ ② $1.1\dot{8}$ ③ $2.\dot{1}\dot{6}$
④ $2.\dot{3}0\dot{0}$ ⑤ $5.1\dot{4}2\dot{3}$

$100x-x$를 이용하면 가장 편리하게 소수점 아래 부분이 없어지는 순환소수를 찾는다.

03 순환소수 $1.2\dot{1}\dot{3}$을 분수로 나타내려고 한다. $x=1.2\dot{1}\dot{3}$이라 할 때, 다음 중 가장 편리한 식은?

① $10x-x$ ② $100x-10x$ ③ $1000x-x$
④ $1000x-10x$ ⑤ $1000x-100x$

$x=1.21313\cdots$의 첫번째 순환마디의 앞, 뒤로 소수점을 옮길 수 있는 두 식의 차를 나타내는 식을 찾는다.

04 순환소수 $4.2\dot{3}$을 기약분수로 나타낼 때, 분자와 분모의 합은?

① 157 ② 217 ③ 371
④ 411 ⑤ 471

4강 ••• 순환소수를 분수로 나타내기(2)

정답과 해설 _ p.6

1. 소수점 아래 바로 순환마디가 오는 경우 up+

(1) 분모: 순환마디의 숫자의 개수만큼 9를 쓴다.

(2) 분자: (전체의 수) − (정수 부분)

예 $0.\dot{1}2\dot{5}=\frac{125}{999}$, $1.\dot{2}\dot{3}=\frac{123-1}{99}$

전체의 수 / 정수 부분

$$a.\dot{b}c\dot{d}=\frac{abcd-a}{999}$$

순환마디의 숫자가 3개

2. 소수점 아래 바로 순환마디가 오지 않는 경우 up+

(1) 분모: 순환마디의 숫자의 개수만큼 9를 쓰고, 그 뒤에 소수점 아래에서 순환하지 않는 숫자의 개수만큼 0을 쓴다.

(2) 분자: (전체의 수) − (순환하지 않는 수)

예 $0.1\dot{2}\dot{8}=\frac{128-1}{990}$, $1.2\dot{3}\dot{4}=\frac{1234-12}{990}$

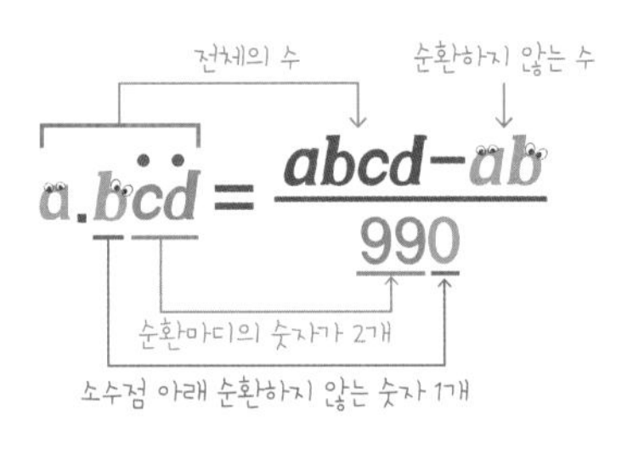

01 다음은 순환소수를 기약분수로 나타내는 과정이다. □ 안에 알맞은 수를 써넣으시오.

(1) $0.\dot{7}=\frac{7}{\square}$

(2) $0.\dot{2}\dot{3}=\frac{23}{\square}$

(3) $2.\dot{5}=\frac{25-\square}{\square}=\square$

(4) $1.\dot{4}\dot{7}=\frac{147-\square}{\square}=\square$

(5) $1.\dot{2}9\dot{6}=\frac{1296-\square}{\square}=\square$

02 다음 순환소수를 기약분수로 나타내시오.

(1) $0.\dot{4}\dot{8}$

(2) $2.\dot{3}\dot{8}$

(3) $1.\dot{2}0\dot{4}$

03 다음은 순환소수를 기약분수로 나타내는 과정이다. □ 안에 알맞은 수를 써넣으시오.

(1) $0.1\dot{2}=\frac{12-\square}{\square}=\square$

(2) $0.3\dot{1}\dot{4}=\frac{314-\square}{\square}=\square$

(3) $3.8\dot{7}=\frac{387-\square}{\square}=\square$

(4) $0.12\dot{5}=\frac{125-\square}{\square}=\square$

(5) $2.67\dot{4}=\frac{2674-\square}{\square}=\square$

04 다음 순환소수를 기약분수로 나타내시오.

(1) $0.3\dot{2}$

(2) $2.6\dot{8}$

(3) $1.0\dot{3}\dot{2}$

3. 순환소수의 대소 관계

(1) 자리의 수로 비교하는 방법: 순환소수의 순환마디를 풀어 쓴 후 앞자리부터 각 자리의 숫자의 크기를 비교한다.

(2) 분수로 비교하는 방법: 순환소수를 분수로 나타낸 후 통분하여 두 분수의 크기를 비교한다.

$$0.\dot{2}=0.2222\cdots > 0.\dot{2}\dot{1}=0.2121\cdots$$

$$0.\dot{2}=\frac{2}{9}=\frac{22}{99} > 0.\dot{2}\dot{1}=\frac{21}{99}$$

4. 유리수와 순환소수의 관계 up⁺

(1) 정수가 아닌 유리수는 유한소수 또는 순환소수로 나타낼 수 있다.

(2) 유한소수와 순환소수는 분수로 나타낼 수 있으므로 유리수이다.

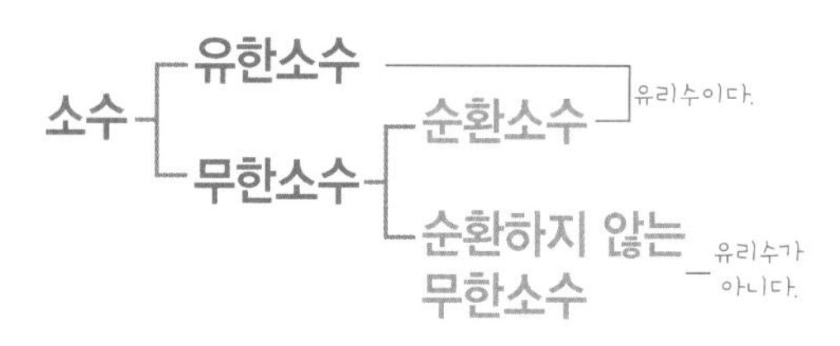

05 다음 두 순환소수의 순환마디를 풀어 대소를 비교한 후 □ 안에 $<$ 또는 $>$ 중 알맞은 부등호를 써넣으시오.

(1) $0.\dot{3}$ □ $0.\dot{3}\dot{4}$

(2) $0.1\dot{7}$ □ $0.\dot{1}\dot{7}$

(3) $0.\dot{3}1\dot{2}$ □ $0.3\dot{1}\dot{2}$

06 다음 두 순환소수를 분수로 고쳐 대소를 비교한 후 □ 안에 $<$ 또는 $>$ 중 알맞은 부등호를 써넣으시오.

(1) $0.\dot{5}$ □ $0.\dot{5}\dot{4}$

(2) $0.6\dot{7}$ □ $0.\dot{6}$

(3) $0.\dot{2}\dot{8}$ □ $0.2\dot{8}$

07 다음 수가 유리수이면 ○표, 유리수가 아니면 ×표를 (　) 안에 써넣으시오.

(1) 1.121121112⋯ (　　)

(2) 0.232323 (　　)

(3) 2.747474⋯ (　　)

(4) $9.\dot{5}$ (　　)

08 다음 설명이 옳으면 ○표, 옳지 않으면 ×표를 (　) 안에 써넣으시오.

(1) 모든 소수는 분수로 나타낼 수 있다. (　　)

(2) 유한소수 중에는 유리수가 아닌 것도 있다. (　　)

(3) 모든 순환소수는 분수로 나타낼 수 있다. (　　)

(4) 모든 무한소수는 유리수가 아니다. (　　)

정답과 해설 _ p.6

01 다음 중 순환소수를 분수로 나타낸 것으로 옳은 것을 모두 고르면? (정답 2개)

① $0.\dot{1}\dot{4}=\frac{14}{99}$ ② $0.2\dot{5}=\frac{25}{90}$ ③ $1.\dot{7}=\frac{17}{9}$

④ $0.\dot{5}1\dot{6}=\frac{172}{303}$ ⑤ $1.\dot{3}\dot{5}=\frac{134}{99}$

02 $\frac{1}{6}<0.\dot{x}<\frac{1}{3}$을 만족하는 한 자리의 자연수 x의 값은?

① 1 ② 2 ③ 3

④ 4 ⑤ 5

$0.\dot{x}$를 분수로 나타낸 후 세 분수를 통분하여 분자를 비교한다.

03 다음 중 두 순환소수의 대소 관계로 옳지 않은 것은?

① $0.\dot{2}<0.\dot{2}\dot{4}$ ② $0.5\dot{3}<0.\dot{5}\dot{3}$ ③ $1.\dot{1}\dot{2}>1.\dot{1}2\dot{1}$

④ $0.4\dot{4}\dot{3}<0.\dot{4}4\dot{3}$ ⑤ $1.2\dot{7}<1.\dot{2}\dot{7}$

순환소수의 순환마디를 풀어 쓴 후 앞자리부터 각 자리의 숫자의 크기를 비교하거나 순환소수를 분수로 나타내어 크기를 비교한다.

다음 중 옳지 않은 것은?

① 모든 순환소수는 유리수이다.

② 모든 유한소수는 유리수이다.

③ 모든 순환소수는 무한소수이다.

④ 모든 무한소수는 유리수가 아니다.

⑤ 모든 순환소수는 분수로 나타낼 수 있다.

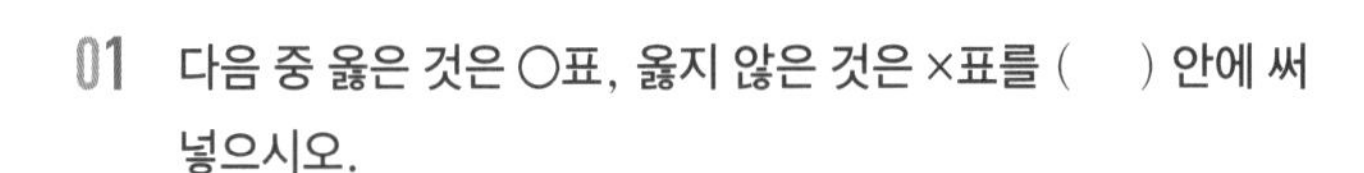

중단원 연산 마무리

정답과 해설 _ p.7

01 다음 중 옳은 것은 ○표, 옳지 않은 것은 ×표를 ( ) 안에 써넣으시오.

(1) -4는 정수이다. ( )

(2) 0.5는 양의 정수이다. ( )

(3) $-\frac{9}{3}$는 정수가 아닌 유리수이다. ( )

(4) -1.2는 유리수이다. ( )

02 다음에 알맞은 수를 보기에서 모두 고르시오.

보기
$-3,\ 2.177,\ -\frac{1}{6},\ \frac{8}{4},\ 10,\ 1.5$

(1) 자연수

(2) 음의 정수

(3) 정수가 아닌 유리수

(4) 양의 유리수

03 다음 분수를 소수로 나타내고, 유한소수인 것은 '유'를, 무한소수인 것은 '무'를 ( ) 안에 써넣으시오.

(1) $\frac{4}{9}$ ➡ ________ ( )

(2) $\frac{1}{12}$ ➡ ________ ( )

(3) $\frac{11}{8}$ ➡ ________ ( )

(4) $\frac{9}{20}$ ➡ ________ ( )

04 다음 분수를 10의 거듭제곱을 이용하여 유한소수로 나타내시오.

(1) $\frac{5}{8}$

(2) $\frac{4}{25}$

(3) $\frac{3}{40}$

(4) $\frac{6}{120}$

05 다음 분수를 소수로 나타낼 때, 유한소수로 나타낼 수 있는 것은 '유', 무한소수로 나타낼 수 있는 것은 '무'를 ( ) 안에 써넣으시오.

(1) $\frac{9}{2^2\times3}$ ( )

(2) $\frac{12}{2^2\times5}$ ( )

(3) $\frac{10}{2^2\times5^2\times7}$ ( )

(4) $\frac{33}{135}$ ( )

06 다음 중 순환소수인 것은 ○표, 순환소수가 아닌 것은 ×표를 ( ) 안에 써넣으시오.

(1) $1.2333\cdots$ ( )

(2) $0.101101110\cdots$ ( )

(3) $5.232323\cdots$ ( )

(4) 4.686868 ( )

정답과 해설 _ p.7

07 다음 중 순환소수의 표현이 옳은 것은 ○표, 옳지 않은 것은 ×표를 (　) 안에 써넣으시오.

(1) $0.234234\cdots \Rightarrow 0.\dot{2}\dot{3}\dot{4}$ (　　)

(2) $2.727272\cdots \Rightarrow \dot{2}.\dot{7}$ (　　)

(3) $1.23636\cdots \Rightarrow 1.2\dot{3}\dot{6}$ (　　)

(4) $0.4111\cdots \Rightarrow 0.4\dot{1}\dot{1}$ (　　)

08 다음 분수를 소수로 나타낸 후 순환마디에 점을 찍어 간단히 나타내시오.

(1) $\frac{7}{6}$

(2) $\frac{25}{9}$

(3) $\frac{5}{11}$

(4) $\frac{7}{18}$

09 분수 $\frac{6}{13}$을 소수로 나타낼 때, 다음을 구하시오.

(1) 소수점 아래 50번째 자리의 숫자

(2) 소수점 아래 100번째 자리의 숫자

10 다음은 순환소수 $0.\dot{6}\dot{2}$를 기약분수로 나타내는 과정이다. □ 안에 알맞은 수를 써넣으시오.

> $0.\dot{6}\dot{2}$를 x로 놓으면
> $x=0.6262\cdots$ …… ㉠
> ㉠의 양변에 □을 곱하면
> □$x=62.6262\cdots$ …… ㉡
> ㉡−㉠을 하면
> □$x=$□
> $\therefore x=$□

11 다음은 순환소수 $0.6\dot{2}\dot{9}$를 기약분수로 나타내는 과정이다. □ 안에 알맞은 수를 써넣으시오.

> $0.6\dot{2}\dot{9}$를 x로 놓으면
> $x=0.62929\cdots$ …… ㉠
> ㉠의 양변에 □을 곱하면
> □$x=6.2929\cdots$ …… ㉡
> ㉠의 양변에 1000을 곱하면
> $1000x=$□ …… ㉢
> ㉢−㉡을 하면 $990x=$□
> $\therefore x=$□

12 순환소수를 분수로 나타내려고 할 때, 이용할 수 있는 가장 간단한 식을 바르게 연결한 것은 ○표, 아닌 것은 ×표를 (　) 안에 써넣으시오.

(1) $x=0.\dot{8} \Rightarrow 10x-x$ (　　)

(2) $x=0.4\dot{2} \Rightarrow 100x-x$ (　　)

(3) $x=2.\dot{3}2\dot{5} \Rightarrow 1000x-10x$ (　　)

(4) $x=3.09\dot{1} \Rightarrow 1000x-100x$ (　　)

도전 100점

13 다음은 순환소수를 기약분수로 나타내는 과정이다. □ 안에 알맞은 수를 써넣으시오.

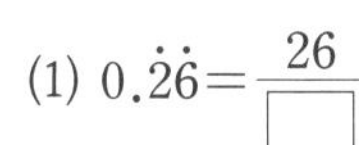

(1) $0.\dot{2}\dot{6}=\dfrac{26}{\square}$

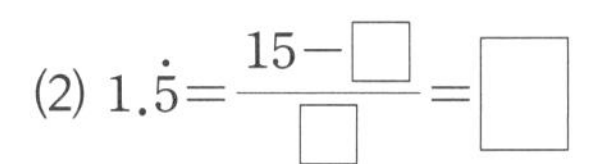

(2) $1.\dot{5}=\dfrac{15-\square}{\square}=\square$

(3) $0.2\dot{1}=\dfrac{21-\square}{\square}=\square$

(4) $2.6\dot{7}=\dfrac{267-\square}{\square}=\square$

14 다음은 순환소수를 기약분수로 나타내시오.

(1) $0.\dot{2}\dot{7}$

(2) $0.\dot{6}9\dot{3}$

(3) $2.0\dot{7}$

(4) $0.31\dot{8}$

15 다음 설명이 옳으면 ○표, 옳지 않으면 ×표를 (　) 안에 써넣으시오.

(1) 모든 순환소수는 무한소수이다. (　　)

(2) 모든 순환소수는 유리수이다. (　　)

(3) 모든 유리수는 유한소수로 나타낼 수 있다. (　　)

(4) 정수가 아닌 유리수를 소수로 나타내면 유한소수 또는 순환소수이다. (　　)

16 분수 $\dfrac{a}{2\times5^2\times7}$를 소수로 나타내면 유한소수가 될 때, 다음 중 a의 값이 될 수 있는 수는?

① 5　② 9　③ 12
④ 17　⑤ 28

17 두 분수 $\dfrac{2}{13}$와 $\dfrac{8}{33}$을 순환소수로 나타낼 때, 순환마디의 숫자의 개수를 각각 a개, b개라 하자. 이때 $a+b$의 값은?

① 2　② 4　③ 6
④ 8　⑤ 10

18 다음 중 순환소수를 분수로 나타낸 것으로 옳은 것을 모두 고르면? (정답 2개)

① $0.\dot{2}\dot{5}=\dfrac{25}{99}$　② $0.1\dot{8}=\dfrac{18}{90}$

③ $2.\dot{2}=\dfrac{22}{9}$　④ $0.\dot{2}2\dot{1}=\dfrac{67}{303}$

⑤ $1.\dot{5}\dot{7}=\dfrac{52}{33}$

6강 지수법칙(1), (2)

정답과 해설 _ p.8

1. 지수법칙(1) - 지수의 합

m, n이 자연수일 때,

$a^m \times a^n = a^{m+n}$

참고 l, m, n이 자연수일 때

$a^l \times a^m \times a^n = a^{l+m+n}$

두 지수의 합

$a^2 \times a^3 = a^{2+3} = a^5$

01 다음 식을 간단히 하시오.

(1) $x^2 \times x^4$

(2) $2^3 \times 2^5$

(3) $a^4 \times a^3$

(4) $y^3 \times y^7$

(5) $x^3 \times x^2 \times x^4$

(6) $b^2 \times b \times b^5$

개념Tip $b = b^1$이다.

(7) $3^4 \times 3^5 \times 3^2$

(8) $y^2 \times y^7 \times y^3 \times y$

02 다음 식을 간단히 하시오.

(1) $x^5 \times y \times y^6$

(2) $a^4 \times a^5 \times b^8$

(3) $a^2 \times a \times b^4 \times b^2$

(4) $a^2 \times b^4 \times b^3 \times a^3$

(5) $x^4 \times y^2 \times x^2 \times y^3$

개념Tip 밑이 같은 것끼리만 지수법칙이 적용된다.

03 다음 □ 안에 알맞은 수를 구하시오.

(1) $2^2 \times 2^{\square} = 2^5$

(2) $x^{\square} \times x^4 = x^{10}$

(3) $a^4 \times a^{\square} \times a^2 = a^8$

(4) $a^{\square} \times a^5 \times b^2 \times b^5 = a^8 b^7$

(5) $x^3 \times x^7 \times y \times y^{\square} = x^{10} y^8$

2. 지수법칙(2) - 지수의 곱 up+

m, n이 자연수일 때,

$(a^m)^n = a^{mn}$

참고 l, m, n이 자연수일 때
$\{(a^l)^m\}^n = a^{lmn}$

두 지수의 곱

$$(a^2)^3 = a^{2\times3} = a^6$$

04 다음 식을 간단히 하시오.

(1) $(a^3)^4$

(2) $(2^4)^5$

(3) $(b^5)^3$

(4) $\{(a^4)^2\}^5$

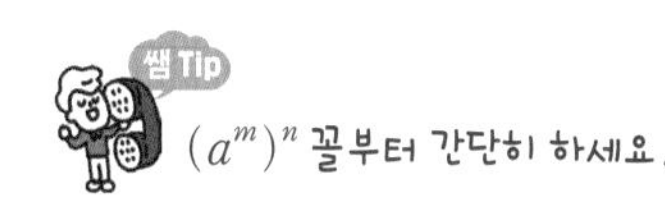

$(a^m)^n$ 꼴부터 간단히 하세요.

(5) $\{(x^2)^5\}^3$

(6) $(a^3)^2 \times a^5$

(7) $y^4 \times (y^2)^5$

(8) $(x^4)^3 \times (x^5)^2$

05 다음 식을 간단히 하시오.

(1) $(a^5)^3 \times a \times b^6$

(2) $x^5 \times (y^2)^4 \times y$

(3) $a^3 \times (b^4)^5 \times (a^5)^2$

(4) $(a^4)^2 \times b^5 \times (a^3)^7 \times (b^2)^4$

(5) $(x^3)^2 \times y \times (y^4)^3 \times (x^2)^5$

06 다음 □ 안에 알맞은 수를 구하시오.

(1) $(a^3)^{\square} = a^{18}$

(2) $(3^{\square})^4 = 3^{12}$

(3) $(x^{\square})^2 = x^{10}$

(4) $b \times (b^{\square})^2 = b^{11}$

(5) $(x^{\square})^5 \times x^3 = x^{13}$

힘수 만점

정답과 해설 _ p.9

01 $a^4 \times b^2 \times a \times b^3$을 간단히 하면?

① a^3b^7　② a^4b^5　③ a^5b^5
④ a^6b^4　⑤ a^7b^3

밑이 같은 거듭제곱끼리 지수를 더하여 간단히 한다.

02 $2^4 \times 32 = 2^x$일 때, 자연수 x의 값은?

① 5　② 6　③ 7
④ 8　⑤ 9

32를 2의 거듭제곱으로 고친다.

03 $(x^5)^2 \times (x^3)^4$을 간단히 하면?

① x^{14}　② x^{17}　③ x^{19}
④ x^{20}　⑤ x^{22}

거듭제곱의 거듭제곱은 지수끼리 곱하여 간단히 한다.

04 $x^3 \times (x^{\square})^5 = x^{18}$일 때, □ 안에 알맞은 수는?

① 1　② 2　③ 3
④ 4　⑤ 5

05 다음 중 옳지 않은 것은?

① $a^2 \times a^8 = a^{10}$　② $(b^4)^5 = b^{20}$　③ $y \times (y^3)^5 = y^{16}$
④ $(x^4)^2 \times x^3 = x^{11}$　⑤ $x^6 \times y^5 \times (y^2)^3 = x^6y^{10}$

7강 ••• 지수법칙(3), (4)

1. 지수법칙(3) - 지수의 차 up+

$a \neq 0$이고 m, n이 자연수일 때

(1) $m>n$이면　$a^m \div a^n = a^{m-n}$

(2) $m=n$이면　$a^m \div a^n = 1$

(3) $m<n$이면　$a^m \div a^n = \frac{1}{a^{n-m}}$

참고 l, m, n이 자연수일 때
$a^l \div a^m \div a^n = a^{l-m-n}$ (단, $l>m+n$)

두 지수의 차

$a^6 \div a^4 = a^{6-4} = a^2$

두 지수의 차

$a^4 \div a^6 = \frac{1}{a^{6-4}} = \frac{1}{a^2}$

두 지수의 대소를 비교한 후 지수법칙을 이용한다.

01 다음 식을 간단히 하시오.

(1) $x^4 \div x^2$

(2) $x^3 \div x^3$

(3) $x^2 \div x^4$

(4) $2^5 \div 2^2$

(5) $3^4 \div 3^4$

(6) $a^5 \div a^2 \div a$

(7) $b^4 \div b^2 \div b^5$

(8) $y^4 \div y^3 \div y$

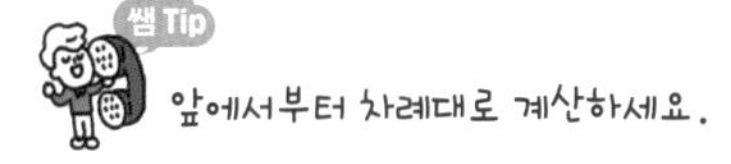

02 다음 식을 간단히 하시오.

(1) $(a^2)^4 \div a^5$

(2) $x^4 \div (x^3)^2$

(3) $(b^4)^5 \div (b^2)^3$

(4) $(y^2)^3 \div (y^5)^2$

(5) $(x^6)^3 \div x^2 \div (x^3)^4$

03 다음 □ 안에 알맞은 수를 구하시오.

(1) $a^{\square} \div a^2 = a^5$

(2) $x^5 \div x^{\square} = \frac{1}{x^3}$

(3) $y^{\square} \div y^3 = 1$

(4) $(b^2)^7 \div (b^{\square})^2 = b^8$

(5) $(x^{\square})^4 \div x^{12} = \frac{1}{x^4}$

2. 지수법칙 (4) - 지수의 분배 up+

n이 자연수일 때,

(1) $(ab)^n = a^n b^n$

(2) $\left(\frac{a}{b}\right)^n = \frac{a^n}{b^n}$ (단, $b \neq 0$)

참고 m이 자연수일 때, $(abc)^m = a^m b^m c^m$

지수의 분배 $(ab)^3 = a^3 b^3$, 지수의 분배 $\left(\frac{a}{b}\right)^3 = \frac{a^3}{b^3}$

04 다음 식을 간단히 하시오.

(1) $(ab^2)^3$

(2) $(x^3y^2)^5$

(3) $(2x^4)^3$

(4) $(3a^2b^4)^3$

(5) $\left(\frac{a}{b^2}\right)^3$

(6) $\left(\frac{x^2}{y^3}\right)^4$

(7) $\left(\frac{a^5}{3}\right)^3$

(8) $\left(\frac{2x^5}{y^4}\right)^2$

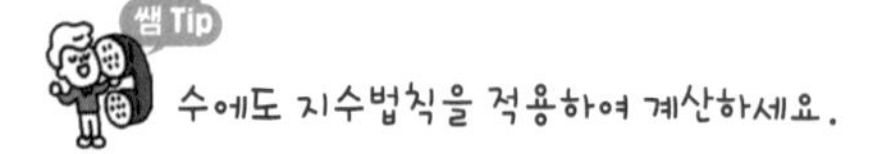

05 다음 식을 간단히 하시오.

(1) $(-x^2)^4$

(2) $(-a^4)^3$

(3) $(-2y^5)^4$

(4) $\left(-\frac{x^4}{y^3}\right)^5$

(5) $\left(-\frac{2a^2}{b^3}\right)^3$

음수를 거듭제곱할 때는 먼저 지수가 짝수인지 홀수인지 확인하세요.

06 다음 □ 안에 알맞은 수를 구하시오.

(1) $(a^{\square}b^4)^2 = a^{10}b^8$

(2) $(-3x^3)^{\square} = 81x^{12}$

(3) $(-x^{\square}y^7)^3 = -x^6y^{21}$

(4) $\left(\frac{a^{\square}}{b^2}\right)^6 = \frac{a^{24}}{b^{12}}$

(5) $\left(-\frac{x^5}{y^{\square}}\right)^5 = -\frac{x^{25}}{y^{30}}$

만점

정답과 해설 _ p.9

01 다음 중 옳은 것은?

① $a^3 \div a^7 = a^4$ ② $a^4 \div a^4 = 0$ ③ $a^5 \div a^7 = \frac{1}{a^2}$
④ $a^6 \div a^4 \div a^5 = -\frac{1}{a^3}$ ⑤ $a^7 \div a^3 \div a^4 = a$

02 $x^7 \div x^a = \frac{1}{x^2}$일 때, 자연수 a의 값은?

① 5 ② 6 ③ 7
④ 8 ⑤ 9

$x^m \div x^n = \frac{1}{x^l}$ 꼴이면 $m < n$임을 의미한다.

03 $(x^2)^7 \div (x^3)^2 \div (x^4)^3$을 간단히 한 것은?

① $\frac{1}{x^4}$ ② $\frac{1}{x^2}$ ③ x
④ x^2 ⑤ x^4

먼저 지수법칙을 이용하여 괄호를 푼다.

04 $(-2x^4y^a)^b = -32x^cy^{10}$일 때, 자연수 a, b, c에 대하여 $a+b+c$의 값은?

① 21 ② 23 ③ 25
④ 27 ⑤ 29

좌변의 괄호를 지수법칙을 이용하여 푼 후 우변의 같은 문자에 대한 지수를 비교한다.

05 다음 중 □ 안에 들어갈 수가 가장 큰 것은?

① $a^3 \div a^{\square} = \frac{1}{a^4}$ ② $x^{\square} \div x^5 = 1$ ③ $b^{\square} \div b^5 = b^3$
④ $\left(\frac{a^6}{b^{\square}}\right)^3 = \frac{a^{18}}{b^{12}}$ ⑤ $\left(-\frac{x^7}{y^3}\right)^{\square} = \frac{x^{14}}{y^6}$

8강 단항식의 곱셈과 나눗셈

정답과 해설 _ p.10

1. 단항식의 곱셈

(1) (단항식) × (단항식)은 계수는 계수끼리, 문자는 문자끼리 곱하여 계산한다.

(2) 같은 문자끼리 곱할 때에는 지수법칙을 이용한다.

참고 부호, 수, 문자의 순서로 계산한다.

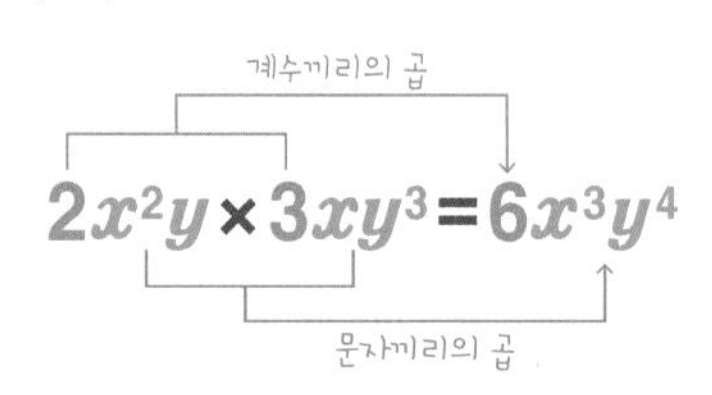

01 다음 식을 간단히 하시오.

(1) $2x \times 4y$

(2) $3a \times (-2b)$

(3) $-3x \times 7y$

(4) $3ab \times \left(-\frac{1}{2}a\right)$

(5) $3x \times (-2x^2)$

(6) $4a^2 \times (-2ab)$

(7) $-ab \times 5b^2$

(8) $(-5x^2y) \times (-2xy^3)$

02 다음 식을 간단히 하시오.

(1) $(2ab)^2 \times (-3ab)$

(2) $-x^2yz \times (-2xy^2)^2$

(3) $-4abc \times (-ac)^3$

(4) $(x^2y)^4 \times (-xy^2)^3$

(5) $(-x^2y)^2 \times (-3xy^2)^3$

거듭제곱을 먼저 계산하세요.

03 다음 식을 간단히 하시오.

(1) $4ab^2 \times (-3ab)^2 \times (-ab)$

(2) $x^3y \times (2x^2y)^4 \times (-xy^2)^3$

(3) $(-xyz)^2 \times (xy^2)^2 \times 6xz$

(4) $(-4abc)^2 \times (2ac)^3 \times (-b^3c)$

(5) $(-2x^3y)^2 \times (x^2y)^2 \times (-3xy^2)^3$

2. 단항식의 나눗셈

n이 자연수일 때, (단항식)÷(단항식)은 다음과 같은 방법으로 계산한다.

(1) 방법 1: 나눗셈을 분수의 꼴로 바꾸어 계산한다.

➡ $A \div B = \dfrac{A}{B}$

분자로

$$6x^2y \div 2x = \frac{6x^2y}{2x} = 3xy$$

분모로

(2) 방법 2: 나눗셈을 역수의 곱셈으로 바꾸어 계산한다.

➡ $A \div B = A \times \dfrac{1}{B}$

곱셈으로

$$3x^2y \div \frac{x}{2} = 3x^2y \times \frac{2}{x} = 6xy$$

역수로

참고 나누는 식이 분수의 꼴인 경우는 방법 2를 이용하면 편리하다.

04 다음 식을 간단히 하시오.

(1) $6ab \div 2a$

(2) $10xy \div (-2x)$

(3) $(-8ab^2) \div 4ab$

(4) $(-6a^2b) \div 2ab^3$

(5) $18a^4b^5 \div (-6ab^3)$

(6) $12x^4y^3 \div (-2xy)^2$

(7) $(6x^4y^3)^2 \div (-3xy^2)^2$

나눗셈을 분수의 꼴로 바꾸어서 계산한다.

05 다음 식의 역수를 구하시오.

(1) $3x$

(2) $-\dfrac{y}{3}$

(3) $-\dfrac{2a}{b}$

(4) $\dfrac{1}{4}xy$

(5) $-\dfrac{2}{5}a^2b$

06 다음 식을 간단히 하시오.

(1) $x^4 \div \left(-\dfrac{x}{6}\right)$

(2) $a^7b^4 \div \left(\dfrac{2a^2}{b}\right)^3$

(3) $(-9a^2b^2) \div \left(-\dfrac{3}{2}ab\right)$

(4) $(-15x^4y^5) \div \left(-\dfrac{5}{2}x^2y^3\right)$

(5) $\left(-\dfrac{1}{4}xy^2\right)^2 \div \dfrac{2x}{y}$

(6) $\left(\dfrac{1}{3}a^2b\right)^2 \div \left(-\dfrac{2}{3}ab\right)^3$

(7) $\left(-\dfrac{2}{3}a^3b^2\right)^3 \div \left(-\dfrac{1}{3}a^2b\right)^2$

나누는 식이 분수의 꼴이므로 역수의 곱셈으로 바꾸어 계산한다.

07 다음 식을 간단히 하시오.

(1) $8x^5y^3 \div xy^2 \div 2x$

(2) $40a^4b^2 \div (-4a^2b) \div 5b$

(3) $\frac{2}{5}x^4y^3 \div (-x^2y) \div \left(-\frac{1}{15}y^4\right)$

(4) $(4a^4b)^2 \div \left(-\frac{1}{2}a\right)^2 \div \frac{2}{3}a^2b$

샘 Tip
나눗셈이 2개 이상일 때는 나눗셈을 모두 역수의 곱셈으로 바꾸어서 계산하세요.

3. 단항식의 곱셈과 나눗셈의 혼합 계산

단항식의 곱셈과 나눗셈의 혼합 계산은 다음 순서로 한다.

❶ 괄호가 있는 거듭제곱은 지수법칙을 이용하여 괄호를 푼다.
❷ 나눗셈은 분수의 꼴 또는 역수의 곱셈으로 바꾼다.
❸ 계수는 계수끼리, 문자는 문자끼리 계산한다.

괄호 풀기 → 나눗셈은 곱셈으로 바꾸기 → 계수끼리, 문자끼리 계산하기

08 다음 식을 간단히 하시오.

(1) $3a^4 \times 6a \div 2a^3$

(2) $8x^4 \div 2x \times x^2$

(3) $16xy^2 \div 4x^2y \times 3x$

(4) $3xy \div \frac{1}{2}x^2 \times x^3y^4$

(5) $a^5b^3 \times (-6a^2b)^2 \div (3ab)^2$

(6) $\frac{1}{6}ab \times (-a^3b^5)^4 \div \frac{1}{3}a^5b^8$

(7) $\left(-\frac{5}{2}x^2\right)^2 \div \left(\frac{1}{2}xy^2\right)^3 \times (-xy^3)$

09 다음 □ 안에 알맞은 식을 구하시오.

(1) $\square \times 3x^2 = -15x^6$

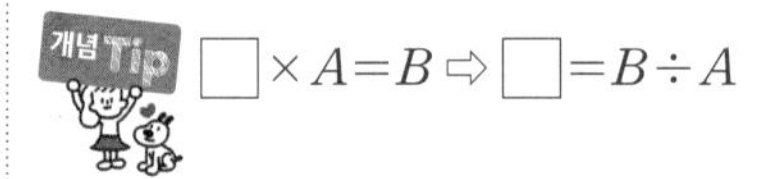

$\square \times A = B \Rightarrow \square = B \div A$

(2) $-4a^3b \times \square = -8a^5b^2$

(3) $9x^3y^4 \div \square = 3xy$

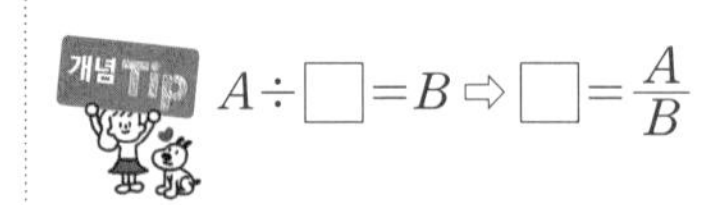

$A \div \square = B \Rightarrow \square = \frac{A}{B}$

(4) $(-a^3b)^3 \times \square \div 6a^6b^7 = ab^2$

(5) $(6x^2y)^2 \div \square \times (-2xy^2)^3 = 8xy^4$

정답과 해설 _ p.11

01 $(2x^5y)^3\times\left(-\frac{3}{4}xy^2\right)^2\times(-xy^2)^4$을 간단히 하면?

먼저 지수법칙을 이용하여 괄호를 푼다.

① $\frac{3}{2}x^{11}y^9$ ② $6x^{17}y^{12}$ ③ $9x^{15}y^{13}$
④ $18x^{19}y^7$ ⑤ $\frac{9}{2}x^{21}y^{15}$

02 $6x^2y\div(-2x^7y^4)\div\frac{1}{3}xy^2$을 간단히 하면?

나눗셈을 모두 역수의 곱셈으로 바꾼다.

① $-\frac{9}{x^6y^5}$ ② $-\frac{9x^4}{y}$ ③ $-\frac{4}{x^4y}$
④ $-9x^8y$ ⑤ $-6x^4y$

03 다음 중 옳지 않은 것은?

① $2x^3\times(-x)^5=-2x^8$ ② $4x^2\times3xy^5=12x^3y^5$
③ $9x^2y\div\frac{xy}{3}=27x$ ④ $(-2xy)^2\div xy^4=\frac{4x}{y^2}$
⑤ $16x^4y^2\div2xy^3\div4xy=2xy^2$

04 $(-2x^4y)^A\div4x^By\times2x^6y^2=Cx^2y^3$일 때, 자연수 A, B, C에 대하여 $A+B+C$의 값은?

좌변을 정리한 후 우변의 같은 문자에 대한 지수를 비교한다.

① 12 ② 14 ③ 16
④ 18 ⑤ 20

05 다음 □ 안에 알맞은 식은?

$$20a^2b\div\square\times5ab^3=8a^2b$$

① $\frac{2}{25ab^3}$ ② $\frac{25}{2}ab^3$ ③ $25ab^2$
④ $\frac{2}{25}ab^3$ ⑤ $\frac{25}{2}a^2b$

정답과 해설 _ p.12

1. 다항식의 덧셈과 뺄셈 up+

(1) 다항식의 덧셈과 뺄셈: 괄호를 풀고 동류항끼리 모아서 계산한다.

참고 문자와 차수가 각각 같은 항을 동류항이라고 한다.

(2) 괄호를 풀 때, 괄호 앞에 +가 있으면 괄호 안의 부호를 그대로, 괄호 앞에 −가 있으면 괄호 안의 부호를 반대로 바꾼다.

$$A+(B-C)=A+B-C$$
$$A-(B-C)=A-B+C$$

01 다음 식을 간단히 하시오.

(1) $(2x+y)+(3x-4y)$

(2) $(x-3y)+(2x+y)$

(3) $(5x-4y)+(-2x+y)$

(4) $3(a+5b)+(-2a-b)$

(5) $(2x+y)+2(3x-y)$

(6) $2(x+5y)+3(-x+2y)$

(7) $4(-2x+y-5)+(6x-8y+7)$

(8) $3(2a+b+3)+2(a-4b-1)$

02 다음 식을 간단히 하시오.

(1) $(6x+2y)-(3x-5y)$

(2) $(-2a+4b)-(a-5b)$

(3) $(a-4b+5)-(-3a+b-1)$

(4) $-2(2x-3y)-3(3x+5y)$

(5) $4(-x-3y+2)-(-6x+4y+1)$

03 다음 식을 간단히 하시오.

(1) $\frac{x}{2}+\frac{x-4y}{4}$

(2) $\frac{1}{2}(a+2b)-\frac{1}{4}(5a-b)$

(3) $\frac{x+2y}{3}+\frac{2x-y}{2}$

(4) $\frac{4x-y}{4}-\frac{2x-3y}{5}$

(5) $\frac{1}{3}(2x-y)+\frac{1}{5}(-x+3y)$

쌤 Tip 분모의 최소공배수로 통분하여 계산하세요.

2. 여러 가지 괄호가 있는 다항식의 덧셈과 뺄셈

여러 가지 괄호가 있는 식은

(소괄호) ➡ {중괄호} ➡ [대괄호]

의 순서대로 괄호를 풀어서 계산한다.

04 다음 식을 간단히 하시오.

(1) $a-\{8-(6a-5b)\}$

(2) $2x-\{3y-(4x+y)\}$

(3) $12a-\{7a-(4a-3b)\}$

(4) $2x-5y-\{4x-(x-2y)\}$

(5) $4a-2b-\{9a-2b-(a-b)\}$

(6) $-x-[3y-\{5x-y-(2x-3y)\}]$

(7) $6x-[-x-y-\{3y-(8x-y)\}]$

(8) $2a-3b+[7a-2b-\{a-(2a-6b)\}]$

3. 이차식의 덧셈과 뺄셈

(1) 이차식: 다항식의 각 항의 차수 중 최고 차수가 2인 다항식

예 x^2, $-x^2+2$, $3x^2-2x+1$ ➡ x에 대한 이차식

$x-2$, x^3+2x^2-1 ➡ 이차식이 아니다.

(2) 이차식의 덧셈과 뺄셈: 괄호를 풀고 동류항끼리 모아서 간단히 한다.

참고 한 문자에 대하여 이차항은 이차항끼리, 일차항은 일차항끼리, 상수항은 상수항끼리 동류항이다.

$$(Ax^2+Bx+C)-(Dx^2+Ex+F)$$
$$=Ax^2+Bx+C-Dx^2-Ex-F$$
$$=\underbrace{(A-D)x^2}_{\text{이차항}}+\underbrace{(B-E)x}_{\text{일차항}}+\underbrace{(C-F)}_{\text{상수항}}$$

05 다음 중 이차식인 것은 ○표를, 이차식이 아닌 것은 ×표를 (　) 안에 써넣으시오.

(1) $3y^2$ (　　)

(2) $4a+3$ (　　)

(3) $-x^2+4$ (　　)

(4) $5-2y$ (　　)

(5) $3x^2-x+4$ (　　)

06 다음 식을 간단히 하시오.

(1) $(x^2-1)+(3x^2-x)$

(2) $(2a^2-a)+(a^2+5a)$

(3) $(-a^2-4a)+(-2a^2+6)$

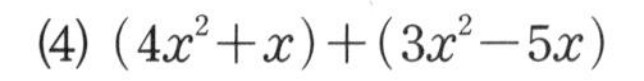
(4) $(4x^2+x)+(3x^2-5x)$

(5) $(x^2-3x-2)+(4x^2-x+1)$

(6) $(3x^2-2x-7)+2(x^2+x+5)$

(7) $2(a^2-3a+5)+3(2a^2+4a-3)$

(8) $4(2a^2+a-1)+3(-a^2-2a+4)$

07 다음 식을 간단히 하시오.

(1) $(x^2-x)-(-x+1)$

(2) $(4a^2-3a)-(2a^2-5)$

(3) $(5x^2+2)-(-x^2+6)$

(4) $(2x^2-x-1)-(x^2+3x-2)$

(5) $(2a^2-3a)-(3a^2-5a+1)$

(6) $2(x^2-x+3)-(4x^2+3x-1)$

(7) $2(4x^2+4)-3(3x^2+x-5)$

(8) $3(2x^2+x-5)-4(x^2+3x-4)$

08 다음 식을 간단히 하시오.

(1) $x^2-3x+\{4-(-x^2+6)\}$

(2) $3x^2-[x-\{6(-x^2-x)+7x^2\}]$

(3) $7x-[2x^2-1-\{x+3-(5x^2-4x)\}]$

(4) $\dfrac{x^2-x}{5}+\dfrac{2x^2-4x+3}{2}$

(5) $\dfrac{2x^2-x-2}{4}-\dfrac{x^2+x-6}{3}$

09 다음 □ 안에 알맞은 식을 구하시오.

(1) $(x-8)+\square=4x-5y+1$

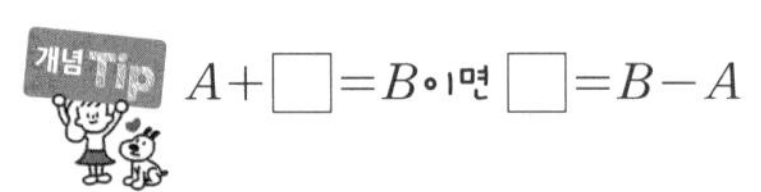
개념 Tip $A+\square=B$이면 $\square=B-A$

(2) $(2a-b+5)-\square=3a+4b-1$

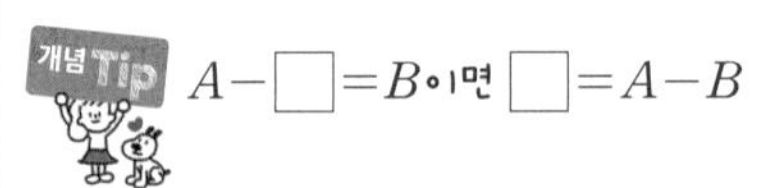
개념 Tip $A-\square=B$이면 $\square=A-B$

(3) $(-x^2+4x+3)-\square=4x^2-5x$

(4) $\square+(a^2-5)=2a^2-3a+7$

(5) $\square-(x^2-4x+7)=3x^2-1$

정답과 해설 _ p.14

01 $\left(\frac{1}{2}x-\frac{1}{3}y\right)-\left(\frac{2}{3}x-\frac{1}{4}y\right)=ax+by$일 때, $a+b$의 값은? (단, a, b는 상수)

① $-\frac{1}{4}$　② $-\frac{1}{3}$　③ $-\frac{1}{12}$
④ $\frac{1}{12}$　⑤ $\frac{1}{6}$

02 $x-[2y-x-\{3y-2(x+4y)\}-5]$를 간단히 하면?

① $-7y+5$　② $3y-5$　③ $-x+3y+5$
④ $x-7y+5$　⑤ $2x+3y+5$

소괄호, 중괄호, 대괄호의 순서로 괄호를 푼다.

03 $(x^2-4x+8)-(-3x^2-x+2)$를 간단히 했을 때, x^2의 계수와 상수항의 합은?

① -1　② 4　③ 6
④ 7　⑤ 10

04 다음 □ 안에 알맞은 식을 구하시오.

$$2a^2-7a+5+\square=5a^2-3a-1$$

$A+\square=B$이면 $\square=B-A$이다.

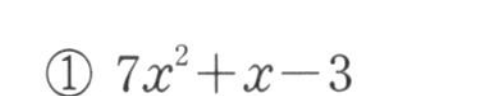

05 어떤 식에 $3x^2-4x+1$을 더해야 할 것을 잘못하여 뺐더니 $7x^2+x-3$이 되었다. 이때 바르게 계산한 식은?

① $7x^2+x-3$　② $10x^2-7x+1$　③ $10x^2-3x-2$
④ $13x^2-7x-1$　⑤ $13x^2-3x-2$

어떤 식을 A로 두고 잘못 계산한 식에서 식 A를 구한다.

10강 단항식과 다항식의 곱셈과 나눗셈

1. 단항식과 다항식의 곱셈

(1) 전개: 단항식과 다항식의 곱을 하나의 다항식으로 나타내는 것

(2) 전개식: 전개하여 얻은 다항식

(3) 단항식과 다항식의 곱셈: 분배법칙을 이용하여 단항식을 다항식의 각 항에 곱하여 계산한다.

참고 분배법칙
$a(b+c)=ab+ac$, $(a+b)c=ac+bc$

$$2x(x+3)=2x\times x+2x\times 3=2x^2+6x$$

전개 / 전개식

2. 다항식과 단항식의 나눗셈 up+

(다항식)÷(단항식)은 다음과 같은 방법으로 계산한다.

(1) 방법 1: 나누는 단항식을 분수의 꼴로 바꾸어 분자의 각 항을 분모로 나눈다.

예 $(4x^2+2x)\div 2x=\frac{4x^2+2x}{2x}=\frac{4x^2}{2x}+\frac{2x}{2x}$
$=2x+1$

$$(A+B)\div C=\frac{A+B}{C}=\frac{A}{C}+\frac{B}{C}$$

(2) 방법 2: 단항식의 역수를 곱하여 전개한다.

예 $(4x^2+2x)\div\frac{1}{2}x=(4x^2+2x)\times\frac{2}{x}$
$=4x^2\times\frac{2}{x}+2x\times\frac{2}{x}=8x+4$

참고 나누는 단항식이 분수의 꼴인 경우 방법 2가 편리하다.

$$(A+B)\div C=(A+B)\times\frac{1}{C}=\frac{A}{C}+\frac{B}{C}$$

01 다음 식을 간단히 하시오.

(1) $x(x+3y)$

(2) $2a(a-2b)$

(3) $3x(-x-5)$

(4) $(y-2)\times 5y$

(5) $-4a(2a-3b)$

(6) $\left(x-\frac{1}{3}y\right)\times 6x$

(7) $\left(10x+15y\right)\times\left(-\frac{1}{5}x\right)$

(8) $\frac{1}{3}a(6a-15b-9)$

02 다음 식을 간단히 하시오.

(1) $(6xy+14y)\div 2y$

(2) $(15ab-5b^3)\div 5b$

(3) $(18xy-6x)\div(-3x)$

(4) $(-16x^4y^5+8x^3y^3-2x^5y^2)\div(-2x^2y^2)$

03 다음 식을 간단히 하시오.

(1) $(3ab-b)\div\frac{a}{3}$

(2) $(2x^2+xy)\div\frac{2}{3}x$

(3) $(5ab^2-3a^3b^4)\div\frac{1}{2}ab^2$

(4) $(16x^2y^2-12x^2y+8xy^2)\div\frac{4}{3}xy$

3. 다항식의 혼합 계산 up+

다항식의 혼합 계산은 다음 순서로 한다.

❶ 지수법칙을 이용하여 거듭제곱을 계산한다.
❷ 괄호를 푼다.
❸ 곱셈과 나눗셈을 계산한다.
❹ 덧셈과 뺄셈을 계산한다.

04 다음 식을 간단히 하시오.

(1) $5x^2-x-2x(3x-1)$

(2) $3a(-a+1)+2a(5a-2)$

(3) $2x(-x+y)-(2x-4y)\times(-y)$

(4) $\frac{1}{4}x(8x-4y-12)+2y(x-2)$

05 다음 식을 간단히 하시오.

(1) $(2ab+3b)\div\frac{b}{2}+b^2-1$

(2) $(27y^4+9y^2)\div\left(-\frac{3}{2}y\right)^2+2y+5$

(3) $(4xy+8x)\div2x+(12xy^2-15y)\div3y$

(4) $(a^2+3a)\div\frac{a}{2}-(ab+2a)\div\left(-\frac{a}{2}\right)$

06 다음 식을 간단히 하시오.

(1) $x(x+3y)+(x^2y^2-3xy^2)\div xy$

(2) $(24x^2y+4xy^2)\div4y-2x(x-5y)$

(3) $(a^2+6a^2b)\div\frac{a}{2}-4a(3b+1)$

(4) $(16x^3y-12x^2y^2)\div\frac{4}{3}xy+(x-2y)\times(-2x)$

4. 식의 값 up+

식의 값은 다음과 같은 순서로 구한다.

❶ 주어진 식을 간단히 한다.

❷ 간단히 정리한 식에 주어진 수를 대입하여 식의 값을 구한다. 이때 대입하는 수가 음수이면 괄호로 묶어서 대입한다.

$x=1$, $y=2$일 때

$3x+4y=3\times1+4\times2=11$

5. 식의 대입

식에 들어 있는 문자에 그 문자를 나타내는 다른 식을 넣은 것을 식의 대입이라고 한다. 이때 대입하는 식은 괄호로 묶어서 대입한다.

$A=x+y$, $B=2x-4y$일 때

$A+B=(x+y)+(2x-4y)=3x-3y$

07 $x=2$일 때, 다음 식의 값을 구하시오.

(1) $3x-5$

(2) $-5x+2$

(3) $-2x^2+3x-2$

(4) $3x^2-4x+1$

08 $a=-2$, $b=3$일 때, 다음 식의 값을 구하시오.

(1) $3a-2(a+3b)$

쌤 Tip 주어진 식이 복잡할 때는 먼저 식을 간단히 정리하세요.

(2) $\left(\dfrac{ab}{2}\right)^2\times4ab$

(3) $\dfrac{3a^2b-ab^2}{ab}$

(4) $\dfrac{2a^2+4ab}{a}-\dfrac{12ab-9b^2}{3b}$

09 $x=3y-1$일 때, 다음을 y에 대한 식으로 나타내시오.

(1) $x-2y$

(2) $4x-5y$

(3) $-x+6y+5$

(4) $2x-2y+3$

10 $A=a-2b$, $B=3a+b$일 때, 다음을 a, b에 대한 식으로 나타내시오.

(1) $A-B$

(2) $-3A+4B$

(3) $2A-(4A-B)$

(4) $A-2B-3(A-4B)$

만점

정답과 해설 _ p.16

01 $-2x(2x+y)+\frac{1}{2}x(8y-4x)$를 간단히 했을 때, 각 항의 계수의 곱을 구하시오.

02 $(9ab-6a^2b-3ab^2)\div(-3ab)$를 간단히 하면?

① $a-b-3$ ② $a+b-2$ ③ $a+2b+3$
④ $2a-b+3$ ⑤ $2a+b-3$

03 $(x^3y^2-4x^2y^2)\div xy-(x-3)\times 2y$를 계산했을 때, xy의 계수는?

① -6 ② -1 ③ 1
④ 6 ⑤ 8

04 $x=2$, $y=-3$일 때, $xy(x-y)-y(2xy+y^2)$의 값은?

① -39 ② -27 ③ -9
④ 15 ⑤ 54

주어진 식을 간단히 정리한 후 x, y의 값을 대입한다.

05 $A=2x-y$, $B=-x+3y$일 때, $-4A+2B-(B-3A)$를 x, y에 대한 식으로 나타내면?

① $-6x+5y$ ② $-4x-3y$ ③ $-3x+4y$
④ $3x-5y$ ⑤ $4x-3y$

주어진 식을 간단히 정리한 후 A, B의 식을 대입한다.

중단원 연산 마무리

01 다음 식을 간단히 하시오.

(1) $a^2\times b^6\times a^3\times b^8$

(2) $\{(x^3)^2\}^5$

(3) $x^4\times(x^4)^2\times(x^2)^3$

(4) $\{(a^3)^4\}^3\times b^5\times(a^2)^2\times\{(b^3)^2\}^3$

02 다음 □ 안에 알맞은 수를 구하시오.

(1) $a^6\times a^{\square}\times a^2=a^{11}$

(2) $a^{\square}\times a^3\times b^2\times b^4=a^8b^6$

(3) $(x^{\square})^2=x^{18}$

(4) $b\times(b^{\square})^3=b^{16}$

03 다음 식을 간단히 하시오.

(1) $y^5\div y^2\div y$

(2) $(x^4)^3\div x\div(x^3)^2$

(3) $\left(\frac{x^3}{y^4}\right)^2$

(4) $\left(-\frac{3a^2}{b^3}\right)^2$

04 다음 □ 안에 알맞은 수를 구하시오.

(1) $(b^2)^6\div(b^{\square})^2=b^6$

(2) $(x^{\square})^2\div x^{10}=\frac{1}{x^2}$

(3) $(-x^{\square}y^6)^3=-x^6y^{18}$

(4) $\left(\frac{a^{\square}}{b^4}\right)^5=\frac{a^{15}}{b^{20}}$

05 다음 식을 간단히 하시오.

(1) $(-3x^3y)\times(-2x^2y^3)$

(2) $(-x^2y)^3\times(-xy^2)^2$

(3) $x^2y\times(-2x^2y)^3\times(-xy^2)^4$

(4) $(-2xy^3)^2\times(-x^2y)^3\times(3xy^2)^2$

06 다음 식을 간단히 하시오.

(1) $20x^5y^6\div(-2xy)^2$

(2) $(-25x^3y^5)\div\left(-\frac{5}{2}x^2y^4\right)$

(3) $\left(\frac{2}{3}a^2b\right)^3\div\left(-\frac{1}{3}ab\right)^2$

(4) $(4a^3b)^2\div\left(-\frac{1}{3}a\right)^2\div 2a^2b$

정답과 해설 _ p.17

07 다음 식을 간단히 하시오.

(1) $12x^5y^2 \div 4x^2y \times 3x$

(2) $6xy \div \frac{1}{2}x^3 \times x^4y^4$

(3) $\frac{1}{6}ab \times (-a^3b^2)^5 \div \frac{1}{2}a^7b^8$

(4) $\left(-\frac{5}{3}x^2\right)^2 \div \left(\frac{1}{3}xy^2\right)^3 \times (-2xy^3)$

08 다음 □ 안에 알맞은 식을 구하시오.

(1) $(-a^2b)^2 \times \square \div 6a^7b^4 = ab^2$

(2) $(x^3y)^2 \div \square \times (-2xy^2)^3 = 10xy^4$

09 다음 식을 간단히 하시오.

(1) $(5x+8y)+(-2x-3y)$

(2) $3(2a+b-2)+4(a-4b-1)$

(3) $(a-5b+8)-(-3a+b-2)$

(4) $-3(4x-3y)-2(5x+2y)$

(5) $\frac{x+2y}{3}+\frac{3x-y}{4}$

(6) $\frac{1}{5}(3x-y)+\frac{1}{3}(-x+4y)$

10 다음 식을 간단히 하시오.

(1) $10b-\{3a-(5a-2b)\}$

(2) $6a-2b-\{8a-2b-(3a-b)\}$

(3) $7x-[-2x-y-\{4y-(x-3y)\}]$

(4) $5a-2b+[6a-2b-\{a-(3a-2b)\}]$

11 다음 식을 간단히 하시오.

(1) $(4a^2-2a)+(a^2+3a)$

(2) $2(a^2-5a+3)+3(2a^2+2a-3)$

(3) $(7x^2+3)-(-x^2+6)$

(4) $4x^2-[2x-\{5(-x^2-3x)+6x^2\}]$

(5) $\frac{x^2-x-3}{4}-\frac{2x^2+x-5}{3}$

12 다음 □ 안에 알맞은 식을 구하시오.

(1) $\square+(3a^2-2)=2a^2-4a+7$

(2) $(-3x^2+5x+1)-\square=4x^2-2x$

정답과 해설 _ p.17

13 다음 식을 간단히 하시오.

(1) $(10x+12y)\times\left(-\frac{1}{2}y\right)$

(2) $(24xy-9x)\div(-3x)$

(3) $(-12x^3y^5-10x^3y^3+2x^2y^2)\div(-2x^2y^2)$

(4) $(4a^3b^4-3ab^2)\div\frac{1}{2}ab^2$

(5) $(12x^2y^2-8x^2y-4xy^2)\div\frac{4}{3}xy$

14 다음 식을 간단히 하시오.

(1) $\frac{x}{3}(9x-3y-12)+2x(2x-y)$

(2) $(a^2-a)\div\frac{a}{2}-(ab^2-2a)\div\left(-\frac{a}{3}\right)$

(3) $(a^2-6a^2b^2)\div\frac{a}{2}-4a(2b^2+1)$

(4) $(8x^2y-4x^2y^2)\div\frac{4}{3}xy+(2x-2xy)\times(-2y)$

15 $a=2$, $b=-3$일 때, 다음 식의 값을 구하시오.

(1) $(12a^3b-ab^2)\div ab$

(2) $(ab-2a^2)\div\left(-\frac{1}{5}a\right)-(15ab-9b^2)\div 3b$

도전 100점

16 다음 중 □ 안에 들어갈 수가 가장 큰 것은?

① $a^5\div a^{\square}=\frac{1}{a^2}$　② $x^{\square}\div x^3=1$

③ $b^{\square}\div b^4=b^4$　④ $\left(\frac{a^7}{b^{\square}}\right)^3=\frac{a^{21}}{b^{15}}$

⑤ $\left(-\frac{x^3}{y^4}\right)^{\square}=\frac{x^{18}}{y^{24}}$

17 $(-3x^3y)^A\div 2x^By\times 4x^7y^2=Cx^2y^3$일 때, $A+B+C$의 값은? (단, A, B, C는 자연수)

① 27　② 29　③ 31

④ 33　⑤ 35

18 어떤 식에 $4x^2+3x+2$를 더해야 할 것을 잘못하여 뺐더니 $6x^2-2x+5$가 되었다. 이때 바르게 계산한 식은?

① $10x^2-7x+1$　② $10x^2+x+7$

③ $12x^2-x-7$　④ $14x^2-9x-4$

⑤ $14x^2+4x+9$

19 $A=4a+b$, $B=3a-2b$일 때, $2(A+3B)-(4A-B)$를 a, b에 대한 식으로 나타내면?

① $13a-16b$　② $18a-16b$

③ $18a-16b$　④ $21a-15b$

⑤ $29a-12b$

나만의 비법 노트

Ⅱ. 부등식과 방정식

연산 문제와 시험 대비 문제를 많이 풀어보고 개념과 원리를 확실하게 이해하자.
또한 이해도를 바탕으로 자신의 수준에 맞는 계획을 세워 반복 학습을 하자.

중단원명	강의 명	학습 날짜	이해도
1. 일차부등식	12강 부등식과 그 성질	월 일	
	13강 일차부등식과 그 풀이	월 일	
	14강 복잡한 일차부등식의 풀이	월 일	
	15강 일차부등식의 활용(1)	월 일	
	16강 일차부등식의 활용(2)	월 일	
	17강 중단원 연산 마무리	월 일	
2. 연립방정식	18강 연립방정식	월 일	
	19강 연립방정식의 풀이	월 일	
	20강 복잡한 연립방정식의 풀이	월 일	
	21강 여러 가지 방정식의 풀이	월 일	
	22강 연립방정식의 활용(1)	월 일	
	23강 연립방정식의 활용(2)	월 일	
	24강 중단원 연산 마무리	월 일	

정답과 해설 _ p.20

수의 크기를 비교할 수 있나요?

1 중1 다음 □ 안에 부등호 > 또는 < 중 알맞은 것을 써넣으시오.

(1) $+\frac{3}{4}$ □ $-\frac{2}{5}$ (2) -0.2 □ 0

(3) -1.2 □ $-\frac{3}{2}$ (4) $+\frac{2}{3}$ □ $+0.5$

부등식으로 나타낼 수 있나요?

2 중1 다음을 부등호를 사용하여 나타내시오.

(1) x는 2보다 크다.

(2) x는 -1 이하이다.

(3) x는 1보다 크고 4보다 작거나 같다.

(4) x는 -2보다 크거나 같고 3보다 작다.

문자를 사용하여 식으로 나타낼 수 있나요?

3 중1 다음을 문자를 사용한 식으로 나타내시오.

(1) 한 자루에 500원인 연필 x자루의 가격

(2) 십의 자리의 숫자가 a, 일의 자리의 숫자가 b인 두 자리의 자연수

(3) 자동차가 시속 70 km로 x시간 동안 달린 거리

일차방정식을 찾을 수 있나요?

4 중1 다음 중 일차방정식인 것은 ○표, 일차방정식이 아닌 것은 ×표를 ( ) 안에 써넣으시오.

(1) $x-1<0$ ( )

(2) $2x-4$ ( )

(3) $2x-6=x$ ( )

(4) $3(x-1)=3x$ ( )

일차방정식을 풀 수 있나요?

5 중1 다음 일차방정식을 푸시오.

(1) $2x-3=x+1$

(2) $x-2=3x+4$

(3) $2(x-1)=3x+5$

(4) $2x+10=5(x-1)$

일차방정식의 활용 문제를 풀 수 있나요?

6 중1 다음 문장을 방정식으로 나타내고 x의 값을 구하시오.

(1) 어떤 수 x보다 4 작은 수의 2배는 x와 같다.

(2) 가로의 길이가 6 cm, 세로의 길이가 x cm인 직사각형의 둘레의 길이는 20 cm이다.

12강 부등식과 그 성질

정답과 해설 _ p.20

1. 부등식

(1) 부등식: 부등호 $>$, $<$, $\geq$, $\leq$를 사용하여 수 또는 식의 대소 관계를 나타낸 식

(2) 부등식의 표현

$a>b$	$a<b$
a는 b보다 크다. a는 b 초과이다.	a는 b보다 작다. a는 b 미만이다.
$a\geq b$	$a\leq b$
a는 b보다 크거나 같다. a는 b보다 작지 않다. a는 b 이상이다.	a는 b보다 작거나 같다. a는 b보다 크지 않다. a는 b 이하이다.

부등식 : $x+2>3$ (부등호: $>$, 좌변: $x+2$, 우변: 3, 양변)

2. 부등식의 해

(1) 부등식의 해: 부등식을 참이 되게 하는 미지수의 값

(2) 부등식을 푼다: 부등식의 해를 모두 구하는 것

$2x-1>2$

$x=0 \rightarrow 2\times0-1>2$ 거짓 → 해가 아니다.

$x=1 \rightarrow 2\times1-1>2$ 거짓 → 해가 아니다.

$x=2 \rightarrow 2\times2-1>2$ 참 → 해이다.

$x=3 \rightarrow 2\times3-1>2$ 참 → 해이다.

01 다음 중 부등식인 것은 ○표, 아닌 것은 ×표를 ( ) 안에 써넣으시오.

(1) $5x-6$ ( )

(2) $7<2$ ( )

(3) $2x-1=9$ ( )

(4) $-3x+2\leq11$ ( )

(5) $8-5x>10$ ( )

쌤 Tip 부등식의 참, 거짓과 관계없이 부등호가 있는 식이면 부등식이에요.

02 다음을 부등식으로 나타내시오.

(1) x는 4보다 크다.

(2) x는 0보다 작거나 같다.

(3) x는 9보다 크지 않다.

(4) x에 7을 더한 수는 10보다 작지 않다.

(5) x의 2배에 9를 더한 수는 7 초과이다.

(6) x를 3배하여 1을 빼면 20보다 크다.

03 다음 [ ] 안의 수가 주어진 부등식의 해인 것은 ○표, 아닌 것은 ×표를 ( ) 안에 써넣으시오.

(1) $x-3>1$ [2] ( )

(2) $-2x-4\geq x+5$ [-1] ( )

(3) $6-3x<1+2x$ [2] ( )

(4) $2(3-x)\leq5x-8$ [3] ( )

쌤 Tip 주어진 수를 부등식에 대입하여 부등식이 참인지 확인해 보세요.

04 x의 값이 -2, -1, 0, 1, 2일 때, 다음 부등식을 푸시오.

(1) $x+2<1$

(2) $2x+9\leq7$

(3) $4-3x\geq 2$

(4) $5-2x>4x-2$

(3) $10-3a$ □ $10-3b$

(4) $-\frac{2}{3}a-5$ □ $-\frac{2}{3}b-5$

3. 부등식의 성질 up+

(1) 부등식의 양변에 같은 수를 더하거나 빼도 부등호의 방향은 바뀌지 않는다.

(2) 부등식의 양변에 같은 양수를 곱하거나 나누어도 부등호의 방향은 바뀌지 않는다.

(3) 부등식의 양변에 같은 음수를 곱하거나 나누면 부등호의 방향이 바뀐다.

- $a<b$이면 $a+c<b+c$, $a-c<b-c$
- $a<b$, $c>0$이면 $ac<bc$, $\frac{a}{c}<\frac{b}{c}$
- $a<b$, $c<0$이면 $ac>bc$, $\frac{a}{c}>\frac{b}{c}$

음수를 곱하거나 나누면 부등호의 방향이 바뀐다.

05 $a>b$일 때, 다음 □ 안에 알맞은 부등호를 써넣으시오.

(1) $a+2$ □ $b+2$

(2) $a-4$ □ $b-4$

(3) $3a$ □ $3b$

(4) $-\frac{a}{5}$ □ $-\frac{b}{5}$

06 $a\leq b$일 때, 다음 □ 안에 알맞은 부등호를 써넣으시오.

(1) $a-(-7)$ □ $b-(-7)$

(2) $2a-9$ □ $2b-9$

07 다음 □ 안에 알맞은 부등호를 써넣으시오.

(1) $a+3\leq b+3$이면 a □ b이다.

(2) $-a-2>-b-2$이면 a □ b이다.

(3) $4a-3\geq 4b-3$이면 a □ b이다.

(4) $-\frac{a}{3}-1<-\frac{b}{3}-1$이면 a □ b이다.

(5) $\frac{a-5}{2}>\frac{b-5}{2}$이면 a □ b이다.

08 다음과 같이 x의 값의 범위가 주어졌을 때, 식의 값의 범위를 구하시오.

(1) $x<2$일 때, $3x-1$의 값의 범위

(2) $x\geq 1$일 때, $4x+2$의 값의 범위

(3) $x<-3$일 때, $-2x+3$의 값의 범위

(4) $x\leq -6$일 때, $-\frac{x}{3}-4$의 값의 범위

(5) $x>6$일 때, $5-\frac{x}{2}$의 값의 범위

힘수 만점

정답과 해설 _ p.21

01 다음 중 부등식이 아닌 것을 모두 고르면? (정답 2개)

① $4<5+3$ ② $4x-x+3$ ③ $5-x=6$
④ $x-1<2x$ ⑤ $2(x-1)>x$

부등호가 있는 식을 찾는다.

02 다음 문장을 부등식으로 나타낸 것으로 옳지 않은 것은?

① x는 5 미만이다. ➡ $x<5$
② x보다 6 큰 값은 8 초과이다. ➡ $x+6>8$
③ x에서 10을 뺀 값은 12보다 크지 않다. ➡ $x-10<12$
④ x를 4배한 수는 16 이하이다. ➡ $4x\le16$
⑤ x의 2배는 6과 x의 합보다 작다. ➡ $2x<6+x$

03 다음 중 [ ] 안의 수가 주어진 부등식의 해가 아닌 것은?

① $x+2>3$ [2] ② $4x-3<5$ [1] ③ $1-2x\le7$ [-1]
④ $x+4\ge-2x$ [1] ⑤ $4-3x>2x-6$ [3]

주어진 값을 대입했을 때 부등식이 참이면 그 값은 부등식의 해이다.

04 다음 중 부등식 $-3x+1\le7$의 해를 모두 고르면? (정답 2개)

① -5 ② -4 ③ -3
④ -2 ⑤ -1

05 $a<b$일 때, 다음 중 옳지 않은 것은?

① $a-1<b-1$ ② $2-a<2-b$ ③ $-2a+1>-2b+1$
④ $\frac{a}{2}+5<\frac{b}{2}+5$ ⑤ $1-\frac{a}{3}>1-\frac{b}{3}$

양변에 음수를 곱하거나 나누었을 때만 부등호의 방향이 바뀐다.

13강 ••• 일차부등식과 그 풀이

정답과 해설 _ p.22

1. 일차부등식

일차부등식: 부등식의 모든 항을 좌변으로 이항하여 정리한 식이

(일차식)>0, (일차식)<0,
(일차식)≥ 0, (일차식)≤ 0

중 어느 하나의 꼴로 나타나는 부등식

참고 이항: 등식 또는 부등식의 어느 한 변에 있는 항을 부호만 바꾸어 다른 변으로 옮기는 것

$5x>-3$
(이항)
$5x+3>0$ ➡ 일차부등식이다.
(일차식)

01 다음 부등식에서 밑줄 친 항을 이항하시오.

(1) $x\underline{-2}>3$

(2) $2x\underline{+3}\leq 7$

(3) $\underline{1}-2x<5$

(4) $4x\geq \underline{x}+9$

(5) $\underline{6}\geq \underline{2x}-4$

(6) $3x\underline{-1}>13\underline{-x}$

(7) $2x\underline{-3}<\underline{4x}-9$

(8) $\underline{-4}-3x\leq 10\underline{-5x}$

이항을 할 때는 부호를 바꿔야 함에 주의한다.

02 다음 중 일차부등식인 것은 ○표, 아닌 것은 ×표를 (　) 안에 써넣으시오.

(1) $x<2x+1$　(　　)

(2) $3x-1\geq 8$　(　　)

(3) $5-x<7+x$　(　　)

(4) $-2x-2>5-2x$　(　　)

(5) $10\leq 8+5$　(　　)

(6) $x^2-6\geq x^2+2x$　(　　)

(7) $4x\leq 4(x-2)$　(　　)

(8) $x^2+2<3x+x^2$　(　　)

모든 항을 좌변으로 이항하여 정리했을 때 일차식이 되는지 확인한다.

2. 일차부등식의 풀이

❶ 미지수 x를 포함한 항은 좌변으로 상수항은 우변으로 이항한다.
❷ 양변을 정리하여 $ax>b$, $ax<b$, $ax\geq b$, $ax\leq b$ $(a\neq 0)$의 꼴로 변형한다.
❸ x의 계수 a로 양변을 나눈다. 이때 a가 음수이면 부등호의 방향이 바뀐다.

$$x+2>3x-2$$
❶
$$x-3x>-2-2$$
❷
$$-2x>-4$$
❸
$$x<2$$

03 다음 일차부등식을 푸시오.

(1) $x-5>2$

(2) $4-x\leq 9$

(3) $3x-1\leq 5$

(4) $7<5-2x$

(5) $x+2\leq 2x-3$

(6) $5-4x>3-2x$

3. 부등식의 해를 수직선 위에 나타내기

① $x>a$ ② $x<a$ ③ $x\geq a$ ④ $x\leq a$

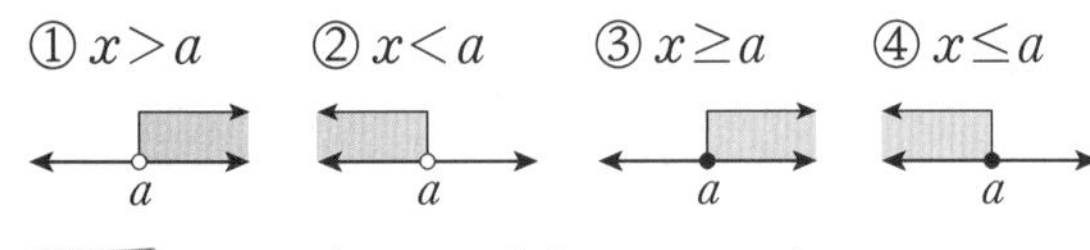

참고 부등호가 >, <이면 ➡ ○로 표시
부등호가 ≥, ≤이면 ➡ ●로 표시

04 다음 부등식의 해를 오른쪽 수직선 위에 나타내시오.

(1) $x\geq 2$

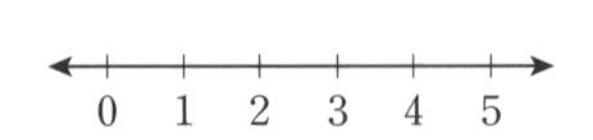

(2) $x<-1$

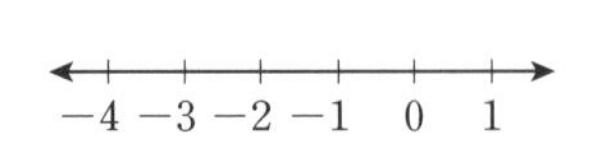

(3) $x>0$

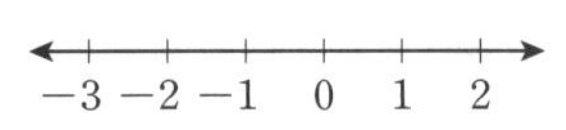

(4) $x\leq -3$

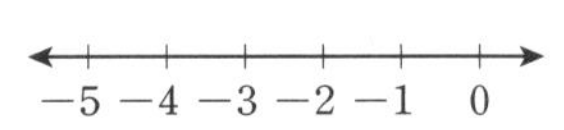

(5) $x<8$

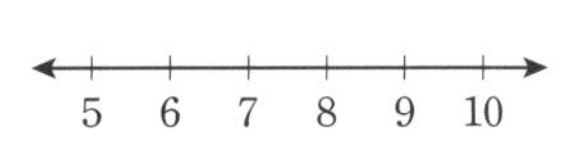

05 다음 일차부등식을 풀고, 그 해를 오른쪽 수직선 위에 나타내시오.

(1) $3x-1\leq 8$

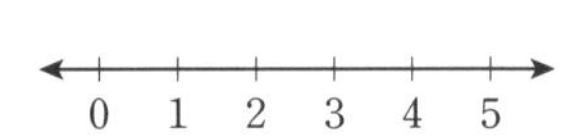

(2) $5x-3>2x$

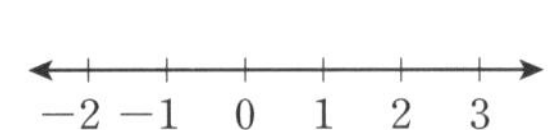

(3) $x+2\geq 4x-1$

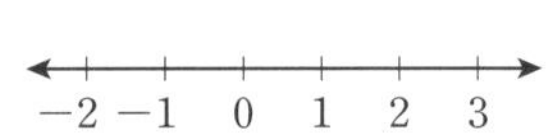

(4) $3x-1>5x+7$

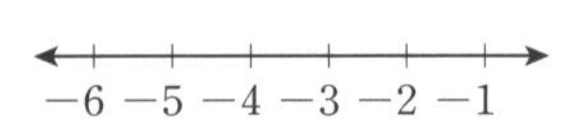

(5) $-x+4>2x-2$

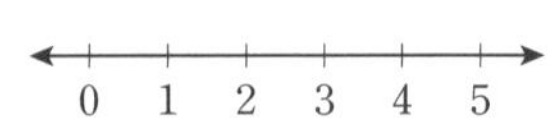

(6) $2x+8\leq 5x+2$

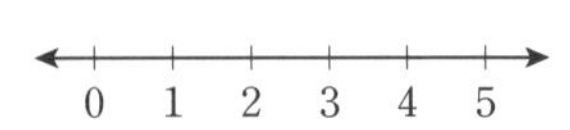

정답과 해설 _ p.22

01 다음 중 일차부등식이 <u>아닌</u> 것을 모두 고르면? (정답 2개)

① $\frac{x}{2} \geq -4$　　② $x-1 \leq x+5$

③ $3-x^2 < x-x^2$　　④ $x^2+4 > x(x-2)$

⑤ $12-6 > 2$

모든 항을 좌변으로 이항하여 정리했을 때, 일차식이 되는지 확인한다.

02 다음 일차부등식 중 해가 $x \geq 1$인 것은?

① $x-2x \geq -1$　　② $3-5x \leq -2x$

③ $-x+1 \geq 2x-2$　　④ $2x-1 \geq x-2$

⑤ $-x+2 \leq -3x+4$

각각의 부등식에서 x를 포함한 항은 좌변으로, 상수항은 우변으로 이항하고, x의 계수로 양변을 나누어 해를 구한다.

03 일차부등식 $x-5 \leq -4x+10$을 만족하는 자연수 x의 개수는?

① 1개　　② 2개　　③ 3개

④ 4개　　⑤ 5개

04 다음 중 일차부등식 $9x-4 \leq 6x+8$의 해를 수직선 위에 바르게 나타낸 것은?

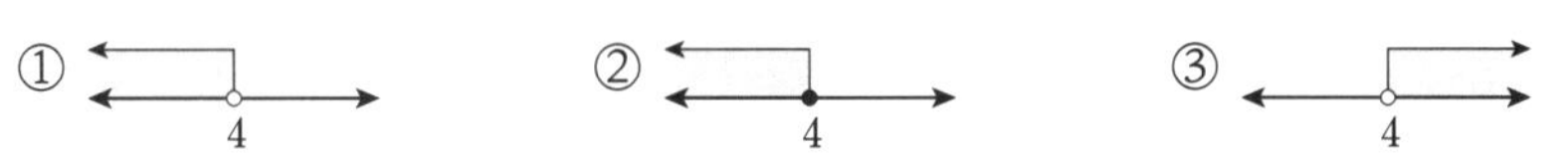

① 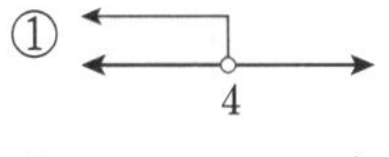　　② 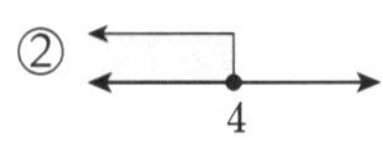　　③

④ 　　⑤ 

14강 복잡한 일차부등식의 풀이

정답과 해설 _ p.23

1. 괄호가 있는 일차부등식의 풀이

괄호가 있는 일차부등식은 분배법칙을 이용하여 괄호를 풀고 동류항끼리 정리한 후 푼다.

$2(x-1)<6$) 괄호를 풀어 정리한다.

$2x-2<6$

01 다음 일차부등식을 푸시오.

(1) $2(2+x)<-2-4x$

(2) $7-2x\geq 3(2-x)$

(3) $3(x-4)\leq 2x-5$

(4) $10-4x>2(x-1)$

(5) $2(x-3)\leq 3x-2$

02 다음 일차부등식을 푸시오.

(1) $2(x-4)>3(x+2)$

(2) $3(x-2)<-(x-6)$

(3) $2(x-5)\leq 5-(x+3)$

(4) $5(2-4x)\geq -6(x-11)$

(5) $3x+2(x-5)<6(x-1)$

(6) $5(x+1)\leq -3(2-x)+1$

2. 계수가 소수인 일차부등식의 풀이

계수가 소수인 일차부등식은 양변에 적당한 10의 거듭제곱을 곱하여 계수를 정수로 고친 후 푼다.

$0.2x+0.3<0.5$) 10을 곱한다.

$0.2x\times 10+0.3\times 10<0.5\times 10$) 정리한다.

$2x+3<5$

03 다음 일차부등식을 푸시오.

(1) $0.4x-1.2>0.2x-0.4$

(2) $0.5x-1\leq 0.3x+0.2$

(3) $0.3x+0.8\geq 0.5x+1$

(4) $0.04x-0.03<0.13$

(5) $0.05x-0.06>-0.03x+0.1$

04 다음 일차부등식을 푸시오.

(1) $0.2x-1.7\geq0.3(1-x)$

(2) $0.3x-0.2\leq0.5(x+2)$

(3) $0.2x-7.1>-0.5(x+3)$

(4) $0.3(x+1)<1.5+0.5x$

(5) $0.2(x+4)<1.4(x-2)$

(6) $0.1(x-3)\leq0.7(3-x)$

3. 계수가 분수인 일차부등식의 풀이

계수가 분수인 일차부등식은 양변에 분모의 최소공배수를 곱하여 계수를 정수로 고친 후 푼다.

$$\frac{1}{2}x+\frac{1}{3}<\frac{5}{6}$$

$$\frac{1}{2}x\times6+\frac{1}{3}\times6<\frac{5}{6}\times6$$

$$3x+2<5$$

분모의 최소공배수 6을 곱한다.

정리한다.

05 다음 일차부등식을 푸시오.

(1) $\frac{5}{2}x-2\geq3$

(2) $\frac{x}{2}-\frac{x+2}{3}\leq2$

(3) $\frac{x}{4}+\frac{2}{3}>x-\frac{5}{6}$

(4) $\frac{x}{5}-\frac{1}{2}>\frac{x}{2}+1$

(5) $\frac{x}{4}+1<\frac{x}{5}+\frac{3}{2}$

06 다음 일차부등식을 푸시오.

(1) $\frac{x}{3}-1<\frac{1}{5}(2x-1)$

(2) $\frac{x}{2}\leq\frac{2}{3}(x-2)+\frac{5}{6}$

(3) $\frac{2}{5}x+\frac{2}{3}>\frac{2}{3}(x-1)$

(4) $-0.2x+0.7<\frac{x}{4}-\frac{1}{5}$

(5) $1+0.3(x-5)>\frac{x}{5}$

(6) $\frac{3(x-1)}{2}\leq 0.5(x+3)$

4. 미지수가 있는 일차부등식

(1) x의 계수가 미지수인 경우

일차부등식 $ax<b$에 대하여

① $a<0$이면 $x>\frac{b}{a}$ ② $a>0$이면 $x<\frac{b}{a}$

(2) 부등식의 해가 주어진 경우

부등식 $ax<b$의 해가

① $x<k$이면 ➡ $a>0$이고 $k=\frac{b}{a}$

② $x>k$이면 ➡ $a<0$이고 $k=\frac{b}{a}$

주어진 부등식과 해의 부등호의 방향을 비교하여
① 같은 방향 ➡ x의 계수는 양수
② 다른 방향 ➡ x의 계수는 음수

07 $a>0$일 때, 다음 x에 대한 일차부등식을 푸시오.

(1) $ax>-a$

(2) $ax\leq 2$

(3) $-ax>-3a$

(4) $-ax-1\leq 1$

08 $a<0$일 때, 다음 x에 대한 일차부등식을 푸시오.

(1) $ax\leq -4a$

(2) $ax-2<1$

(3) $-ax>2a$

(4) $-ax-1\geq 0$

x의 계수의 부호를 확인하세요.

09 다음은 일차부등식 $ax-2<4$의 해가 $x<3$일 때, 상수 a의 값을 구하는 과정이다. □ 안에 알맞은 것을 써넣으시오.

> $ax-2<4$에서 $ax<$ □
> 부등식의 부등호의 방향이 해 $x<3$과 같으므로
> a □ 0 ∴ $x<\frac{\square}{a}$
> 따라서 $\frac{\square}{a}=3$이므로 $a=$ □

10 다음은 일차부등식 $ax+11<3$의 해가 $x>2$일 때, 상수 a의 값을 구하는 과정이다. □ 안에 알맞은 것을 써넣으시오.

> $ax+11<3$에서 $ax<$ □
> 부등식의 부등호의 방향이 해 $x>2$와 다르므로
> a □ 0 ∴ $x>\frac{\square}{a}$
> 따라서 $\frac{\square}{a}=2$이므로 $a=$ □

힘수 만점

정답과 해설 _ p.24

01 일차부등식 $2(x+1)-3(x-1)<8$을 풀면?

① $x<-3$　② $x>-3$　③ $x>3$
④ $x<-9$　⑤ $x>-9$

02 일차부등식 $0.12x\le0.6+0.07x$를 만족하는 자연수 x의 개수는?

① 10개　② 11개　③ 12개
④ 13개　⑤ 14개

계수가 정수가 되도록 양변에 10의 거듭제곱을 곱한다.

03 일차부등식 $\frac{1}{2}x-\frac{4}{3}<-\frac{1}{6}x$를 만족하는 가장 큰 정수 x는?

① 0　② 1　③ 2
④ 3　⑤ 4

계수가 정수가 되도록 양변에 2, 3, 6의 최소공배수를 곱한다.

04 일차부등식 $0.2x-0.3\ge\frac{x}{4}-\frac{3}{5}$을 푸시오.

소수인 계수와 분수인 계수를 모두 정수로 만들 수 있는 수를 양변에 곱한다.

05 일차부등식 $2+ax\ge-3$의 해가 $x\le1$일 때, 상수 a의 값은?

① -5　② -3　③ -1
④ 1　⑤ 3

$ax\ge b$의 해가 $x\le k$이면 부등호의 방향이 서로 다르므로 $a<0$임을 알 수 있다.

일차부등식의 활용 (1)

정답과 해설 _ p.24

1. 일차부등식의 활용

일차부등식의 활용 문제는 다음과 같은 순서로 푼다.

❶ 문제의 뜻을 파악하고 구하려는 값을 미지수 x로 놓는다.

❷ 문제의 뜻에 따라 부등식을 세운다.

❸ 부등식을 풀어 해를 구한다.

❹ 구한 해가 문제의 뜻에 맞는지 확인한다.

예 어떤 자연수의 2배에서 3을 뺀 수는 9 이하라고 할 때, 어떤 자연수 중 가장 큰 수를 구해 보자.

❶ 어떤 자연수를 x라 하자.

❷ 어떤 자연수의 2배에서 3을 뺀 수는 $2x-3$이므로 부등식을 세우면 $2x-3\le 9$

❸ 부등식을 풀면 $2x\le 12$ $\therefore x\le 6$
따라서 구하는 자연수는 6이다.

❹ $2\times 6-3=9$이고 이것은 9 이하이므로 문제의 뜻에 맞는다.

구하려는 것을 x로 놓기 → 부등식 세우기 → 부등식 풀기 → 확인하기

01 어떤 자연수의 2배에서 9를 뺀 수는 그 수에 7을 더한 수보다 크다고 할 때, 어떤 자연수 중 가장 작은 수를 구하려고 한다. 다음에 답하시오.

(1) 어떤 자연수를 x라 할 때, 부등식을 세우시오.

(2) (1)에서 세운 부등식을 푸시오.

(3) 어떤 자연수 중 가장 작은 수를 구하시오.

02 연속하는 세 자연수의 합이 57보다 작다고 할 때, 이와 같은 수 중 가장 큰 세 자연수를 구하려고 한다. 다음에 답하시오.

(1) 세 자연수 중 가운데 수를 x라 할 때, 가장 작은 수와 가장 큰 수를 각각 x에 대한 식으로 나타내시오.

쌤 Tip 연속하는 자연수끼리는 얼마씩 차이가 나는지 생각해 보세요.

(2) 부등식을 세우시오.

(3) (2)에서 세운 부등식을 푸시오.

(4) 가장 큰 세 자연수를 구하시오.

03 한 송이에 800원인 장미를 3600원짜리 바구니에 담아서 전체 비용이 10000원 이하가 되게 하려고 할 때, 장미는 최대 몇 송이 살 수 있는지 구하려고 한다. 다음에 답하시오.

(1) 장미를 x송이 산다고 할 때, 부등식을 세우시오.

(2) (1)에서 세운 부등식을 푸시오.

(3) 장미를 최대 몇 송이 살 수 있는지 구하시오.

04 한 개에 800원인 우유와 500원인 요구르트를 합하여 20개를 사고 전체 비용이 14500원 이하가 되게 하려면 우유는 최대 몇 개 살 수 있는지 구하려고 한다. 다음에 답하시오.

(1) 우유를 x개 산다고 할 때, 살 수 있는 요구르트의 개수를 x에 대한 식으로 나타내시오.

쌤 Tip
우유의 개수와 요구르트의 개수의 합이 20임을 이용하여 요구르트의 개수를 x에 대한 식으로 나타내어 보세요.

(2) 부등식을 세우시오.

(3) (2)에서 세운 부등식을 푸시오.

(4) 살 수 있는 우유의 최대 개수를 구하시오.

05 가로의 길이가 세로의 길이보다 6 cm 긴 직사각형이 있다. 이 직사각형의 둘레의 길이가 100 cm 이상이 되게 하려면 세로의 길이는 최소 몇 cm인지 구하려고 한다. 다음에 답하시오.

(1) 세로의 길이를 x cm라 할 때, 가로의 길이를 x에 대한 식으로 나타내시오.

(2) 부등식을 세우시오.

(3) (2)에서 세운 부등식을 푸시오.

(4) 세로의 길이는 최소 몇 cm인지 구하시오.

06 현재 진서의 예금액은 10000원, 민성이의 예금액은 2000원이다. 다음 달부터 매달 진서는 1000원씩, 민성이는 3000원씩 예금하려고 할 때, 민성이의 예금액이 진서의 예금액보다 많아지는 것은 몇 개월 후부터인지 구하려고 한다. 다음에 답하시오.

(1) x개월 후부터 민성이의 예금액이 진서의 예금액보다 많아진다고 할 때, 다음 표를 완성하시오.

	진서	민성
현재 예금액(원)	10000	
매달 예금하는 금액(원)	1000	
x개월 후의 예금액(원)	$10000+1000x$	

(2) 부등식을 세우시오.

(3) (2)에서 세운 부등식을 푸시오.

(4) 민성이의 예금액이 진서의 예금액보다 많아지는 것은 몇 개월 후부터인지 구하시오.

07 집 앞 문구점에서 한 권에 1200원하는 공책을 대형 할인점에서는 한 권에 1000원에 살 수 있다. 대형 할인점에 다녀오려면 1600원의 교통비가 든다고 할 때, 공책을 몇 권 이상 살 경우에 대형 할인점에서 사는 것이 유리한지 구하려고 한다. 다음에 답하시오.

(1) 공책을 x권 산다고 할 때, 다음 표를 완성하시오.

	문구점	대형 할인점
공책 구매 비용(원)	$1200x$	
교통비(원)	0	

(2) 부등식을 세우시오.

유리하다는 것은 비용이 적게 든다는 것을 의미해요.

(3) (2)에서 세운 부등식을 푸시오.

(4) 공책을 몇 권 이상 살 경우에 대형 할인점에서 사는 것이 유리한지 구하시오.

정답과 해설 _ p.25

01 어떤 자연수를 3배하여 10을 더한 수는 그 자연수에 1을 더하여 4배 한 수보다 작지 않다고 할 때, 어떤 자연수 중 가장 큰 수는?

① 3 ② 4 ③ 5
④ 6 ⑤ 7

02 한 번에 500 kg 이하까지 운반할 수 있는 엘리베이터에 몸무게가 75 kg인 사람이 한 개의 무게가 25 kg인 상자 여러 개를 실어 운반하려고 한다. 한 번에 운반할 수 있는 상자의 최대 개수는?

① 15개 ② 16개 ③ 17개
④ 18개 ⑤ 19개

엘리베이터로 운반할 수 있는 무게에 옮기는 사람의 무게도 포함되어야 한다.

03 한 개에 700원인 주스와 한 개에 500원인 아이스크림을 합하여 20개를 사고 전체 비용이 13000원 이하가 되게 하려고 할 때, 살 수 있는 주스의 최대 개수는?

① 11개 ② 12개 ③ 13개
④ 14개 ⑤ 15개

04 높이가 10 cm인 삼각형의 넓이가 60 cm^2 이상이려면 밑변의 길이는 몇 cm 이상이어야 하는지 구하시오.

삼각형의 넓이 공식을 이용하여 부등식을 세운다.

05 마트에서 7000원에 판매 중인 문구 세트를 인터넷 쇼핑몰에서는 6500원에 판매 중이고 3000원의 택배비가 든다. 문구 세트를 몇 개 이상 살 경우 인터넷 쇼핑몰에서 구입하는 게 유리한지 구하시오.

유리하다는 것은 구입 가격이 적다는 것을 의미한다.

16강 일차부등식의 활용(2)

정답과 해설 _ p.25

1. 거리, 속력, 시간에 대한 문제

거리, 속력, 시간에 대한 문제는 다음을 이용하여 부등식을 세운다.

① (거리)=(속력)×(시간)

② $(\text{속력})=\dfrac{(\text{거리})}{(\text{시간})}$ ③ $(\text{시간})=\dfrac{(\text{거리})}{(\text{속력})}$

참고 왕복하여 a시간 이내에 도착한다.
➡ (갈 때 걸린 시간)+(올 때 걸린 시간)$\le a$

01 집에서 출발하여 산책하는데 갈 때는 시속 2 km로, 올 때는 같은 길을 시속 4 km로 걸어서 1시간 30분 이내에 돌아오려고 한다. 집에서 최대 몇 km 떨어진 곳까지 갔다 올 수 있는지 구하려고 할 때, 다음에 답하시오.

(1) 집에서 x km 떨어진 곳까지 간다고 할 때, 다음 표를 완성하시오.

	갈 때	올 때
거리(km)	x	x
속력(km/h)	2	4
시간(시간)		

(2) 부등식을 세우시오.

(3) (2)에서 세운 부등식을 푸시오.

(4) 집에서 최대 몇 km 떨어진 곳까지 갔다 올 수 있는지 구하시오.

02 지우는 4 km 코스의 걷기 대회에 참가하여 처음에는 분속 40 m로 걷다가 도중에 분속 60 m로 걸어서 1시간 20분 이내에 완주하였다. 분속 40 m로 걸은 거리는 최대 몇 m인지 구하려고 할 때, 다음에 답하시오.

(1) 분속 40 m로 걸은 거리를 x m라 할 때, 다음 표를 완성하시오.

	분속 40 m로 갈 때	분속 60 m로 갈 때
거리(m)	x	
시간(분)	$\dfrac{x}{40}$	

속력의 단위에 맞게 4 km는 m로, 1시간 20분은 분으로 바꾸세요.

(2) 부등식을 세우시오.

(3) (2)에서 세운 부등식을 푸시오.

(4) 분속 40 m로 걸은 거리는 최대 몇 m인지 구하시오.

03 등산을 하는 데 올라갈 때는 시속 2 km로 걷고, 내려올 때는 올라갈 때보다 1 km 더 먼 길을 시속 3 km로 걸어서 2시간 이내로 등산을 마치려고 한다. 올라갈 때 최대 몇 km까지 올라갈 수 있는지 구하려고 할 때, 다음에 답하시오.

(1) 올라갈 때 걸은 거리를 x km라 할 때, 다음 표를 완성하시오.

	올라갈 때	내려올 때
거리(km)	x	
속력(km/h)	2	
시간(시간)	$\dfrac{x}{2}$	

(2) 부등식을 세우시오.

(3) (2)에서 세운 부등식을 푸시오.

(4) 최대 몇 km까지 올라갈 수 있는지 구하시오.

2. 농도에 대한 문제

소금물의 농도에 대한 문제는 다음을 이용하여 부등식을 세운다.

① (소금물의 농도) $=\dfrac{(\text{소금의 양})}{(\text{소금물의 양})}\times 100(\%)$

② (소금의 양) $=\dfrac{(\text{소금물의 농도})}{100}\times$ (소금물의 양)

참고 소금물에 물을 더 넣거나 증발시켜도 소금의 양은 변하지 않음을 이용하여 부등식을 세운다.

농도가 $a\%$인 소금물 Ag에
물 xg을 넣으면 농도가 $k\%$ 이하가 된다.

➡ $\dfrac{a}{100}\times A\leq\dfrac{k}{100}\times(A+x)$

$a\%$의 소금물 xg과 $b\%$의 소금물 yg을
섞은 소금물의 농도가 $c\%$ 이상이다.

➡ $\dfrac{a}{100}\times x+\dfrac{b}{100}\times y\geq\dfrac{c}{100}\times(x+y)$

04 12 %의 소금물 300 g에 물을 더 넣어서 5 % 이하의 소금물을 만들려고 한다. 더 넣어야 하는 최소한의 물의 양을 구하려고 할 때, 다음에 답하시오.

(1) 더 넣은 물의 양을 x g이라 할 때, 다음 표를 완성하시오.

	물을 넣기 전	물을 넣은 후
농도(%)	12	5
소금물의 양(g)	300	
소금의 양(g)	$\dfrac{12}{100}\times 300$	

(2) 부등식을 세우시오.

(3) (2)에서 세운 부등식을 푸시오.

(4) 물을 최소 몇 g 더 넣어야 하는지 구하시오.

05 3 %의 소금물 400 g에서 물을 증발시켜 5 % 이상의 소금물을 만들려고 한다. 증발시켜야 하는 최소한의 물의 양을 구하려고 할 때, 다음에 답하시오.

(1) 증발시켜야 하는 물의 양을 x g이라 할 때, 다음 표를 완성하시오.

	증발시키기 전	증발시킨 후
농도(%)	3	5
소금물의 양(g)	400	
소금의 양(g)	$\dfrac{3}{100}\times 400$	

(2) 부등식을 세우시오.

(3) (2)에서 세운 부등식을 푸시오.

(4) 물을 최소 몇 g 증발시켜야 하는지 구하시오.

06 10 %의 소금물 120 g과 20 %의 소금물을 섞어서 14 % 이상인 소금물을 만들려고 한다. 섞어야 하는 20 % 소금물의 최소한의 양을 구하려고 할 때, 다음에 답하시오.

(1) 20 %의 소금물의 양을 x g이라 할 때, 다음 표를 완성하시오.

농도	10 %의 소금물	20 %의 소금물	14 %의 소금물
소금물의 양(g)	120	x	$120+x$
소금의 양(g)	$\dfrac{10}{100}\times 120$		

(2) 부등식을 세우시오.

(3) (2)에서 세운 부등식을 푸시오.

(4) 20 % 소금물을 최소 몇 g 섞어야 하는지 구하시오.

힘수 만점

정답과 해설 _ p.26

01 등산을 하는 데 올라갈 때는 시속 3 km로 걷고, 내려올 때는 같은 길을 시속 5 km로 걸어서 2시간 40분 이내로 등산을 마치려고 한다. 최대 몇 km까지 올라갔다 내려올 수 있는가?

① 3.5 km ② 4 km ③ 4.5 km
④ 5 km ⑤ 5.5 km

02 시윤이는 역에서 기차를 기다리는데 1시간의 여유가 있어서 이 시간을 이용하여 역 근처 음식점에 가서 점심을 먹고 오려고 한다. 걷는 속력이 시속 5 km이고 점심을 먹는데 36분이 걸린다고 할 때, 역에서 몇 km 떨어진 곳까지 다녀올 수 있는지 구하시오.

(갈 때 걸린 시간)
+(점심 먹는 시간)
+(올 때 걸린 시간)
≤(여유 시간)

03 15 %의 소금물 200 g에 물을 더 넣어 12 % 이하의 소금물을 만들려고 할 때, 최소 몇 g의 물을 더 넣어야 하는가?

① 40 g ② 45 g ③ 50 g
④ 55 g ⑤ 60 g

04 6 %의 소금물과 14 %의 소금물을 섞어서 농도가 12 % 이하인 소금물 500 g을 만들려고 한다. 14 %의 소금물은 최대 몇 g까지 섞을 수 있는가?

① 360 g ② 365 g ③ 370 g
④ 375 g ⑤ 380 g

(6 %의 소금물의 소금의 양)
+(14 %의 소금물의 소금의 양)
≤(12 %의 소금물의 소금의 양)

중단원 연산 마무리

01 다음 [ ] 안의 수가 주어진 부등식의 해인 것은 ○표, 아닌 것은 ×표를 써넣으시오.

(1) $x-5<2$ [2] ( )

(2) $-x+5\leq 3x+2$ [1] ( )

(3) $3x-2\geq x+1$ [-1] ( )

(4) $1-4x<5-2x$ [2] ( )

02 $a\leq b$일 때, 다음 □ 안에 알맞은 부등호를 써넣으시오.

(1) $a-5$ □ $b-5$

(2) $3a-9$ □ $3b-9$

(3) $3-2a$ □ $3-2b$

(4) $-\frac{1}{2}a-1$ □ $-\frac{1}{2}b-1$

03 다음과 같이 x의 값의 범위가 주어졌을 때, 식의 값의 범위를 구하시오.

(1) $x\leq 1$일 때, $2x-4$의 값의 범위

(2) $x>-2$일 때, $-x+2$의 값의 범위

(3) $x\leq -3$일 때, $\frac{x}{3}-5$의 값의 범위

(4) $x<8$일 때, $3-\frac{x}{4}$의 값의 범위

04 다음 중 일차부등식인 것은 ○표, 아닌 것은 ×표를 ( ) 안에 써넣으시오.

(1) $3x<3x+1$ ( )

(2) $5+2x<7-x$ ( )

(3) $10+5\geq 9$ ( )

(4) $4-x^2\geq x-x^2$ ( )

05 다음 일차부등식을 푸시오.

(1) $x+2\leq 5$

(2) $8-x\leq 1$

(3) $2x-1\leq 7$

(4) $2x+11<2-x$

06 다음 일차부등식을 풀고, 그 해를 오른쪽 수직선 위에 나타내시오.

(1) $3x-5\leq 4$

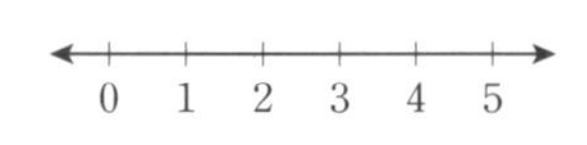

(2) $4x-3>x$

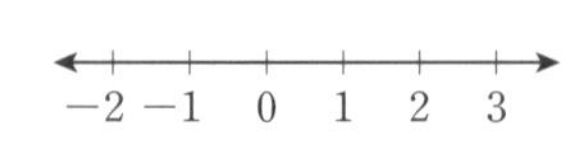

(3) $2x+1\geq 4x-1$

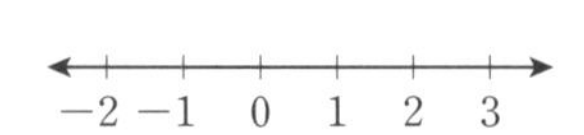

(4) $2x-5>5x+7$

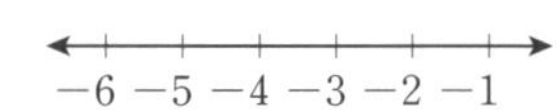

07 다음 일차부등식을 푸시오.

(1) $x-4<3(x+2)$

(2) $7(1-2x)\leq 1-8x$

(3) $3(1+x)<2(4-x)$

(4) $6(x+2)\leq 5-(1-2x)$

08 다음 일차부등식을 푸시오.

(1) $0.5x+0.2\geq 0.3x-1.2$

(2) $0.01x-0.2\leq 0.21x-1$

(3) $0.8x+1<0.6(x+2)$

(4) $-(0.1x-0.6)>0.3(x-2)$

09 다음 일차부등식을 푸시오.

(1) $\frac{5}{4}x-2\geq 3$

(2) $\frac{x}{3}-\frac{1}{2}>\frac{x}{2}+1$

(3) $\frac{x}{2}-1<\frac{1}{5}(2x-3)$

(4) $\frac{3(x-1)}{4}\leq 0.6(2x+1)$

10 일차부등식 $ax+5<5x-3$의 해가 $x>1$일 때, 상수 a의 값을 구하는 과정이다. □ 안에 알맞은 것을 써넣으시오.

> $ax+5<5x-3$에서
> $(a-5)x<\square$
> 부등식의 부등호의 방향이 해 $x>1$과 다르므로
> $a-5\ \square\ 0$
> $\therefore x>\frac{\square}{a-5}$
> 따라서 $\frac{\square}{a-5}=1$이므로 $a=\square$

11 연속하는 세 자연수의 합이 69보다 작다고 할 때, 이와 같은 수 중 가장 큰 세 자연수를 구하시오.

12 현재 은수의 예금액은 40000원이고, 지민이의 예금액은 24000원이다. 다음달부터 은수는 매달 3000원씩, 지민이는 매달 5000원씩 예금을 하려고 할 때, 지민이의 예금액이 은수의 예금액보다 많아지는 것은 몇 개월 후인지 구하시오.

정답과 해설 _ p.26

도전 100점

13 집 근처의 문구점에서 500원에 판매하는 볼펜을 할인점에서는 420원에 판매한다. 할인점을 다녀오려면 왕복 교통비가 1200원이 든다고 할 때, 할인점에 가서 볼펜을 몇 자루 이상 사야 집 근처 문구점에서 사는 것보다 유리한지 구하시오.

14 진혁이는 등산을 하는데 올라갈 때는 시속 2 km, 내려올 때는 올라갈 때와 같은 길을 시속 3 km로 걷는다고 한다. 전체 시간이 1시간을 넘지 않는다고 할 때, 올라갈 수 있는 최대 거리를 구하시오.

15 15 %의 소금물 200 g에 물을 더 넣어서 8 % 이하의 소금물을 만들려고 한다. 최소 몇 g의 물을 더 넣어야 하는지 구하시오.

16 $a<b$일 때, 다음 중 옳은 것을 모두 고르면? (정답 2개)

① $2a>2b$
② $-4a<-4b$
③ $3a-2>3b-2$
④ $\frac{a}{2}-4<\frac{b}{2}-4$
⑤ $3-\frac{a}{5}>3-\frac{b}{5}$

17 일차부등식 $0.7x-1.5\le\frac{x}{5}+\frac{3}{2}$을 만족하는 자연수 x의 개수는?

① 5개
② 6개
③ 7개
④ 8개
⑤ 9개

18 준환이는 기차 출발 시각까지 1시간 30분의 여유가 있어서 이 시간 동안 상점에 가서 물건을 사오려고 한다. 물건을 사는데 30분이 걸리고 시속 4 km로 걸을 때, 역에서 몇 km 이내의 상점까지 다녀올 수 있는지 구하시오.

18강 연립방정식

정답과 해설 _ p.28

1. 미지수가 2개인 일차방정식

미지수가 2개인 일차방정식: 미지수가 2개이고 차수가 1인 방정식

$ax+by+c=0$ 꼴 (단, a, b, c는 상수, $a\neq0$, $b\neq0$)

미지수 2개
차수 1

$2x+3y-5=0$ ➡ 미지수가 2개인 일차방정식이다.

01 다음 중 미지수가 2개인 일차방정식인 것은 ○표, 아닌 것은 ×표를 (　) 안에 써넣으시오.

(1) $x-y=-1$ (　　)

(2) $2x-y=3x-y$ (　　)

(3) $y=x^2-x+2$ (　　)

(4) $2x+3y=x-y+2$ (　　)

(5) $3x+y^2=y^2-6y$ (　　)

02 다음을 미지수가 2개인 일차방정식으로 나타내시오.

(1) x의 5배와 y의 3배의 합은 30이다.

(2) 800원짜리 연필 x자루와 500원짜리 지우개 y개의 값의 합이 5000원이다.

(3) 오리 x마리와 양 y마리의 다리 수는 모두 38개이다.

(4) 수학 시험에서 4점짜리 문제 x개와 5점짜리 문제 y개를 맞혀서 90점을 받았다.

2. 미지수가 2개인 일차방정식의 해

(1) 미지수가 2개인 일차방정식의 해: 미지수가 2개인 일차방정식이 참이 되게 하는 x, y의 값 또는 순서쌍 (x, y)

(2) 방정식을 푼다: 방정식의 해를 모두 구하는 것

$x=p$, $y=q$가 $ax+by+c=0$의 해

➡ $ap+bq+c=0$이 성립

03 다음 중 x, y의 순서쌍 (x, y)가 일차방정식 $2x+3y=17$의 해인 것은 ○표, 아닌 것은 ×표를 (　) 안에 써넣으시오.

(1) $(1, 5)$ (　　)

(2) $(3, 4)$ (　　)

(3) $(4, 3)$ (　　)

(4) $(7, 1)$ (　　)

04 주어진 일차방정식에 대하여 다음 표를 완성하고, x, y가 자연수일 때, 주어진 일차방정식의 모든 해를 순서쌍 (x, y)로 나타내시오.

(1) $x+2y=5$

x	1	2	3	4	5
y					

➡ 해: ____________________

(2) $3x+y=11$

x	1	2	3	4	5
y					

➡ 해: ____________________

05 x, y가 자연수일 때, 다음 일차방정식의 해를 구하시오.

(1) $2x+3y=8$

(2) $3x+y-10=0$

3. 미지수가 2개인 연립일차방정식

(1) 미지수가 2개인 연립일차방정식: 미지수가 2개인 두 일차방정식을 한 쌍으로 묶어 놓은 것

(2) 연립방정식의 해: 연립방정식에서 두 방정식을 동시에 참이 되게 하는 x, y의 값 또는 순서쌍 (x, y)

(3) 연립방정식을 푼다: 연립방정식의 해를 구하는 것

참고 연립방정식: 두 개 이상의 방정식을 한 쌍으로 묶어서 나타낸 것

$\begin{cases} x+y=4 \\ 2x+y=7 \end{cases}$

$x+y=4$ →(해)

x	1	2	3
y	3	2	1

$2x+y=7$ →(해)

x	1	2	3
y	5	3	1

→(연립방정식의 해) $(3, 1)$

06 다음 중 x, y의 순서쌍이 연립방정식의 해인 것은 ○표, 해가 아닌 것은 ×표를 (　　) 안에 써넣으시오.

(1) $\begin{cases} x+y=5 \\ 2x+y=8 \end{cases}$ $(3, 2)$ (　　)

(2) $\begin{cases} -x+y=1 \\ 2x-y=4 \end{cases}$ $(2, 3)$ (　　)

(3) $\begin{cases} 3x+y=16 \\ x-y=4 \end{cases}$ $(1, 5)$ (　　)

(4) $\begin{cases} x+y=9 \\ 2x+y=13 \end{cases}$ $(4, 5)$ (　　)

07 x, y가 자연수일 때, 주어진 연립방정식에 대하여 다음 표를 완성하고 모든 해를 구하시오.

(1) $\begin{cases} x+y=5 \\ 2x+y=7 \end{cases}$

$x+y=5$의 해는

x	1	2	3	4
y				

$2x+y=7$의 해는

x	1	2	3
y			

➡ 해: ________

(2) $\begin{cases} 3x+y=10 \\ x+3y=14 \end{cases}$

$3x+y=10$의 해는

x	1	2	3
y			

$x+3y=14$의 해는

x				
y	1	2	3	4

➡ 해: ________

08 x, y가 자연수일 때, 다음 연립방정식을 푸시오.

(1) $\begin{cases} x-y=1 \\ 2x+y=8 \end{cases}$

(2) $\begin{cases} 2x-y=3 \\ 3x+2y=22 \end{cases}$

정답과 해설 _ p.29

01 다음 중 미지수가 2개인 일차방정식을 모두 고르면? (정답 2개)

① $x+1=5$　② $5x+2y=11$　③ $x^2+y=2x$
④ $2x-3y=x+1$　⑤ $3x-y+5$

미지수가 2개이고 그 차수가 모두 1인 방정식을 찾는다.

02 x, y가 자연수일 때, 일차방정식 $3x+2y=15$를 만족하는 x, y의 순서쌍 (x, y)는 모두 몇 개인가?

① 1개　② 2개　③ 3개
④ 4개　⑤ 5개

x, y가 자연수이므로 x에 1, 2, 3, …을 차례대로 대입하여 구한 y의 값 중 자연수인 것만 해가 된다.

03 다음 연립방정식 중에서 $(2, 1)$을 해로 갖는 것을 모두 고르면? (정답 2개)

① $\begin{cases} x+y=3 \\ x-y=1 \end{cases}$　② $\begin{cases} x+2y=4 \\ 3x+y=9 \end{cases}$　③ $\begin{cases} 2x+3y=7 \\ 2x-y=3 \end{cases}$

④ $\begin{cases} x+y=9 \\ 2x-y=0 \end{cases}$　⑤ $\begin{cases} 3x+5y=10 \\ 2x+5y=9 \end{cases}$

$x=2$, $y=1$을 각각의 연립방정식에 대입하여 만족하는 것을 찾는다.

x, y가 자연수일 때, 연립방정식 $\begin{cases} x+4y=14 \\ 3x-y=3 \end{cases}$ 의 해는?

① $x=1$, $y=2$　② $x=1$, $y=3$　③ $x=2$, $y=3$
④ $x=2$, $y=2$　⑤ $x=3$, $y=2$

정답과 해설 _ p.30

1. 연립방정식의 풀이 - 대입법 up+

(1) 대입법: 연립방정식의 두 일차방정식 중 한 방정식을 하나의 미지수에 대하여 정리하고 이를 다른 방정식에 대입하여 연립방정식의 해를 구하는 방법

(2) 대입법을 이용한 연립방정식의 풀이

❶ 한 방정식에서 한 미지수를 다른 미지수의 식으로 나타낸다.

❷ ❶의 식을 다른 방정식에 대입하여 한 미지수를 없앤 후 방정식을 푼다.

❸ ❷에서 구한 해를 ❶의 식에 대입하여 다른 미지수의 값을 구한다.

참고 두 방정식 중 한 방정식이 "$x=\sim$" 또는 "$y=\sim$" 꼴로 주어졌거나 그 꼴로 고치기 쉬울 때 이용하면 편리하다.

$\begin{cases} x-y=1 & \cdots ㉠ \\ x+2y=5 & \cdots ㉡ \end{cases}$ 에서

㉠을 변형 $x=y+1$

㉡에 대입 $x+2y=5 \rightarrow (y+1)+2y=5$

x를 없앴으므로 y의 값을 구할 수 있다!

01 다음은 연립방정식을 대입법을 이용하여 푸는 과정이다. □ 안에 알맞은 것을 써넣으시오.

(1) $\begin{cases} y=x+2 & \cdots\cdots ㉠ \\ 2x+y=5 & \cdots\cdots ㉡ \end{cases}$

> ㉠을 ㉡에 대입하면 $2x+(x+2)=5$
> $2x+x+2=5$, $\square x=3$ $\quad\therefore x=\square$
> $x=\square$을 ㉠에 대입하면 $y=\square$

(2) $\begin{cases} x=y+3 & \cdots\cdots ㉠ \\ 2x-3y=4 & \cdots\cdots ㉡ \end{cases}$

> ㉠을 ㉡에 대입하면 $2(y+3)-3y=4$
> $2y+6-3y=4$, $-y=\square$ $\quad\therefore y=\square$
> $y=\square$를 ㉠에 대입하면 $x=\square$

(3) $\begin{cases} x-2y=3 & \cdots\cdots ㉠ \\ 3x+4y=-1 & \cdots\cdots ㉡ \end{cases}$

> ㉠에서 x를 y의 식으로 나타내면
> $x=2y+3$ $\quad\cdots\cdots ㉢$
> ㉢을 ㉡에 대입하면
> $3(2y+3)+4y=-1$
> $\square y+9+4y=-1$, $\square y=-10$
> $\therefore y=\square$
> $y=\square$을 ㉢에 대입하면 $x=\square$

02 다음 연립방정식을 대입법을 이용하여 푸시오.

(1) $\begin{cases} y=-x+1 & \cdots\cdots ㉠ \\ 2x+3y=7 & \cdots\cdots ㉡ \end{cases}$

(2) $\begin{cases} x=2y+3 & \cdots\cdots ㉠ \\ x+y=-3 & \cdots\cdots ㉡ \end{cases}$

(3) $\begin{cases} x-5y=-9 & \cdots\cdots ㉠ \\ 3x-4y=6 & \cdots\cdots ㉡ \end{cases}$

(4) $\begin{cases} 2x-3y=-1 & \cdots\cdots ㉠ \\ 5x+y=-11 & \cdots\cdots ㉡ \end{cases}$

2. 연립방정식의 풀이 - 가감법 up+

(1) 가감법: 연립방정식에서 두 일차방정식을 변끼리 더하거나 빼서 연립방정식의 해를 구하는 방법

(2) 가감법을 이용한 연립방정식의 풀이

❶ 없애려는 미지수의 계수의 절댓값이 같아지도록 각 방정식에 적당한 수를 곱한다.

❷ ❶의 두 식을 변끼리 더하거나 빼서 한 미지수를 없앤 후 방정식을 푼다.

❸ ❷에서 구한 해를 두 방정식 중 간단한 방정식에 대입하여 다른 미지수의 값을 구한다.

$\begin{cases} x+3y=4 \cdots ㉠ \\ 2x+y=3 \cdots ㉡ \end{cases}$ 에서 ㉠×2−㉡을 하면

$$\begin{array}{r} 2x+6y=8 \\ -\underline{)\ 2x+\ \ y=3} \\ 5y=5 \end{array}$$

x를 없앴으므로 y의 값을 구할 수 있다!

03 다음은 연립방정식을 가감법을 이용하여 푸는 과정이다. □ 안에 알맞은 것을 써넣으시오.

(1) $\begin{cases} x+5y=11 & \cdots\cdots ㉠ \\ x+3y=5 & \cdots\cdots ㉡ \end{cases}$

> ㉠−㉡을 하면
> $$\begin{array}{r} x+5y=11 \\ -\underline{)\ x+3y=5} \\ 2y=6 \end{array}$$ $\therefore y=\square$
>
> $y=\square$을 ㉡에 대입하면
>
> $x+3\times\square=5$ $\therefore x=\square$

(2) $\begin{cases} x-2y=9 & \cdots\cdots ㉠ \\ 3x+2y=-5 & \cdots\cdots ㉡ \end{cases}$

> ㉠+㉡을 하면
> $$\begin{array}{r} x-2y=9 \\ +\underline{)\ 3x+2y=-5} \\ 4x\quad\ =4 \end{array}$$ $\therefore x=\square$
>
> $x=\square$을 ㉠에 대입하면
>
> $\square-2y=9$ $\therefore y=\square$

(3) $\begin{cases} 5x+4y=7 & \cdots\cdots ㉠ \\ 3x-2y=13 & \cdots\cdots ㉡ \end{cases}$

> ㉠+㉡×2를 하면
> $$\begin{array}{r} 5x+4y=7 \\ +\underline{)\ 6x-4y=26} \\ 11x\quad\ =33 \end{array}$$ $\therefore x=\square$
>
> $x=\square$을 ㉡에 대입하면
>
> $3\times\square-2y=13$ $\therefore y=\square$

04 다음 연립방정식을 가감법을 이용하여 푸시오.

(1) $\begin{cases} 3x-2y=4 & \cdots\cdots ㉠ \\ 3x-4y=8 & \cdots\cdots ㉡ \end{cases}$

(2) $\begin{cases} 3x+2y=-1 & \cdots\cdots ㉠ \\ x-2y=5 & \cdots\cdots ㉡ \end{cases}$

(3) $\begin{cases} 2x+5y=11 & \cdots\cdots ㉠ \\ x+3y=5 & \cdots\cdots ㉡ \end{cases}$

없애려는 미지수의 계수의 절댓값을 같게 하고 계수의 부호가 다르면 변끼리 더하고, 같으면 변끼리 뺀다.

(4) $\begin{cases} 3x-2y=1 & \cdots\cdots ㉠ \\ 5x-3y=5 & \cdots\cdots ㉡ \end{cases}$

정답과 해설 _ p.30

01 연립방정식 $\begin{cases} x=-2y-3 \\ 2x-3y=8 \end{cases}$ 의 해는?

① $x=-2$, $y=-1$ ② $x=-1$, $y=-2$ ③ $x=-1$, $y=2$
④ $x=1$, $y=-2$ ⑤ $x=2$, $y=-1$

두 일차방정식 중 하나가 "$x=\sim$" 또는 "$y=\sim$" 꼴인 경우 대입법을 이용하여 풀면 편리하다.

02 연립방정식 $\begin{cases} y=2x-3 \\ 3x+2y=8 \end{cases}$ 의 해가 $x=a$, $y=b$일 때, $a+b$의 값은?

① 3 ② 4 ③ 5
④ 6 ⑤ 7

03 연립방정식 $\begin{cases} 3x-4y=10 & \cdots\cdots ㉠ \\ 7x+3y=11 & \cdots\cdots ㉡ \end{cases}$ 을 가감법을 이용하여 풀려고 한다. 다음 중 y를 없애기 위하여 필요한 식은?

① ㉠$\times3-$㉡$\times4$ ② ㉠$\times3+$㉡$\times4$ ③ ㉠$\times4-$㉡$\times3$
④ ㉠$\times7-$㉡$\times3$ ⑤ ㉠$\times7+$㉡$\times3$

연립방정식 $\begin{cases} 3x+4y=2 \\ 5x+6y=2 \end{cases}$ 를 만족하는 x, y에 대하여 $x-y$의 값은?

① -4 ② -2 ③ -1
④ 1 ⑤ 2

한 미지수를 없앨 수 있도록 한 미지수의 계수의 절댓값이 같아지는 적당한 수를 곱한다.

20강 ··· 복잡한 연립방정식의 풀이

정답과 해설 _ p.31

1. 괄호가 있는 연립방정식의 풀이

분배법칙을 이용하여 괄호를 풀고 동류항끼리 정리하여 식을 간단히 한 후 대입법이나 가감법을 이용하여 연립방정식을 푼다.

참고 괄호 앞의 부호가 −일 때는 괄호 안의 부호가 바뀜에 주의한다.

괄호를 풀고 정리한다.

$$\begin{cases} 2(x-y)-y=3 \\ x-3y=6 \end{cases} \Rightarrow \begin{cases} 2x-3y=3 \\ x-3y=6 \end{cases}$$

01 다음 □ 안에 알맞은 수를 써넣고, 연립방정식을 푸시오.

(1) $\begin{cases} 2(x-1)+y=1 \\ 2x-3y=-1 \end{cases} \Rightarrow \begin{cases} 2x+y=\square & \cdots\cdots ㉠ \\ 2x-3y=-1 & \cdots\cdots ㉡ \end{cases}$

(2) $\begin{cases} 3(x-y)+y=1 \\ x+3y=15 \end{cases} \Rightarrow \begin{cases} 3x-\square y=1 & \cdots\cdots ㉠ \\ x+3y=15 & \cdots\cdots ㉡ \end{cases}$

(3) $\begin{cases} 2(x-3y)-y=5 \\ 3x-(x+5y)=7 \end{cases} \Rightarrow \begin{cases} 2x-\square y=5 & \cdots\cdots ㉠ \\ \square x-5y=7 & \cdots\cdots ㉡ \end{cases}$

02 다음 연립방정식을 푸시오.

(1) $\begin{cases} 2(x-3)-3y=2 & \cdots\cdots ㉠ \\ 3x+y=1 & \cdots\cdots ㉡ \end{cases}$

(2) $\begin{cases} 3(x-y)+5y=2 & \cdots\cdots ㉠ \\ 7x-2(3x-y)=14 & \cdots\cdots ㉡ \end{cases}$

(3) $\begin{cases} 2(x-2y)+y=-3 & \cdots\cdots ㉠ \\ 2x+9(x-y)=6 & \cdots\cdots ㉡ \end{cases}$

(4) $\begin{cases} 4x-3(x+y)=-1 & \cdots\cdots ㉠ \\ 3x+4(x-y)=27 & \cdots\cdots ㉡ \end{cases}$

(5) $\begin{cases} 5x-4(x+y)=-7 & \cdots\cdots ㉠ \\ 3(x+y)-y=-7 & \cdots\cdots ㉡ \end{cases}$

(6) $\begin{cases} 7(x-y)+3y=-6 & \cdots\cdots ㉠ \\ 3x-2(x+y)=12 & \cdots\cdots ㉡ \end{cases}$

2. 계수가 소수인 연립방정식의 풀이 up+

양변에 적당한 10의 거듭제곱을 곱하여 모든 계수를 정수로 만든 후 푼다.

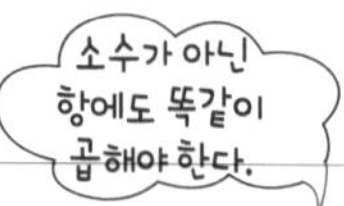

$$\begin{cases} 0.2x-0.4y=1 \xrightarrow{\times 10} 2x-4y=10 \\ 0.05x+0.12y=0.3 \xrightarrow{\times 100} 5x+12y=30 \end{cases}$$

03 다음 연립방정식의 계수를 정수로 고쳐 □ 안에 알맞은 수를 써넣고, 연립방정식을 푸시오.

(1) $\begin{cases} 0.2x+0.1y=1.2 \\ x-2y=1 \end{cases}$ ➡ $\begin{cases} \square x+y=\square & \cdots\cdots ㉠ \\ x-2y=1 & \cdots\cdots ㉡ \end{cases}$

(2) $\begin{cases} 0.5x-0.7y=0.8 \\ 0.3x-0.8y=0.1 \end{cases}$ ➡ $\begin{cases} 5x-\square y=\square & \cdots\cdots ㉠ \\ 3x-\square y=1 & \cdots\cdots ㉡ \end{cases}$

(3) $\begin{cases} 0.7x+y=0.3 \\ 0.5x+0.7y=0.2 \end{cases}$ ➡ $\begin{cases} 7x+\square y=3 & \cdots\cdots ㉠ \\ 5x+\square y=\square & \cdots\cdots ㉡ \end{cases}$

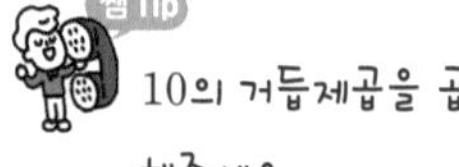

10의 거듭제곱을 곱할 때는 계수가 소수가 아닌 항에도 빠짐없이 곱해주세요.

04 다음 연립방정식을 푸시오.

(1) $\begin{cases} 0.3x+0.2y=1.7 & \cdots\cdots ㉠ \\ 0.1x-0.2y=-0.5 & \cdots\cdots ㉡ \end{cases}$

(2) $\begin{cases} 0.2x+0.1y=0.5 & \cdots\cdots ㉠ \\ 0.1x-0.2y=1 & \cdots\cdots ㉡ \end{cases}$

(3) $\begin{cases} 0.1x+0.2y=0.3 & \cdots\cdots ㉠ \\ 0.2x-0.3y=-0.1 & \cdots\cdots ㉡ \end{cases}$

(4) $\begin{cases} 0.5x-3y=0 & \cdots\cdots ㉠ \\ 0.25x-0.5y=1 & \cdots\cdots ㉡ \end{cases}$

(5) $\begin{cases} 0.15x+0.05y=0.1 & \cdots\cdots ㉠ \\ 0.6x-0.4y=1 & \cdots\cdots ㉡ \end{cases}$

(6) $\begin{cases} 0.4x+0.3y=2.5 & \cdots\cdots ㉠ \\ 0.07x-0.04y=0.16 & \cdots\cdots ㉡ \end{cases}$

3. 계수가 분수인 연립방정식의 풀이 up+

양변에 분모의 최소공배수를 곱하여 모든 계수를 정수로 만든 후 푼다.

계수가 분수가 아닌 항에도 똑같이 곱해야 한다.

$$\begin{cases} \dfrac{x}{2}+y=\dfrac{5}{6} \xrightarrow{\times 6} 3x+6y=5 \\ \dfrac{x}{3}-\dfrac{y}{5}=\dfrac{2}{3} \xrightarrow{\times 15} 5x-3y=10 \end{cases}$$

05 다음 연립방정식의 계수를 정수로 고쳐 □ 안에 알맞은 수를 써넣고, 연립방정식을 푸시오.

(1) $\begin{cases} \frac{1}{3}x-y=1 \\ y=\frac{1}{2}x+1 \end{cases}$ ➡ $\begin{cases} x-\square y=3 & \cdots\cdots ㉠ \\ \square y=x+2 & \cdots\cdots ㉡ \end{cases}$

(2) $\begin{cases} \frac{x}{3}+\frac{y}{2}=1 \\ \frac{x}{3}+\frac{y}{5}=-\frac{1}{5} \end{cases}$ ➡ $\begin{cases} \square x+3y=\square & \cdots\cdots ㉠ \\ 5x+\square y=-3 & \cdots\cdots ㉡ \end{cases}$

(3) $\begin{cases} \frac{x}{2}+\frac{y}{5}=4 \\ \frac{x}{3}+y=7 \end{cases}$ ➡ $\begin{cases} 5x+\square y=40 & \cdots\cdots ㉠ \\ x+\square y=\square & \cdots\cdots ㉡ \end{cases}$

06 다음 연립방정식을 푸시오.

(1) $\begin{cases} \frac{1}{3}x+\frac{1}{2}y=2 & \cdots\cdots ㉠ \\ \frac{2}{3}x-\frac{1}{4}y=\frac{3}{2} & \cdots\cdots ㉡ \end{cases}$

(2) $\begin{cases} \frac{x}{2}+\frac{y}{3}=3 & \cdots\cdots ㉠ \\ \frac{x}{2}-\frac{y}{5}=-\frac{1}{5} & \cdots\cdots ㉡ \end{cases}$

(3) $\begin{cases} \frac{x}{2}-y=-1 & \cdots\cdots ㉠ \\ \frac{x}{3}-\frac{y}{2}=\frac{1}{6} & \cdots\cdots ㉡ \end{cases}$

(4) $\begin{cases} \frac{1}{3}x-y=-\frac{1}{3} & \cdots\cdots ㉠ \\ \frac{1}{4}x-\frac{3}{5}y=-\frac{1}{10} & \cdots\cdots ㉡ \end{cases}$

07 다음 연립방정식을 푸시오.

(1) $\begin{cases} \frac{x+5}{2}=\frac{y+2}{3} & \cdots\cdots ㉠ \\ 3(x-4)+2(y+1)=7 & \cdots\cdots ㉡ \end{cases}$

(2) $\begin{cases} \frac{x}{2}+\frac{y}{3}=\frac{5}{6} & \cdots\cdots ㉠ \\ 0.3(x-y)-0.2y=1.9 & \cdots\cdots ㉡ \end{cases}$

정답과 해설 _ p.33

01 연립방정식 $\begin{cases} x-2(y-x)=8 \\ 5(x-2)-3y=3 \end{cases}$ 을 만족하는 x, y에 대하여 $x-y$의 값은?

① -2 ② -1 ③ 1
④ 2 ⑤ 3

02 연립방정식 $\begin{cases} -\frac{1}{3}x+\frac{1}{2}y=\frac{1}{6} \\ \frac{1}{5}x+\frac{3}{10}y=\frac{1}{2} \end{cases}$ 의 해는?

① $x=-1$, $y=1$ ② $x=1$, $y=-1$ ③ $x=1$, $y=1$
④ $x=1$, $y=2$ ⑤ $x=2$, $y=1$

계수가 정수가 되도록 분모의 최소공배수를 양변에 곱한다.

03 연립방정식 $\begin{cases} 0.5x+0.3y=-0.7 \\ \frac{1}{4}x-\frac{1}{6}y=-\frac{2}{3} \end{cases}$ 의 해가 일차방정식 $2x+5y=a$를 만족시킬 때, 상수 a의 값을 구하시오.

계수가 소수일 때는 10의 거듭제곱을, 계수가 분수일 때는 분모의 최소공배수를 양변에 곱한다.

04 연립방정식 $\begin{cases} 0.3(x+1)=0.5y-2.2 \\ y=\frac{x}{5}+3 \end{cases}$ 의 해가 $x=a$, $y=b$일 때, $a+10b$의 값은?

① 10 ② 15 ③ 20
④ 25 ⑤ 30

21강 여러 가지 방정식의 풀이

정답과 해설 _ p.34

1. $A=B=C$ 꼴의 방정식의 풀이 up+

$A=B=C$ 꼴의 방정식은 다음 세 연립방정식

$\begin{cases} A=B \\ A=C \end{cases}$ 또는 $\begin{cases} A=B \\ B=C \end{cases}$ 또는 $\begin{cases} A=C \\ B=C \end{cases}$

중 하나의 꼴로 바꾸어 푼다.

참고 $A=B=C$ 꼴의 방정식에서 C가 상수이거나 간단한 식일 때는 $\begin{cases} A=C \\ B=C \end{cases}$ 꼴로 바꾸어 푸는 것이 편리하다.

$A=B=C$ ➡ $\begin{cases} A=B \\ A=C \end{cases}$ | $A=B=C$ ➡ $\begin{cases} A=B \\ B=C \end{cases}$ | $A=B=C$ ➡ $\begin{cases} A=C \\ B=C \end{cases}$

01 다음 □ 안에 알맞은 식을 써넣고, 방정식을 푸시오.

(1) $\underbrace{3x+4y}_{A}=\underbrace{6x-2y}_{B}=\underbrace{10}_{C}$

$\begin{cases} A=C \\ B=C \end{cases}$ ➡ $\begin{cases} \square=10 \\ \square=10 \end{cases}$

(2) $\underbrace{2x}_{A}=\underbrace{4x-5y-1}_{B}=\underbrace{3x-y-2}_{C}$

$\begin{cases} A=B \\ A=C \end{cases}$ ➡ $\begin{cases} 2x=\square \\ 2x=\square \end{cases}$

(3) $\underbrace{x+20}_{A}=\underbrace{4x-2y}_{B}=\underbrace{3x+2y}_{C}$

$\begin{cases} A=B \\ B=C \end{cases}$ ➡ $\begin{cases} x+20=\square \\ 4x-2y=\square \end{cases}$

02 다음 방정식을 푸시오.

(1) $3x+2y=-3x+12y=21$

(2) $4x+y-1=-5x-9=-4y$

(3) $2x-3y=-8x+7y=x-y+1$

(4) $4x+3y-1=-3x-y=2x+y-5$

(5) $5x=4(x+y)=3x+10(y+1)$

(6) $\dfrac{2x+y}{6}=\dfrac{x+2y}{9}=1$

2. 해가 특수한 연립방정식의 풀이

연립방정식에서 어느 하나의 일차방정식의 양변에 적당한 수를 곱하였을 때

(1) 두 일차방정식의 x의 계수, y의 계수, 상수항이 각각 같으면 연립방정식의 해는 무수히 많다.

(2) 두 일차방정식의 x의 계수, y의 계수는 각각 같고, 상수항이 다르면 연립방정식의 해는 없다.

참고 연립방정식 $\begin{cases} ax+by=c \\ a'x+b'y=c' \end{cases}$에서

$\frac{a}{a'}=\frac{b}{b'}=\frac{c}{c'}$이면 해는 무수히 많고,

$\frac{a}{a'}=\frac{b}{b'}\neq\frac{c}{c'}$이면 해는 없다.

$\begin{cases} x+2y=3 \cdots ㉠ \\ 2x+4y=6 \end{cases}$ ㉠×2 → $\begin{cases} 2x+4y=6 \\ 2x+4y=6 \end{cases}$ → 해가 무수히 많다.

$\begin{cases} x+2y=4 \cdots ㉠ \\ 2x+4y=6 \end{cases}$ ㉠×2 → $\begin{cases} 2x+4y=8 \\ 2x+4y=6 \end{cases}$ → 해가 없다.

03 다음 연립방정식을 푸시오.

(1) $\begin{cases} 2x+3y=4 & \cdots\cdots ㉠ \\ 4x+6y=8 & \cdots\cdots ㉡ \end{cases}$

(2) $\begin{cases} x-y=2 & \cdots\cdots ㉠ \\ 2x-2y=5 & \cdots\cdots ㉡ \end{cases}$

(3) $\begin{cases} x-3y=2 & \cdots\cdots ㉠ \\ 3x-9y=5 & \cdots\cdots ㉡ \end{cases}$

(4) $\begin{cases} x-3y=4 & \cdots\cdots ㉠ \\ -2x+6y=-8 & \cdots\cdots ㉡ \end{cases}$

(5) $\begin{cases} x-2y=1 & \cdots\cdots ㉠ \\ y=\frac{1}{2}(x+1) & \cdots\cdots ㉡ \end{cases}$

04 다음 연립방정식의 해가 무수히 많을 때, 상수 a의 값을 구하시오.

(1) $\begin{cases} x+ay=4 \\ 2x+4y=8 \end{cases}$

(2) $\begin{cases} x-y=-2 \\ 5x+ay=-10 \end{cases}$

(3) $\begin{cases} x+4y=a \\ -2x-8y=14 \end{cases}$

(4) $\begin{cases} 4x-3y=2 \\ ax+12y=-8 \end{cases}$

05 다음 연립방정식의 해가 없을 때, 상수 a의 값 또는 조건을 구하시오.

(1) $\begin{cases} x+2y=3 \\ ax+4y=1 \end{cases}$

(2) $\begin{cases} 2x+ay=16 \\ x-3y=5 \end{cases}$

(3) $\begin{cases} 3x-y=3 \\ 6x-2y=a \end{cases}$

(4) $\begin{cases} 6x-10y=a \\ 3x-5y=-2 \end{cases}$

정답과 해설 _ p.35

01 방정식 $x-3y-2=3x+y+2=4x+2y+1$의 해가 $x=a$, $y=b$일 때, ab의 값은?

① -12 ② -8 ③ -4
④ -2 ⑤ 1

02 다음 연립방정식 중에서 해가 없는 것은?

① $\begin{cases} 3x+2y=12 \\ x-2y=-4 \end{cases}$ ② $\begin{cases} 2x+2y=4 \\ x+y=2 \end{cases}$ ③ $\begin{cases} x+2y=21 \\ x=3y-4 \end{cases}$

④ $\begin{cases} 2x-y=3 \\ 4x-2y=6 \end{cases}$ ⑤ $\begin{cases} 2x+y=5 \\ \dfrac{x}{2}+\dfrac{y}{4}=1 \end{cases}$

두 일차방정식의 x의 계수, y의 계수는 각각 같고, 상수항이 다르면 연립방정식의 해는 없다.

03 다음 연립방정식 중에서 해가 무수히 많은 것을 모두 고르면? (정답 2개)

① $\begin{cases} 2x+y=3 \\ 4x+2y=6 \end{cases}$ ② $\begin{cases} x+2y=1 \\ 3x+6y=5 \end{cases}$ ③ $\begin{cases} 2x+y=5 \\ 3x-y=0 \end{cases}$

④ $\begin{cases} x-y=1 \\ -3x+3y=3 \end{cases}$ ⑤ $\begin{cases} \dfrac{x}{2}-2y=-8 \\ \dfrac{x}{4}-y=-4 \end{cases}$

두 일차방정식의 x의 계수, y의 계수, 상수항이 각각 같으면 연립방정식의 해는 무수히 많다.

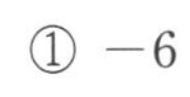

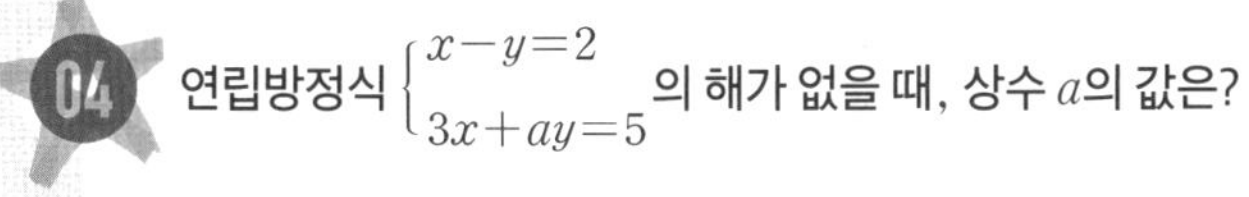

04 연립방정식 $\begin{cases} x-y=2 \\ 3x+ay=5 \end{cases}$의 해가 없을 때, 상수 a의 값은?

① -6 ② -5 ③ -4
④ -3 ⑤ -2

연립방정식의 해가 없으므로 적당한 수를 한 일차방정식에 곱했을 때, x, y의 계수는 각각 같고 상수항은 달라야 한다.

연립방정식의 활용 (1)

정답과 해설 _ p.36

1. 연립방정식의 활용 up+

연립방정식의 활용 문제는 다음과 같은 순서로 푼다.

❶ 문제의 뜻을 파악하고 구하려는 것을 미지수 x, y로 놓는다.

❷ 문제의 뜻에 맞게 x, y에 대한 연립방정식을 세운다.

❸ 연립방정식을 풀어 해를 구한다.

❹ 구한 해가 문제의 뜻에 맞는지 확인한다.

구하려는 것을 x, y로 놓기 ➡ 연립방정식 세우기 ➡ 연립방정식 풀기 ➡ 확인하기

01 서로 다른 두 정수의 합은 22이고, 큰 수는 작은 수의 2배보다 1만큼 크다. 두 수를 구하려고 할 때, 다음에 답하시오.

(1) 큰 수를 x, 작은 수를 y라 할 때, □ 안에 알맞은 식을 써넣으시오.

> 두 수의 합은 22이다.
> ➡ □$=22$
> 큰 수는 작은 수의 2배보다 1만큼 크다.
> ➡ $x=$□

(2) 연립방정식을 세우시오.

(3) (2)에서 세운 연립방정식을 푸시오.

(4) 두 수를 구하시오.

02 두 자리 자연수가 있다. 이 수의 각 자리의 숫자의 합은 7이고, 십의 자리의 숫자와 일의 자리의 숫자를 바꾼 수는 처음 수보다 9만큼 작다고 한다. 처음 수를 구하려고 할 때, 다음에 답하시오.

(1) 처음 수의 십의 자리의 숫자를 x, 일의 자리의 숫자를 y라 할 때, □ 안에 알맞은 식을 써넣으시오.

> 각 자리의 숫자의 합은 7이다.
> ➡ □$=7$
> 십의 자리의 숫자와 일의 자리의 숫자를 바꾼 수는 처음 수보다 9만큼 작다.
> ➡ □$=$□-9

(2) 연립방정식을 세우시오.

(3) (2)에서 세운 연립방정식을 푸시오.

(4) 처음 수를 구하시오.

03 사과 3개와 오렌지 4개의 값은 8100원이고 사과 5개와 오렌지 2개의 값은 9300원이다. 사과 한 개의 값과 오렌지 한 개의 값을 각각 구하려고 할 때, 다음에 답하시오.

(1) 사과 한 개의 값을 x원, 오렌지 한 개의 값을 y원이라 할 때, 다음 표를 완성하시오.

	사과 금액(원)	오렌지 금액(원)	합계(원)
사과 3개와 오렌지 4개	$3x$	$4y$	8100
사과 5개와 오렌지 2개			

(2) 연립방정식을 세우시오.

(3) (2)에서 세운 연립방정식을 푸시오.

(4) 사과 한 개의 값과 오렌지 한 개의 값을 각각 구하시오.

04 직사각형 모양의 카드의 가로의 길이는 세로의 길이보다 4 cm 만큼 더 길고, 둘레의 길이는 28 cm일 때, 카드의 가로, 세로의 길이를 구하려고 한다. 다음에 답하시오.

(1) 카드의 가로의 길이를 x cm, 카드의 세로의 길이를 y cm라 할 때, 연립방정식을 세우시오.

(2) (1)에서 세운 연립방정식을 푸시오.

(3) 카드의 가로의 길이와 세로의 길이를 각각 구하시오.

05 어느 박물관의 1인당 입장료가 어른은 6000원, 청소년은 4000원이다. 어른과 청소년을 합하여 10명이 입장하였을 때, 총 입장료가 46000원이었다. 박물관에 입장한 어른과 청소년은 각각 몇 명인지 구하려고 할 때, 다음에 답하시오.

(1) 입장한 어른의 수를 x명, 청소년의 수를 y명이라 할 때, 다음 표를 완성하시오.

	어른	청소년	합계
인원(명)	x	y	10
입장료(원)	$6000x$		

(2) 연립방정식을 세우시오.

(3) (2)에서 세운 연립방정식을 푸시오.

(4) 박물관에 입장한 어른과 청소년은 각각 몇 명인지 구하시오.

06 저금통에 100원짜리 동전과 500원짜리 동전을 합하여 18개가 들어 있고, 그 금액의 합은 4200원이다. 100원짜리 동전의 개수와 500원짜리 동전의 개수를 구하려고 할 때, 다음에 답하시오.

(1) 100원짜리 동전의 개수를 x개, 500원짜리 동전의 개수를 y개라 할 때, 다음 표를 완성하시오.

	100원	500원	합계
개수(개)	x	y	18
금액(원)	$100x$		

(2) 연립방정식을 세우시오.

(3) (2)에서 세운 연립방정식을 푸시오.

(4) 100원짜리 동전의 개수와 500원짜리 동전의 개수를 각각 구하시오.

07 현재 지우와 지우 어머니의 나이의 합은 56살이고, 10년 후 어머니의 나이는 지우의 나이의 2배보다 4살이 더 많다고 한다. 현재 지우의 나이를 구하려고 할 때, 다음에 답하시오.

(1) 지우의 나이를 x살, 어머니의 나이를 y살이라 할 때, □ 안에 알맞은 식을 써넣으시오.

> 현재 지우와 지우 어머니의 나이의 합은 56살이다. ➡ □ $=56$
> 10년 후 어머니의 나이는 지우의 나이의 2배보다 4살이 더 많다.
> ➡ □ $=2($□$)+4$

(2) 연립방정식을 세우시오.

(3) (2)에서 세운 연립방정식을 푸시오.

(4) 현재 지우의 나이를 구하시오.

08 민우의 수학 성적과 영어 성적의 평균은 80점이다. 수학 성적이 영어 성적보다 12점이 더 높다고 할 때, 민우의 수학 성적을 구하려고 한다. 다음에 답하시오.

(1) 수학 성적을 x점, 영어 성적을 y점이라 할 때, □ 안에 알맞은 식을 써넣으시오.

> 수학 성적과 영어 성적의 평균은 80점이다.
> ➡ □ $=80$
> 수학 성적이 영어 성적보다 12점이 더 높다.
> ➡ $x=$ □

(2) 연립방정식을 세우시오.

(3) (2)에서 세운 연립방정식을 푸시오.

(4) 수학 성적을 구하시오.

09 강우와 다윤이가 가위바위보를 하여 이긴 사람은 3계단씩 올라가고, 진 사람은 2계단씩 내려가기로 하였다. 얼마 후 강우는 처음의 위치보다 4계단, 다윤이는 9계단을 올라가 있었다. 강우가 이긴 횟수를 구하려고 할 때, 다음에 답하시오. (단, 비기는 경우는 없었다.)

(1) 강우가 이긴 횟수를 x회, 다윤이가 이긴 횟수를 y회라 할 때, 다음 표를 완성하시오.

	올라간 계단 수	내려간 계단 수	합계
강우	$3x$	$2y$	4
다윤	$3y$		

(강우가 이긴 횟수) = (다윤이가 진 횟수) $=x$
(다윤이가 이긴 횟수) = (강우가 진 횟수) $=y$

(2) 연립방정식을 세우시오.

(3) (2)에서 세운 연립방정식을 푸시오.

(4) 강우가 이긴 횟수를 구하시오.

10 닭과 토끼를 합하여 16마리가 있다. 다리 수의 합이 46개일 때, 닭과 토끼의 수를 각각 구하려고 한다. 다음에 답하시오.

(1) 닭을 x마리, 토끼를 y마리라 할 때, 다음 표를 완성하시오.

	닭	토끼	합계
동물의 수(마리)	x	y	16
다리의 수(개)			

(2) 연립방정식을 세우시오.

(3) (2)에서 세운 연립방정식을 푸시오.

(4) 닭과 토끼의 수를 각각 구하시오.

11 지원이가 2일 동안 한 다음 현준이가 8일 동안 하면 끝낼 수 있는 일을 지원이와 현준이가 함께 일하여 4일 만에 끝냈다. 이 일을 지원이가 혼자 끝내려면 며칠이 걸리는지 구하려고 한다. 다음에 답하시오.

(1) 전체 일의 양을 1이라 하고, 지원이가 하루에 할 수 있는 일의 양을 x, 현준이가 하루에 할 수 있는 일의 양을 y라 할 때, 다음 표를 완성하시오.

	지원이가 일한 양	현준이가 일한 양	합계
지원이가 2일, 현준이가 8일 일하여 끝낸 경우	$2x$		1
지원이와 현준이가 함께 4일 일하여 끝낸 경우	$4x$		1

(2) 연립방정식을 세우시오.

(3) (2)에서 세운 연립방정식을 푸시오.

(4) 지원이가 이 일을 혼자서 하면 며칠이 걸리는지 구하시오.

구한 x, y의 값이 그대로 답이 되지 않으므로 한 번 더 생각한다.

정답과 해설 _ p.37

01 서로 다른 두 정수의 합은 29이고 차가 5일 때, 두 수 중 큰 수는?

① 12 ② 14 ③ 16
④ 17 ⑤ 19

02 하연이는 1200원짜리 과자와 800원짜리 아이스크림을 합쳐서 15개를 15600원에 샀다. 하연이가 산 과자와 아이스크림의 개수를 각각 구하시오.

(과자 개수) + (아이스크림 개수) = (전체 개수)
(과자 전체 가격) + (아이스크림 전체 가격) = (전체 가격)

03 가로의 길이가 세로의 길이보다 6 cm 더 긴 직사각형이 있다. 직사각형의 둘레의 길이가 56 cm일 때, 이 직사각형의 가로의 길이와 세로의 길이를 각각 구하시오.

04 현재 현희와 현희 아버지의 나이의 합은 54살이고, 10년 후에는 아버지의 나이가 현희의 나이의 2배보다 2살이 더 많다고 한다. 현재 현희의 나이는?

① 12살 ② 13살 ③ 14살
④ 15살 ⑤ 16살

(현재 현희의 나이) + (현재 아버지의 나이) = 54
(10년 후 아버지의 나이) = 2 × (10년 후 현희의 나이) + 2

05 은호는 농구 경기에서 2점 슛과 3점 슛을 합하여 11개를 넣어서 26점을 득점하였다. 이때 넣은 2점 슛의 개수와 3점 슛의 개수를 각각 구하시오.

(2점 슛 개수) + (3점 슛 개수) = 11
(2점 슛의 점수의 합) + (3점 슛의 점수의 합) = 26

23강 연립방정식의 활용(2)

정답과 해설 _ p.38

1. 거리, 속력, 시간에 대한 문제

거리, 속력, 시간에 대한 문제는 다음을 이용하여 연립방정식을 세운다.

① (거리)=(속력)×(시간)

② (속력)$=\dfrac{(\text{거리})}{(\text{시간})}$ ③ (시간)$=\dfrac{(\text{거리})}{(\text{속력})}$

참고 km와 m, 시간과 분처럼 서로 다른 단위가 있는 경우 먼저 단위를 같게 맞춘 다음 방정식을 세운다.

속력이 a에서 b로 바뀌는 경우

➡ $\begin{cases}(a\text{로 간 거리})+(b\text{로 간 거리})=(\text{전체 거리})\\(a\text{로 간 시간})+(b\text{로 간 시간})=(\text{전체 시간})\end{cases}$

A가 출발하고 k분 뒤 B가 출발하여 둘이 만나는 경우

➡ $\begin{cases}(\text{A가 이동한 시간})=(\text{B가 이동한 시간})+k\\(\text{A가 이동한 거리})=(\text{B가 이동한 거리})\end{cases}$

01 준우는 체육관에서 4 km 떨어진 집에 가는데, 처음에는 시속 3 km로 걷다가 중간에 시속 6 km로 뛰어서 1시간 만에 집에 도착하였다. 준우가 걸어간 거리와 뛰어간 거리를 각각 구하려고 할 때, 다음에 답하시오.

(1) 걸어간 거리를 x km, 뛰어간 거리를 y km라 할 때, 다음 표를 완성하시오.

	걸어갈 때	뛰어갈 때	합계
거리(km)	x	y	
속력(km/h)	3		
걸린 시간(시간)	$\dfrac{x}{3}$		1

(2) 연립방정식을 세우시오.

(3) (2)에서 세운 연립방정식을 푸시오.

(4) 걸어간 거리와 뛰어간 거리는 각각 몇 km인지 구하시오.

02 한결이네 집에서 학교까지의 거리는 3 km이다. 한결이가 집에서 출발하여 시속 4 km로 걷다가 도중에 시속 10 km로 뛰어서 학교까지 27분이 걸렸다. 한결이가 걸어간 거리와 뛰어간 거리를 각각 구하려고 할 때, 다음에 답하시오.

(1) 걸어간 거리를 x km, 뛰어간 거리를 y km라 할 때, 연립방정식을 세우시오.

(2) (1)에서 세운 연립방정식을 푸시오.

(3) 걸어간 거리와 뛰어간 거리를 각각 구하시오.

03 등산을 하는데 올라갈 때는 시속 2 km로 걷고, 내려올 때는 올라갈 때보다 1 km 더 먼 길을 시속 4 km로 걸어서 모두 3시간 15분이 걸렸다. 올라갈 때와 내려올 때 걸은 거리를 각각 구하려고 할 때, 다음에 답하시오.

(1) 올라간 거리를 x km, 내려간 거리를 y km라 할 때, □ 안에 알맞은 식을 써넣으시오.

> 내려올 때의 거리는 올라갈 때의 거리보다 1 km 더 멀다. ➡ □=□+1
> 올라갈 때 걸린 시간과 내려올 때 걸린 시간의 합은 3시간 15분이다. ➡ $\dfrac{\square}{2}+\dfrac{\square}{4}=\dfrac{13}{4}$

(2) 연립방정식을 세우시오.

(3) (2)에서 세운 연립방정식을 푸시오.

(4) 올라갈 때와 내려올 때 걸은 거리는 각각 몇 km인지 구하시오.

04 우진이가 산책로 입구에서 출발한지 5분 후에 같은 곳에서 같은 길을 따라 범준이가 출발하였다. 우진이는 분속 200 m로 뛰고, 범준이는 분속 300 m로 뛸 때, 두 사람이 만날 때까지 뛴 시간을 각각 구하려고 한다. 다음에 답하시오.

(1) 우진이가 뛴 시간을 x분, 범준이가 뛴 시간을 y분이라고 할 때, □ 안에 알맞은 식을 써넣으시오.

> 우진이가 뛴 시간이 범준이가 뛴 시간보다 5분 더 길다. ➡ □=□+5
> 두 사람이 뛴 거리는 같다.
> ➡ 200×□=□×y

(2) 연립방정식을 세우시오.

(3) (2)에서 세운 연립방정식을 푸시오.

(4) 두 사람이 만날 때까지 뛴 시간을 각각 구하시오.

05 누나가 할머니 댁으로 출발한지 20분 후 동생이 할머니 댁으로 출발하였다. 누나는 분속 60 m의 속력으로 걷고, 동생은 분속 90 m의 속력으로 걷는다면 누나와 동생이 만나는 것은 동생이 출발한지 몇 분 후인지 구하려고 한다. 다음에 답하시오.

(1) 누나와 동생이 만날 때까지 누나가 걸은 시간을 x분, 동생이 걸은 시간을 y분이라고 할 때, 연립방정식을 세우시오.

(2) (1)에서 세운 연립방정식을 푸시오.

(3) 누나와 동생이 만나는 것은 동생이 출발한 지 몇 분인지 구하시오.

2. 농도에 대한 문제

소금물의 농도에 대한 문제는 다음을 이용하여 연립방정식을 세운다.

① $(\text{소금물의 농도})=\dfrac{(\text{소금의 양})}{(\text{소금물의 양})}\times 100(\%)$

② $(\text{소금의 양})=\dfrac{(\text{소금물의 농도})}{100}\times(\text{소금물의 양})$

a% 소금물과 b% 소금물을 섞어서 c% 소금물을 만드는 경우

a% 소금물의 양 + b% 소금물의 양 = c% 소금물의 양
a% 소금물의 소금의 양 + b% 소금물의 소금의 양 = c% 소금물의 소금의 양

06 10 %의 소금물과 15 %의 소금물을 섞어서 12 %의 소금물 500 g을 만들려고 한다. 10%의 소금물과 15 %의 소금물을 각각 몇 g씩 섞어야 하는지 구하려고 할 때, 다음에 답하시오.

(1) 10 %의 소금물의 양을 x g, 15%의 소금물의 양을 y g이라 할 때, 다음 표를 완성하시오.

	10 %의 소금물	15 %의 소금물	12 %의 소금물
농도(%)	10	15	12
소금물의 양(g)	x		500
소금의 양(g)	$\frac{10}{100}x$		

(2) 연립방정식을 세우시오.

(3) (2)에서 세운 연립방정식을 푸시오.

(4) 10 %의 소금물의 양과 15 %의 소금물의 양을 각각 구하시오.

07 3 %의 소금물과 9 %의 소금물을 섞어서 5 %의 소금물 300 g을 만들려고 한다. 3 %의 소금물의 양과 9 %의 소금물의 양을 각각 구하려고 할 때, 다음에 답하시오.

(1) 3 %의 소금물의 양을 x g, 9 %의 소금물의 양을 y g이라 할 때, 연립방정식을 세우시오.

(2) (1)에서 세운 연립방정식을 푸시오.

(3) 3 %의 소금물의 양과 9 %의 소금물의 양을 각각 구하시오.

08 농도가 다른 두 소금물 A, B가 있다. 소금물 A를 100 g, 소금물 B를 200 g 섞으면 20 %의 소금물이 되고, 소금물 A를 200 g, 소금물 B를 100 g 섞으면 15 %의 소금물이 될 때, 두 소금물 A, B의 농도를 각각 구하려고 한다. 다음에 답하시오.

(1) 소금물 A의 농도를 x %, 소금물 B의 농도를 y %라 할 때, 다음 표를 완성하시오.

	소금물 A의 소금의 양(g)	소금물 B의 소금의 양(g)	섞은 소금물의 소금의 양(g)
A 100 g과 B 200 g을 섞을 때	$\frac{x}{100}\times100$		$\frac{20}{100}\times300$
A 200 g과 B 100 g을 섞을 때	$\frac{x}{100}\times200$		

(2) 연립방정식을 세우시오.

(3) (2)에서 세운 연립방정식을 푸시오.

(4) 두 소금물 A, B의 농도를 각각 구하시오.

09 농도가 다른 두 소금물 A, B가 있다. 소금물 A를 100 g, 소금물 B를 200 g 섞으면 6 %의 소금물이 되고, 소금물 A를 200 g, 소금물 B를 100 g 섞으면 9 %의 소금물이 될 때, 두 소금물 A, B의 농도를 각각 구하려고 한다. 다음에 답하시오.

(1) 소금물 A의 농도를 x %, 소금물 B의 농도를 y %라 할 때, 연립방정식을 세우시오.

(2) (1)에서 세운 연립방정식을 푸시오.

(3) 두 소금물 A, B의 농도를 각각 구하시오.

정답과 해설 _ p.40

01 수아는 집에서 7 km 떨어진 도서관에 가는데 자전거를 타고 시속 8 km로 가다가 남은 거리를 시속 3 km로 걸었더니 1시간 30분이 걸렸다. 수아가 자전거를 타고 간 거리와 걸어간 거리를 각각 구하시오.

02 주호가 등산을 하는데 올라갈 때는 시속 3 km로 걷고, 내려올 때는 4 km 더 먼 길을 시속 4 km로 걸었다. 올라갔다가 내려오는 데 총 4시간 30분이 걸렸다면 내려올 때 걸은 거리는?

① 6 km ② 7 km ③ 8 km
④ 9 km ⑤ 10 km

(내려올 때 걸은 거리)
=(올라갈 때 걸은 거리)+4
(올라갈 때 걸린 시간)
+(내려올 때 걸린 시간)
=(4시간 30분)

03 12 %의 소금물과 9 %의 소금물을 섞어서 10 %의 소금물 600 g을 만들려고 한다. 이때 12 %의 소금물을 몇 g 섞어야 하는가?

① 200 g ② 250 g ③ 300 g
④ 350 g ⑤ 400 g

04 농도가 다른 두 소금물 A, B가 있다. 소금물 A와 B를 각각 100 g씩 섞으면 10 %의 소금물이 되고, 소금물 A를 100 g, 소금물 B를 300 g 섞으면 9 %의 소금물이 될 때, 소금물 A의 농도는?

① 8 % ② 9 % ③ 10 %
④ 11 % ⑤ 12 %

(A의 100 g의 소금의 양)
+(B의 100 g의 소금의 양)
=(10 %인 200 g의 소금의 양)
(A의 100 g의 소금의 양)
+(B의 300 g의 소금의 양)
=(9 %인 400 g의 소금의 양)

중단원 연산 마무리

01 다음 중 x, y의 순서쌍 (x, y)가 일차방정식 $2x-5y=1$의 해인 것은 ○표, 아닌 것은 ×표를 ( ) 안에 써넣으시오.

(1) $(3, 1)$ ( )

(2) $(5, 2)$ ( )

(3) $(7, 3)$ ( )

(4) $(8, 3)$ ( )

02 다음 중 x, y의 순서쌍이 연립방정식의 해인 것은 ○표, 해가 아닌 것은 ×표를 ( ) 안에 써넣으시오.

(1) $\begin{cases} x+y=5 \\ 2x+y=7 \end{cases}$ $(2, 3)$ ( )

(2) $\begin{cases} 2x+y=4 \\ -x+3y=2 \end{cases}$ $(1, 2)$ ( )

03 x, y가 자연수일 때, 연립방정식 $\begin{cases} x+y=7 \\ x+3y=15 \end{cases}$에 대하여 다음 표를 완성하고 물음에 답하시오.

(1) $x+y=7$

x	1	2	3	4	5	6
y						

(2) $x+3y=15$

x				
y	1	2	3	4

(3) 연립방정식의 해를 구하시오.

04 다음 연립방정식을 대입법을 이용하여 푸시오.

(1) $\begin{cases} y=4x+3 & \cdots\cdots ㉠ \\ 3x+y=10 & \cdots\cdots ㉡ \end{cases}$

(2) $\begin{cases} x=-3y-4 & \cdots\cdots ㉠ \\ 4x-2y=-2 & \cdots\cdots ㉡ \end{cases}$

(3) $\begin{cases} 2x=3y-1 & \cdots\cdots ㉠ \\ 2x+5y=23 & \cdots\cdots ㉡ \end{cases}$

(4) $\begin{cases} x-y=-3 & \cdots\cdots ㉠ \\ 2x+y=9 & \cdots\cdots ㉡ \end{cases}$

05 다음 연립방정식을 가감법을 이용하여 푸시오.

(1) $\begin{cases} 2x-5y=5 & \cdots\cdots ㉠ \\ 2x+y=11 & \cdots\cdots ㉡ \end{cases}$

(2) $\begin{cases} 5x+2y=-1 & \cdots\cdots ㉠ \\ x-2y=-5 & \cdots\cdots ㉡ \end{cases}$

(3) $\begin{cases} x-y=-1 & \cdots\cdots ㉠ \\ 6x-5y=-4 & \cdots\cdots ㉡ \end{cases}$

(4) $\begin{cases} 3x+4y=5 & \cdots\cdots ㉠ \\ 2x-3y=-8 & \cdots\cdots ㉡ \end{cases}$

정답과 해설 _ p.40

06 다음 연립방정식을 푸시오.

(1) $\begin{cases} 5x-2y=x-6 & \cdots\cdots ㉠ \\ 5x-2(3x+y)=4-3y & \cdots\cdots ㉡ \end{cases}$

(2) $\begin{cases} -2x+5(y+1)=24 & \cdots\cdots ㉠ \\ 3(x+3)+7y=-5 & \cdots\cdots ㉡ \end{cases}$

07 다음 연립방정식을 푸시오.

(1) $\begin{cases} 0.03x-0.12y=0.03 & \cdots\cdots ㉠ \\ 0.7x-0.8y=2.7 & \cdots\cdots ㉡ \end{cases}$

(2) $\begin{cases} \dfrac{3}{10}x+\dfrac{y}{5}=\dfrac{6}{5} & \cdots\cdots ㉠ \\ \dfrac{2}{3}x-\dfrac{y}{2}=-\dfrac{1}{6} & \cdots\cdots ㉡ \end{cases}$

(3) $\begin{cases} \dfrac{x}{2}+\dfrac{y}{3}=-\dfrac{2}{3} & \cdots\cdots ㉠ \\ 0.5x-0.4y=-1.4 & \cdots\cdots ㉡ \end{cases}$

08 다음 방정식을 푸시오.

(1) $5x+y=3x+2y=2x+3y-2$

(2) $\dfrac{2x+y}{4}=\dfrac{x-y-1}{6}=\dfrac{5x+3y-3}{2}$

09 다음 연립방정식을 푸시오.

(1) $\begin{cases} x+y=3 & \cdots\cdots ㉠ \\ 3x+3y=15 & \cdots\cdots ㉡ \end{cases}$

(2) $\begin{cases} x-3y=4 & \cdots\cdots ㉠ \\ -2x+6y=-8 & \cdots\cdots ㉡ \end{cases}$

10 다음 연립방정식의 해가 무수히 많을 때, 상수 a의 값을 구하시오.

(1) $\begin{cases} 4x-3y=2 \\ -8x+ay=-4 \end{cases}$

(2) $\begin{cases} ax+2y=4 \\ 9x+6y=12 \end{cases}$

11 다음 연립방정식의 해가 없을 때, 상수 a의 값 또는 조건을 구하시오.

(1) $\begin{cases} x+2y=4 \\ ax+6y=-1 \end{cases}$

(2) $\begin{cases} 6x-10y=a \\ 9x-15y=-6 \end{cases}$

정답과 해설 _ p.40

12 어떤 두 자리 자연수에서 각 자리의 숫자의 합은 11이고, 십의 자리의 숫자와 일의 자리의 숫자를 서로 바꾼 수는 처음 수보다 45만큼 크다. 이때 처음 수를 구하시오.

13 어떤 일을 도훈이와 소정이가 같이 하면 8일 걸리고, 도훈이가 혼자 4일을 하고 나머지를 소정이가 혼자 10일을 해야 끝마칠 수 있다. 이 일을 도훈이 혼자 한다면 며칠이 걸리는지 구하시오.

14 은재는 집에서 3 km 떨어진 서점에 가는데 처음에는 시속 5 km로 걷다가 도중에 시속 8 km로 뛰어서 도착하는데 27분이 걸렸다. 걸어간 거리와 뛰어간 거리를 각각 구하시오.

15 4 %의 소금물과 9 %의 소금물을 섞어서 7 %의 소금물 500 g을 만들려고 한다. 4 %의 소금물과 9 %의 소금물을 각각 몇 g씩 섞어야 하는지 구하시오.

도전 100점

16 일차방정식 $3x+ay+5=0$의 한 해가 $x=-3$, $y=2$이다. $x=1$일 때, y의 값을 구하시오. (단, a는 상수)

17 연립방정식 $\begin{cases} 0.6x+0.5y=2.8 \\ \frac{1}{3}x+\frac{1}{2}y=2 \end{cases}$ 의 해가 일차방정식 $2x-3y=a$를 만족시킬 때, 상수 a의 값을 구하시오.

18 현재 삼촌과 재원이의 나이의 합은 52살이고, 5년 후 삼촌의 나이는 재원이의 나이의 2배보다 2살이 더 많다고 한다. 5년 후의 재원이의 나이를 구하시오.

나만의 비법 노트

Ⅲ. 일차함수

연산 문제와 시험 대비 문제를 많이 풀어보고 개념과 원리를 확실하게 이해하자.
또한 이해도를 바탕으로 자신의 수준에 맞는 계획을 세워 반복 학습을 하자.

단원 III

힘수 점검

정답과 해설 _ p.43

좌표평면 위에 점을 나타낼 수 있나요?

1 다음 점을 오른쪽 좌표평면 위에 나타내고 제몇 사분면 위의 점인지 쓰시오. 중1

(1) $A(2,\ 2)$

(2) $B(-1,\ -3)$

(3) $C(-2,\ 3)$

(4) $D(3,\ -1)$

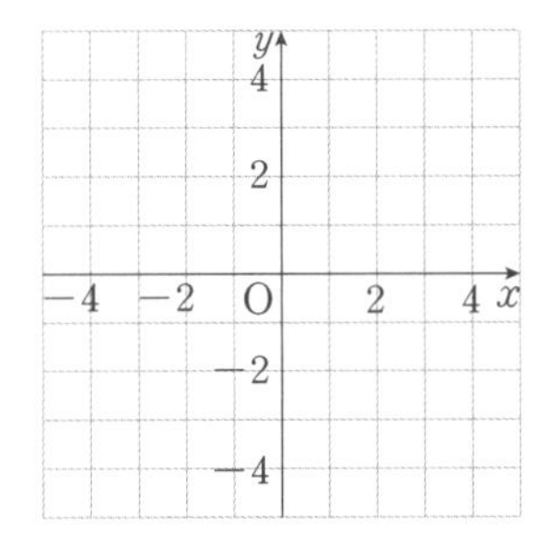

정비례 관계식을 구할 수 있나요?

2 1자루에 1000원인 연필 x자루의 값을 y원이라 할 때, 다음에 답하시오. 중1

(1) 표를 완성하시오.

x	1	2	3	4	⋯
y					⋯

(2) x와 y 사이의 관계를 식으로 나타내시오.

정비례 관계의 그래프를 그릴 수 있나요?

3 다음 정비례 관계의 그래프를 오른쪽 좌표평면 위에 그리시오. 중1

(1) $y=2x$

(2) $y=-\frac{1}{2}x$

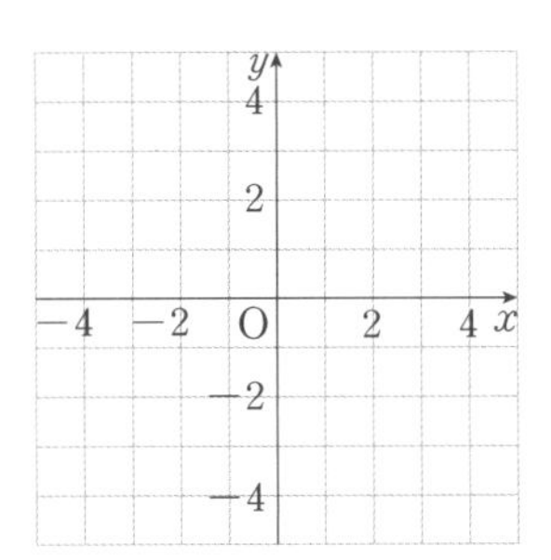

연립일차방정식을 풀 수 있나요?

4 다음 연립방정식을 푸시오. 중2

(1) $\begin{cases} y=x+2 \\ x+2y=1 \end{cases}$

(2) $\begin{cases} x+y=4 \\ 2x-y=-1 \end{cases}$

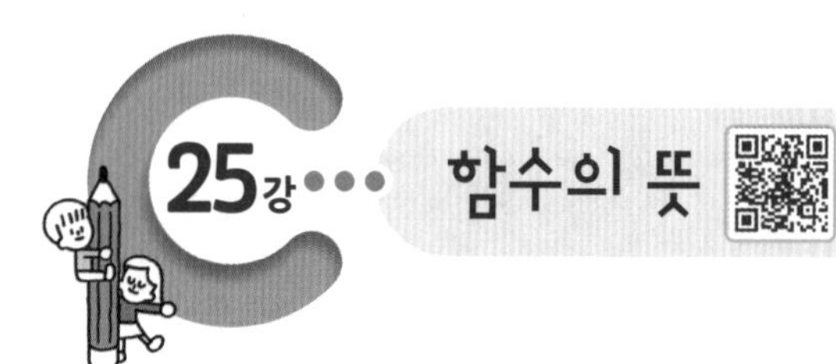

정답과 해설 _ p.43

1. 함수의 뜻

두 변수 x, y에 대하여 x의 값이 변함에 따라 y의 값이 하나씩 정해지는 두 양 사이의 대응 관계가 있을 때, y를 x의 함수라 하고 기호로 $y=f(x)$와 같이 나타낸다.

x의 값이 변함에 따라 → 함수 → y의 값이 하나씩 정해진다.

01 다음 표를 완성하고 함수인 것은 ○표, 함수가 아닌 것은 ×표를 (　) 안에 써넣으시오.

(1) 한 개에 10 g인 물건 x개의 무게 y g　(　　)

x	1	2	3	4	…
y					…

(2) 자연수 x의 약수 y　(　　)

x	1	2	3	4	…
y					…

(3) 한 자루에 500원인 볼펜 x자루의 가격 y원 (　　)

x	1	2	3	4	…
y					…

(4) 자연수 x보다 작은 소수 y　(　　)

x	1	2	3	4	…
y					…

02 다음 중 y가 x의 함수인 것은 ○표, 함수가 아닌 것은 ×표를 (　) 안에 써넣으시오.

(1) 정수 x의 절댓값 y　(　　)

(2) 한 변의 길이가 x cm인 정삼각형의 둘레의 길이 y cm　(　　)

(3) 자전거를 타고 시속 x km로 50 km를 달릴 때 걸리는 시간 y　(　　)

(4) 자연수 x의 배수 y　(　　)

(5) 자연수 x의 약수의 개수 y　(　　)

(6) x원인 물건을 사고 10000원을 냈을 때 거스름돈 y원　(　　)

(7) 토끼 x마리의 다리의 개수 y　(　　)

(8) 자연수 x보다 작은 짝수 y　(　　)

2. 함숫값

함수 $y=f(x)$에서 x의 값에 따라 하나씩 정해지는 y의 값 $f(x)$를 x에 대한 함숫값이라 한다.

$$f(x)=ax+b \xrightarrow[\text{함숫값}]{x=k\text{일 때의}} f(k)=ak+b$$

03 함수 $f(x)=3x$에 대하여 다음 함숫값을 구하시오.

(1) $f(1)$

(2) $f(0)$

(3) $f(-2)$

(4) $f(3)$

04 함수 $f(x)=\frac{24}{x}$에 대하여 다음 함숫값을 구하시오.

(1) $f(2)$

(2) $f(-3)$

(3) $f(4)$

(4) $f(-6)$

05 함수 $f(x)=x+1$에 대하여 다음 함숫값을 구하시오.

(1) $f(2)$

(2) $f(-3)$

(3) $f(4)$

(4) $f(-5)$

06 다음과 같은 함수 $y=f(x)$에 대하여 $x=2$일 때의 함숫값을 구하시오.

(1) $f(x)=x-2$

(2) $f(x)=\frac{6}{x}$

(3) $f(x)=-2x+1$

(4) $f(x)=-\frac{1}{2}x+3$

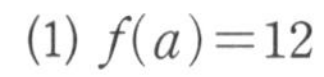

07 함수 $f(x)=4x$에 대하여 다음을 만족하는 a의 값을 구하시오.

(1) $f(a)=12$

(2) $f(a)=-8$

(3) $f(a)=-5$

(4) $f(a)=\frac{2}{3}$

08 함수 $f(x)=\frac{12}{x}$에 대하여 다음을 만족하는 a의 값을 구하시오.

(1) $f(a)=2$

(2) $f(a)=-3$

(3) $f(a)=\frac{4}{3}$

(4) $f(a)=-\frac{4}{5}$

09 함수 $f(x)=ax$에 대하여 다음을 만족하는 상수 a의 값을 구하시오.

(1) $f(1)=6$

(2) $f(-2)=4$

(3) $f\left(\frac{1}{2}\right)=5$

(4) $f\left(-\frac{3}{4}\right)=6$

10 함수 $f(x)=\frac{a}{x}$에 대하여 다음을 만족하는 상수 a의 값을 구하시오.

(1) $f(2)=2$

(2) $f(-3)=5$

(3) $f\left(\frac{1}{4}\right)=8$

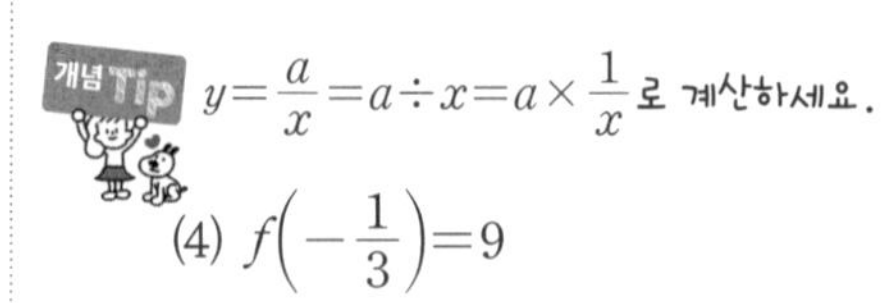

$y=\frac{a}{x}=a\div x=a\times\frac{1}{x}$로 계산하세요.

(4) $f\left(-\frac{1}{3}\right)=9$

정답과 해설 _ p.44

01 다음 중 y가 x에 대한 함수가 아닌 것은?

① 자연수 x보다 작은 자연수 y
② 자연수 x와 12의 최대공약수 y
③ 자연수 x를 5로 나눈 나머지 y
④ 둘레의 길이가 x cm인 정사각형의 한 변의 길이 y cm
⑤ 길이가 50 m인 끈을 x m 사용하고 남은 끈의 길이 y m

x의 값에 대하여 y의 값이 오직 하나로 정해지면 y는 x에 대한 함수이다.

02 함수 $f(x)=-3x$에 대하여 $f(-2)+f(4)$의 값을 구하시오.

$f(x)=ax$에 대하여 $f(p)$의 값은 $x=p$일 때의 함숫값으로 $f(p)=ap$이다.

03 함수 $f(x)=2x-3$에 대하여 다음 중 옳지 않은 것은?

① $f(1)=-1$　② $f(2)=5$　③ $f(-3)=-9$
④ $f(-2)=-7$　⑤ $f(-1)=-5$

04 함수 $f(x)=2x$에 대하여 $f(a)+f(2a)=24$일 때, a의 값을 구하시오.

정답과 해설 _ p.45

1. 일차함수의 뜻

함수 $y=f(x)$에서 y가 x에 대한 일차식으로 나타날 때, 이 함수를 x에 대한 일차함수라 한다.

참고 $y=\frac{a}{x}$와 같이 분모에 x가 있으면 일차함수가 아니다.

$y=ax+b$ (단, a, b는 상수, $a\neq0$)

일차항 상수항 $a=0$이면 일차함수가 아니다.

01 다음 중 y가 x에 대한 일차함수인 것은 ○표, 아닌 것은 ×표를 (　) 안에 써넣으시오.

(1) $y=2x+3$ (　　)

개념 Tip $y=$(x에 대한 일차식) 꼴이면 일차함수이다.

(2) $y=-4x$ (　　)

(3) $y=5$ (　　)

(4) $y=8-3x$ (　　)

(5) $y=\frac{1}{x}+2$ (　　)

(6) $y=x(x-1)$ (　　)

02 x와 y 사이의 관계가 다음과 같을 때, y를 x에 대한 식으로 나타내고 일차함수인 것은 ○표, 아닌 것은 ×표를 (　) 안에 써넣으시오.

(1) 한 개에 800원인 주스 x개를 살 때, 지불해야 할 금액 y원 ➡ ________ (　　)

(2) 하루 중 낮의 길이가 x시간일 때, 밤의 길이 y시간 ➡ ________ (　　)

(3) 한 변의 길이가 x cm인 정사각형의 넓이 y cm^2 ➡ ________ (　　)

(4) 전체 쪽수가 200쪽인 책을 매일 15쪽씩 x일 동안 읽고 남은 쪽수 y쪽 ➡ ________ (　　)

03 함수 $f(x)=3x-1$에 대하여 다음 함숫값을 구하시오.

(1) $f(2)$

(2) $f(-4)$

(3) $f\left(\frac{2}{3}\right)$

(4) $f\left(-\frac{1}{3}\right)+f(1)$

04 일차함수 $y=f(x)$가 다음과 같고 $f(a)=6$일 때, a의 값을 구하시오.

(1) $f(x)=x+4$

(2) $f(x)=-4x-2$

(3) $f(x)=\frac{1}{2}x+3$

(4) $f(x)=-\frac{2}{3}x+4$

2. 일차함수 $y=ax+b$의 그래프 up+

(1) 평행이동: 한 도형을 일정한 방향으로 일정한 거리만큼 이동하는 것

(2) 일차함수 $y=ax+b$의 그래프: 일차함수 $y=ax+b$의 그래프는 일차함수 $y=ax$의 그래프를 y축의 방향으로 b만큼 평행이동한 직선이다.

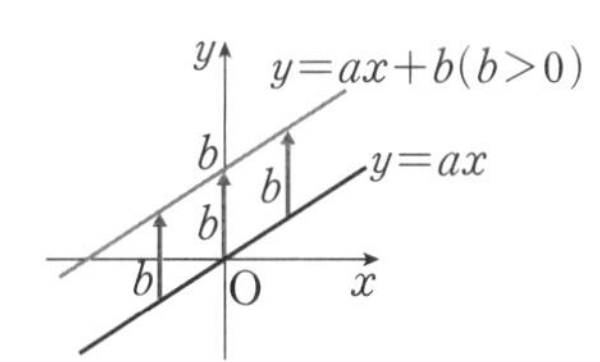

참고 일차함수 $y=ax+b$의 그래프에서 b가 음수이면 $y=ax$의 그래프를 y축의 음의 방향으로 $|b|$만큼 평행이동한다.

$y=ax$의 그래프 —(y축의 방향으로 b만큼 평행이동)→ $y=ax+b$의 그래프

05 두 일차함수 $y=ax$, $y=ax+b$에 대하여 다음 표를 완성하고, 좌표평면 위에 각각의 그래프를 그리시오.

(1) $y=x$, $y=x+2$

x	…	-2	-1	0	1	2	…
$y=x$	…						…
$y=x+2$	…						…

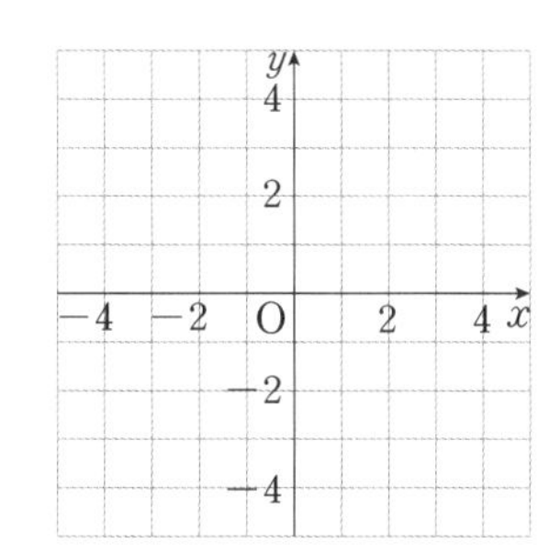

(2) $y=-2x$, $y=-2x+1$

x	…	-2	-1	0	1	2	…
$y=-2x$	…						…
$y=-2x+1$	…						…

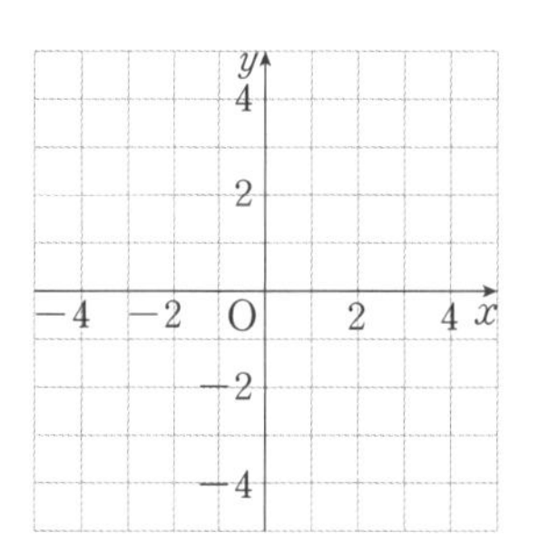

(3) $y=-x$, $y=-x-2$

x	…	-2	-1	0	1	2	…
$y=-x$	…						…
$y=-x-2$	…						…

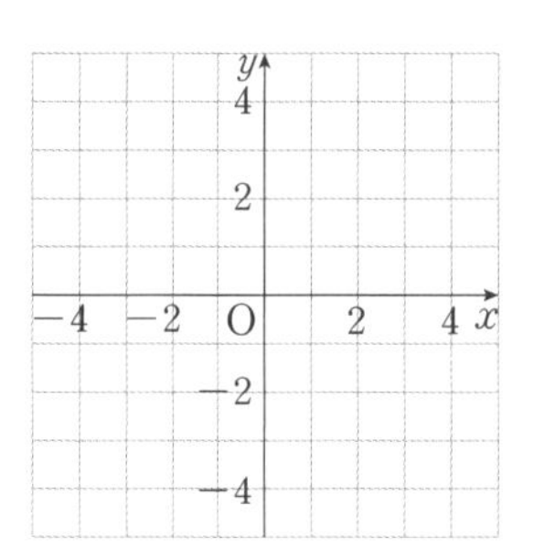

06 다음 일차함수의 그래프는 일차함수 $y=3x$의 그래프를 y축의 방향으로 얼마만큼 평행이동한 것인지 구하시오.

(1) $y=3x-2$

(2) $y=3x+5$

(3) $y=3x+\frac{1}{4}$

(4) $y=3x-\frac{2}{3}$

07 다음 일차함수의 그래프는 $y=-3x$의 그래프를 y축의 방향으로 얼마만큼 평행이동한 것인지 구하시오.

(1) $y=-3x+1$

(2) $y=-3x+\frac{1}{2}$

(3) $y=-3x-\frac{2}{5}$

(4) $y=-3x-3$

08 다음 일차함수의 그래프를 y축의 방향으로 [ ] 안의 값만큼 평행이동한 그래프의 식을 구하시오.

(1) $y=2x$ [3]

(2) $y=-\frac{1}{3}x$ [5]

(3) $y=-5x$ [−2]

(4) $y=\frac{3}{5}x$ $\left[-\frac{1}{2}\right]$

09 다음 일차함수의 그래프가 주어진 점을 지날 때, 상수 a의 값을 구하시오.

(1) $y=2x+3$ $(a,\ 1)$

(2) $y=-3x+a$ $(2,\ -3)$

3. 두 점을 이용하여 일차함수의 그래프 그리기

일차함수 $y=ax+b$의 그래프는 다음과 같은 방법으로 그릴 수 있다.

❶ 일차함수를 만족하는 두 점의 좌표를 구하여 좌표평면 위에 나타낸다.

❷ 두 점을 직선으로 연결한다.

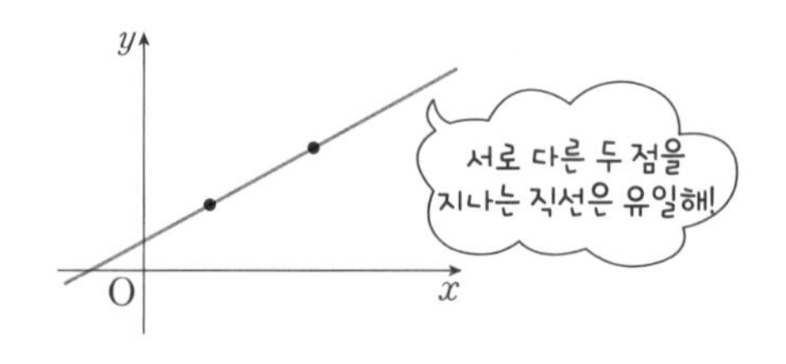

10 다음 일차함수의 그래프가 지나는 두 점의 좌표를 구하고, 좌표평면 위에 이 두 점을 이용하여 그래프를 그리시오.

(1) $y=\frac{1}{2}x-3$ ➡ $(-2,\ \square)$, $(2,\ \square)$

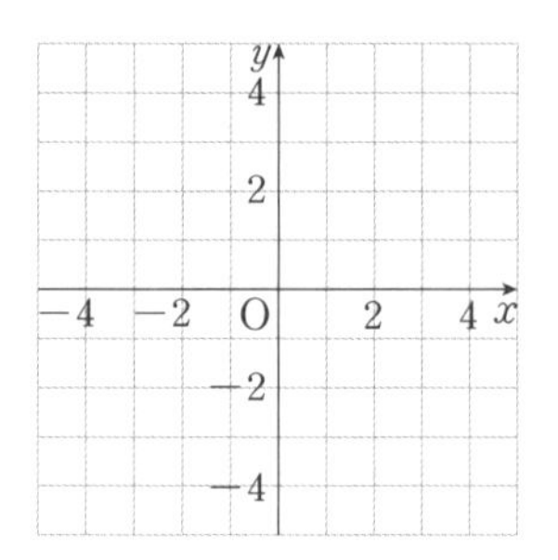

(2) $y=-3x+2$ ➡ $(-1,\ \square)$, $(1,\ \square)$

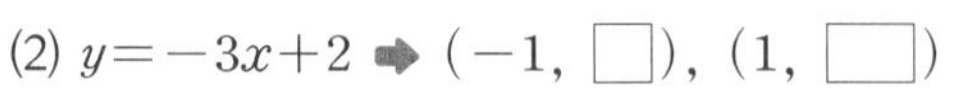

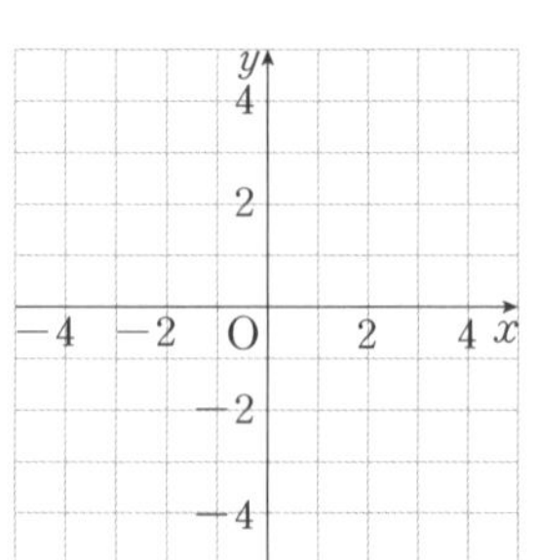

정답과 해설 _ p.45

01 다음 중 일차함수인 것을 모두 고르면? (정답 2개)

① $y+x^2=x(x+2)$　② $y=4$　③ $xy=1$

④ $y=\dfrac{x}{3}$　⑤ $y=x+y+1$

$y=$(x에 대한 일차식)의 꼴이 되는지 확인한다.

02 일차함수 $f(x)=ax+5$에 대하여 $f(2)=-1$일 때, 상수 a의 값을 구하시오.

03 다음 중 일차함수 $y=4x$의 그래프를 y축의 방향으로 평행이동하여 그래프가 포개어지는 일차함수를 모두 고르면? (정답 2개)

① $y=\dfrac{1}{4}x-1$　② $y=4x-1$　③ $y=4x-4$

④ $y=4-4x$　⑤ $y=-4x-1$

04 일차함수 $y=-2x$의 그래프를 y축의 방향으로 6만큼 평행이동하면 일차함수 $y=ax+b$의 그래프가 된다. 이때 a, b의 값을 각각 구하시오.

일차함수 $y=ax$의 그래프를 y축의 방향으로 b만큼 평행이동한 그래프의 식은 $y=ax+b$이다.

05 일차함수 $y=2x$의 그래프를 y축의 방향으로 a만큼 평행이동한 그래프가 점 $(1,\ -3)$을 지날 때, a의 값을 구하시오.

평행이동한 식을 나타낸 후 지나는 점의 좌표를 대입해본다.

정답과 해설 _ p.46

1. 일차함수의 그래프의 x절편, y절편 up+

(1) x절편: 함수의 그래프가 x축과 만나는 점의 x좌표, 즉 $y=0$일 때 x의 값

(2) y절편: 함수의 그래프가 y축과 만나는 점의 y좌표, 즉 $x=0$일 때 y의 값

참고 절편은 끊어낸 조각이라는 뜻이다.

예 일차함수 $y=x+2$의 그래프에서
x절편은 $y=0$일 때 $0=x+2$이므로 -2
y절편은 $x=0$일 때 $y=0+2$이므로 2

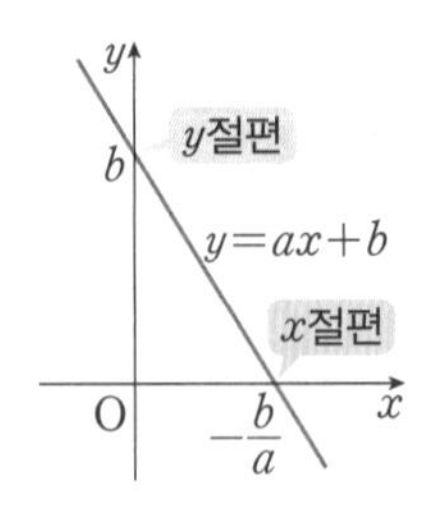

01 다음 일차함수의 그래프에서 x절편과 y절편을 각각 구하시오.

(1)

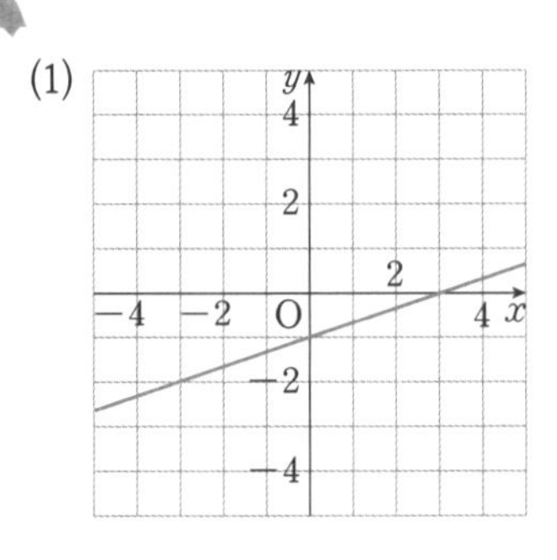

➡ x절편: ______
y절편: ______

쌤 Tip
x절편, y절편은 좌표가 아닌 수로 씁니다.

(2)

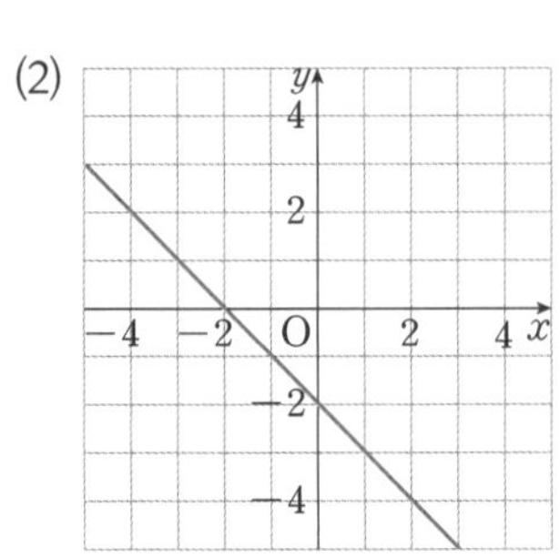

➡ x절편: ______
y절편: ______

(3)

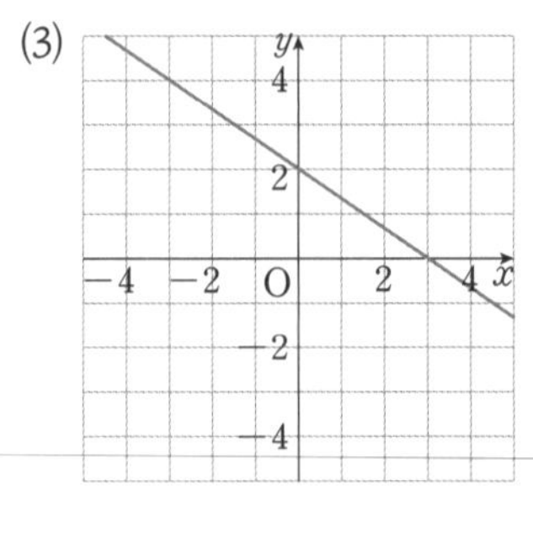

➡ x절편: ______
y절편: ______

(4)

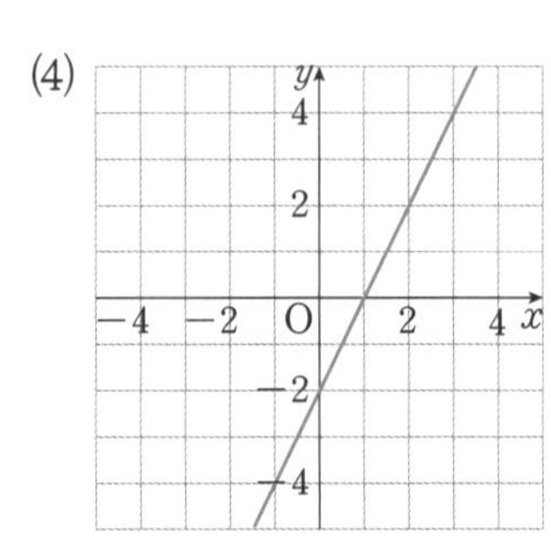

➡ x절편: ______
y절편: ______

02 다음 일차함수의 그래프의 x절편과 y절편을 각각 구하시오.

(1) $y=x+3$
➡ x절편: ______, y절편: ______

(2) $y=-2x+6$
➡ x절편: ______, y절편: ______

(3) $y=4x-8$
➡ x절편: ______, y절편: ______

(4) $y=-5x+15$
➡ x절편: ______, y절편: ______

(5) $y=5x-2$

➡ x절편: __________, y절편: __________

(6) $y=-3x-5$

➡ x절편: __________, y절편: __________

(7) $y=-\frac{1}{2}x+3$

➡ x절편: __________, y절편: __________

(8) $y=\frac{2}{3}x-4$

➡ x절편: __________, y절편: __________

2. x절편과 y절편을 이용하여 일차함수의 그래프 그리기

❶ x절편, y절편을 구한다.

❷ 두 점 (x절편, 0), (0, y절편)을 좌표평면 위에 나타낸다.

❸ 두 점을 직선으로 연결한다.

참고 일차함수의 그래프 위의 서로 다른 두 점을 알면 그 그래프를 그릴 수 있다. 서로 다른 두 점이 (x절편, 0), (0, y절편)인 경우이다.

x절편: 2 → (2, 0)
y절편: 1 → (0, 1)

03 일차함수의 그래프의 x절편과 y절편이 다음과 같을 때, 그 일차함수의 그래프를 좌표평면 위에 그리시오.

(1) x절편: 1
y절편: 2 ➡

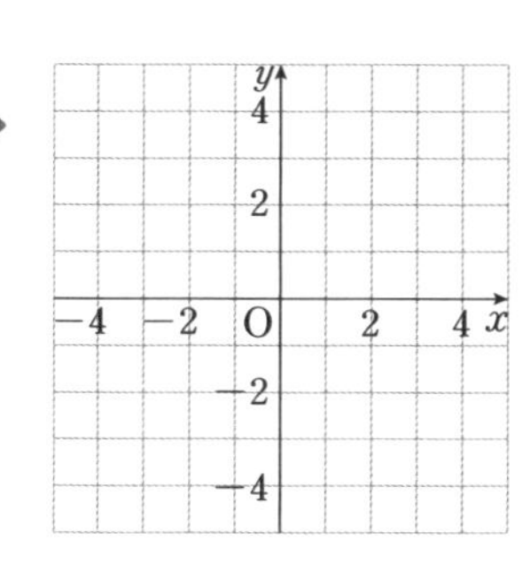

(2) x절편: 3
y절편: -1 ➡

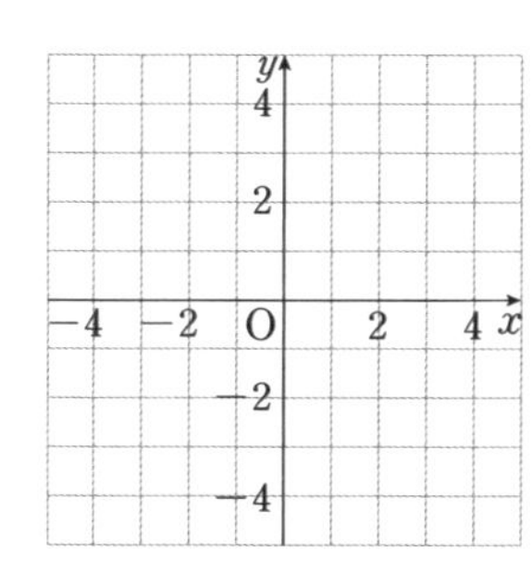

(3) x절편: -2
y절편: -1 ➡

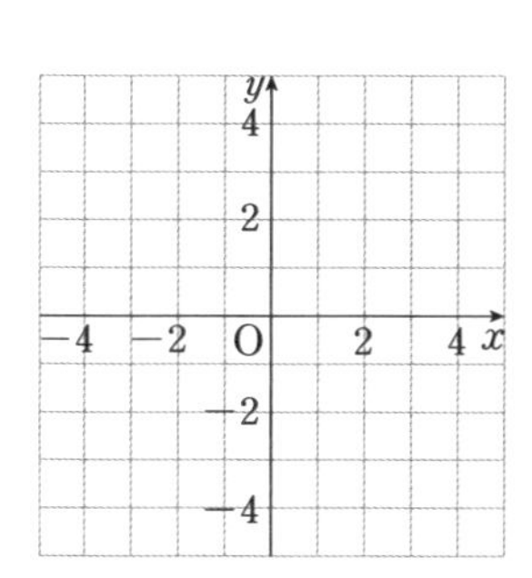

(4) x절편: -4
y절편: 2 ➡

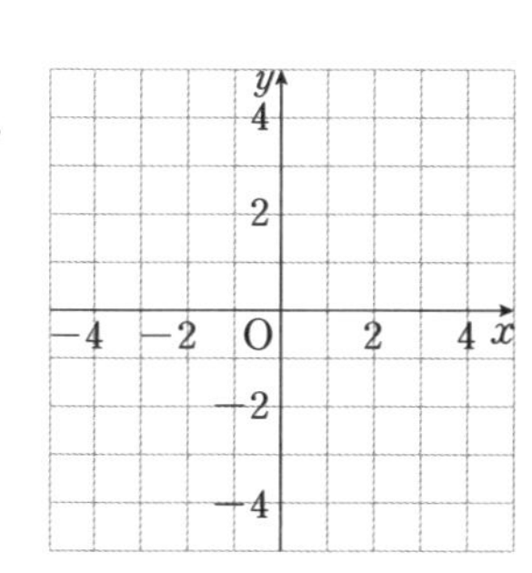

다음 일차함수의 그래프의 x절편과 y절편을 구하고, 그 그래프를 좌표평면 위에 그리시오.

(1) $y=x-2$

➡ x절편: ______

y절편: ______

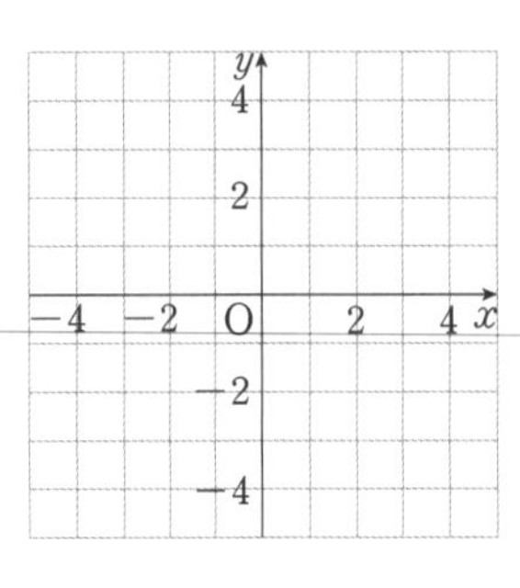

(2) $y=2x+2$

➡ x절편: ______

y절편: ______

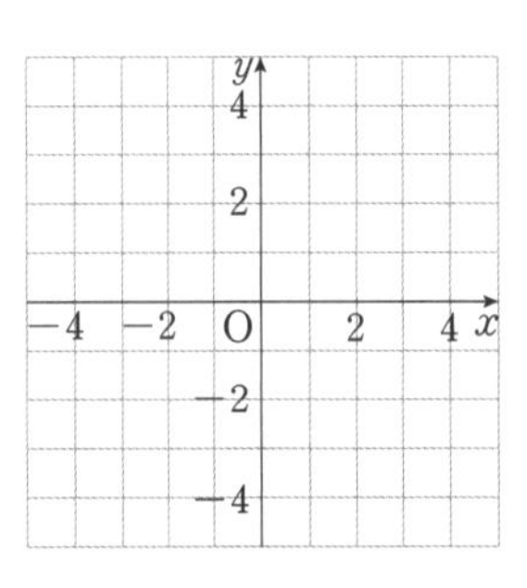

(3) $y=-2x+4$

➡ x절편: ______

y절편: ______

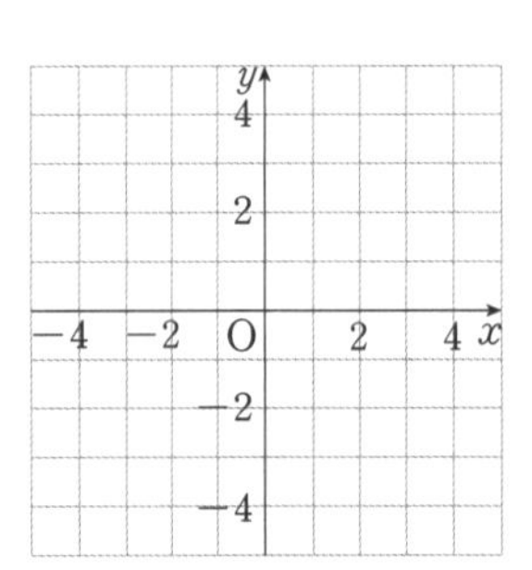

(4) $y=3x-3$

➡ x절편: ______

y절편: ______

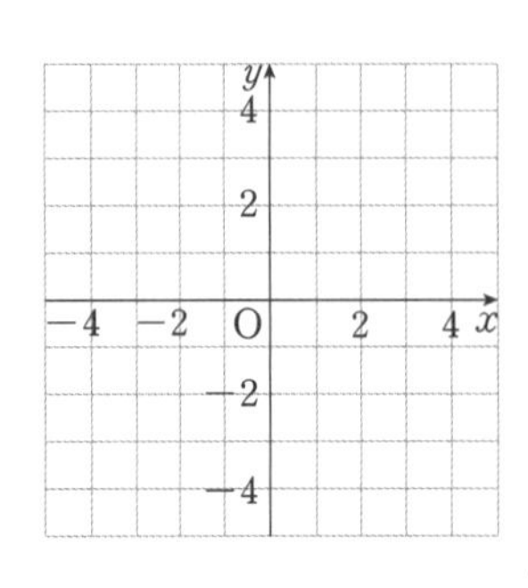

(5) $y=-\frac{1}{2}x-2$

➡ x절편: ______

y절편: ______

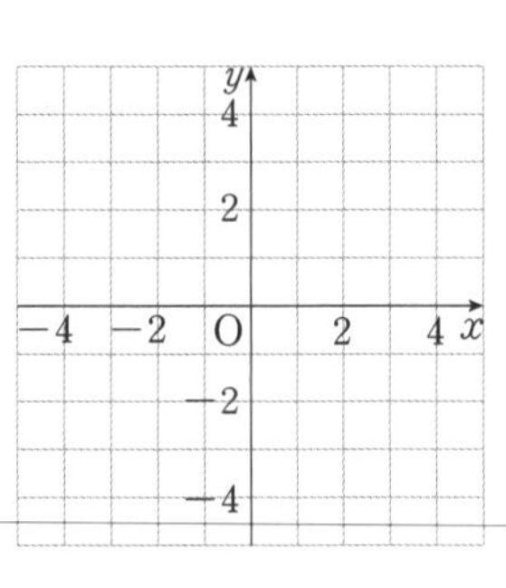

(6) $y=\frac{3}{2}x-3$

➡ x절편: ______

y절편: ______

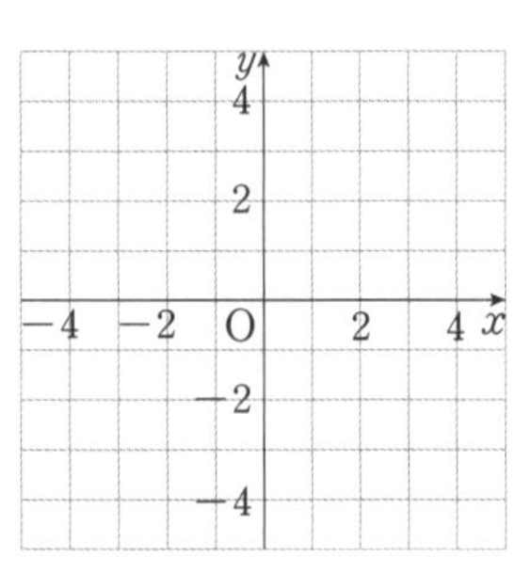

(7) $y=-\frac{1}{3}x-1$

➡ x절편: ______

y절편: ______

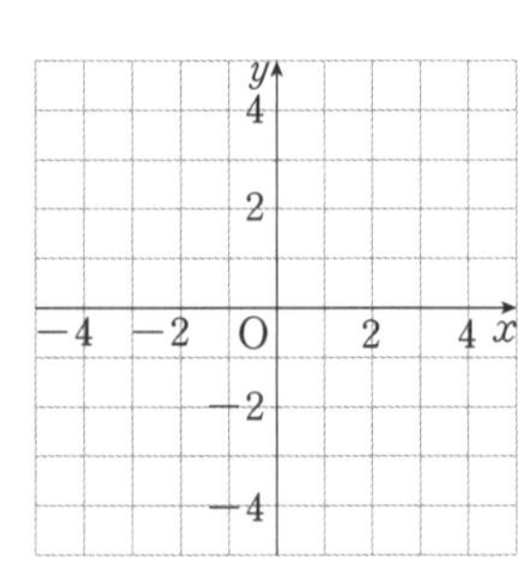

(8) $y=-\frac{3}{4}x+3$

➡ x절편: ______

y절편: ______

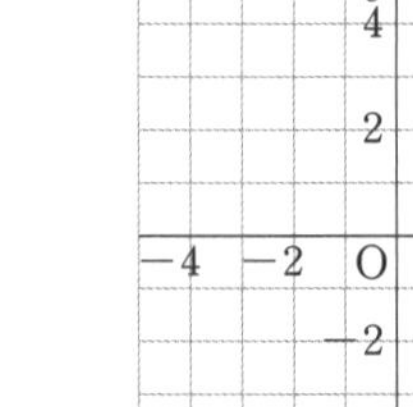

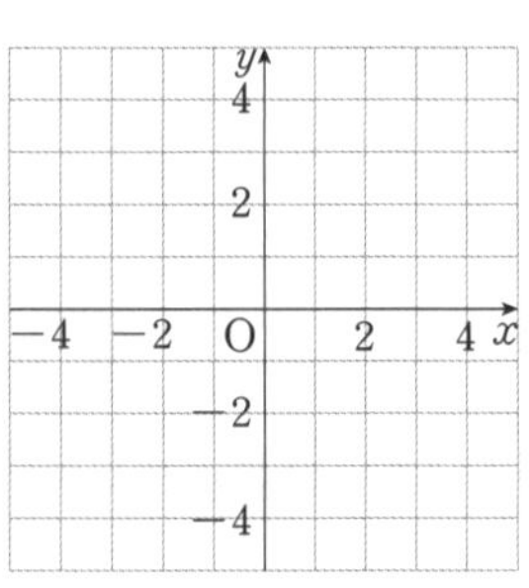

정답과 해설 _ p.47

01 
일차함수의 그래프가 아래 그림과 같을 때 (1)~(3)의 x절편과 y절편을 각각 구하시오.

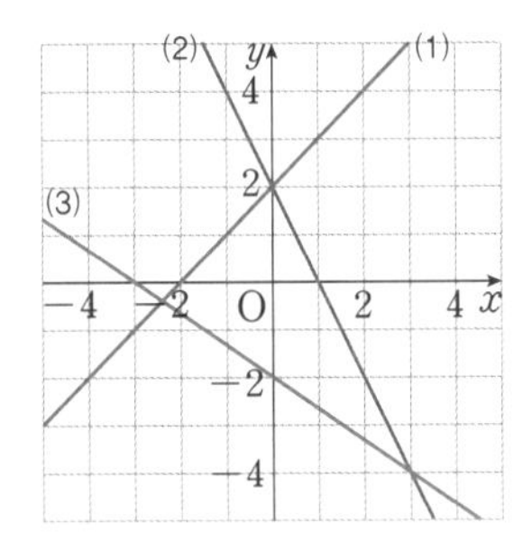

> 그래프가 x축과 만나는 점의 x좌표가 x절편이고, y축과 만나는 점의 y좌표가 y절편이다.

02 다음 일차함수의 그래프 중 x절편이 나머지 넷과 다른 하나는?

① $y=-2x-4$　② $y=\frac{1}{2}x+1$　③ $y=3x+6$

④ $y=-\frac{1}{3}x-\frac{2}{3}$　⑤ $y=-\frac{1}{2}x+2$

03 일차함수 $y=-x+b$의 그래프에서 x절편이 -2일 때, y절편을 구하시오.

> 주어진 일차함수의 그래프가 점 $(-2,\ 0)$을 지난다는 것을 이용한다.

04 다음 중 일차함수 $y=\frac{2}{3}x-4$의 그래프는?

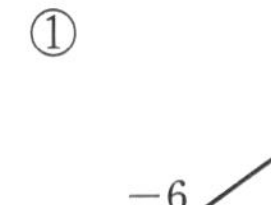

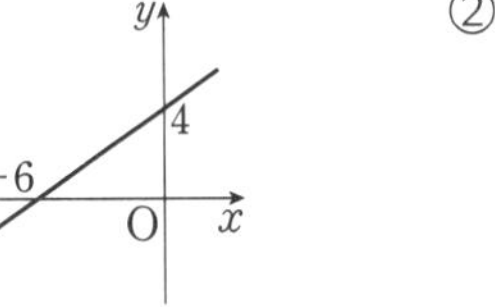

②

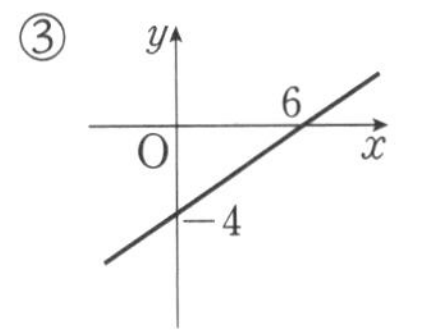

④

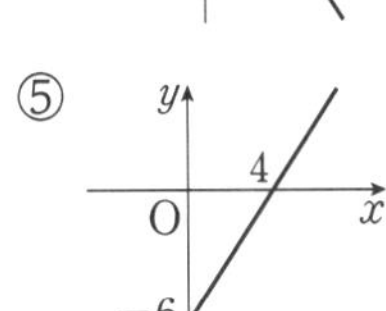

> 주어진 일차함수의 그래프의 x절편과 y절편을 구하여 그래프를 그려본다.

28강 일차함수의 그래프의 기울기

정답과 해설 _ p.48

1. 일차함수의 그래프의 기울기 up+

일차함수 $y=ax+b$에서 x의 값의 증가량에 대한 y의 값의 증가량의 비율은 항상 일정하며 그 값은 x의 계수 a와 같다. 이 증가량의 비율 a를 일차함수 $y=ax+b$의 기울기라 한다.

➡ $(\text{기울기})=\dfrac{(y\text{의 값의 증가량})}{(x\text{의 값의 증가량})}=a$

예 일차함수 $y=2x+1$에서

+1　　+2

x	$\cdots$	-2	-1	0	1	$\cdots$
y	$\cdots$	-3	-1	1	3	$\cdots$

+2　　+4

➡

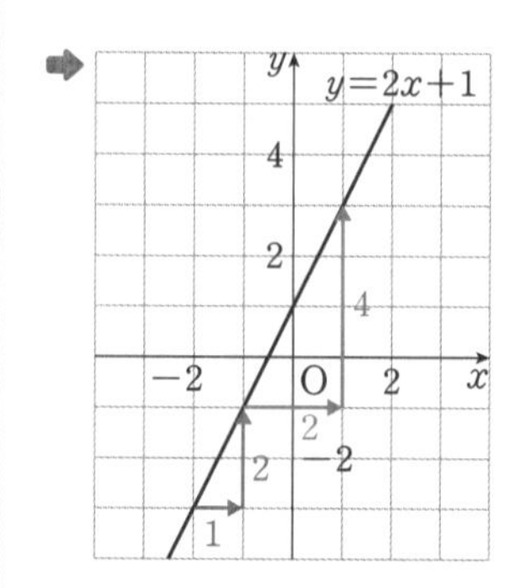

➡ (기울기)

$=\dfrac{(y\text{의 값의 증가량})}{(x\text{의 값의 증가량})}$

$=\dfrac{2}{1}=\dfrac{4}{2}=2$

x의 계수로 일정하다.

01 다음 일차함수에 대하여 표를 완성하고, 그래프의 기울기를 구하시오.

(1) $y=3x-2$

x	$\cdots$	-2	-1	0	1	2	$\cdots$
y	$\cdots$						$\cdots$

x의 값이 1만큼 증가할 때, y의 값이 □만큼 증가하므로 $(\text{기울기})=\dfrac{(y\text{의 값의 증가량})}{(x\text{의 값의 증가량})}=\square$

(2) $y=-x+3$

x	$\cdots$	-2	-1	0	1	2	$\cdots$
y	$\cdots$						$\cdots$

x의 값이 1만큼 증가할 때, y의 값이 □만큼 감소하므로 $(\text{기울기})=\dfrac{(y\text{의 값의 증가량})}{(x\text{의 값의 증가량})}=\square$

02 다음 일차함수의 그래프를 보고 기울기를 구하시오.

(1)

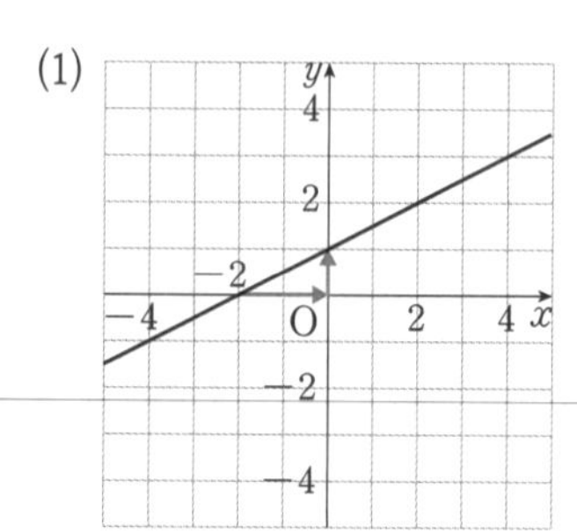

➡ $(\text{기울기})=\dfrac{1}{\square}$

(2)

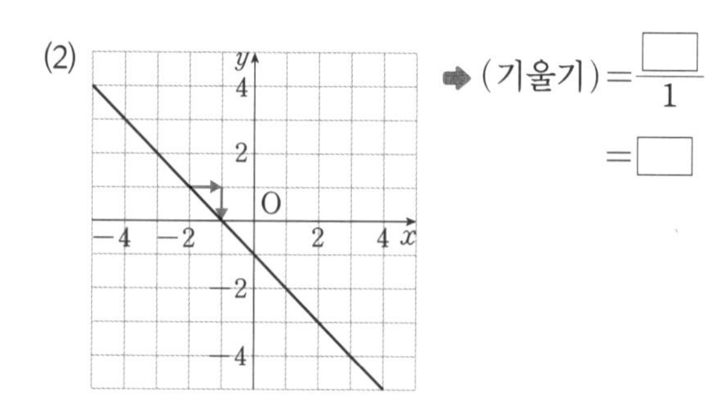

➡ $(\text{기울기})=\dfrac{\square}{1}$

$=\square$

(3)

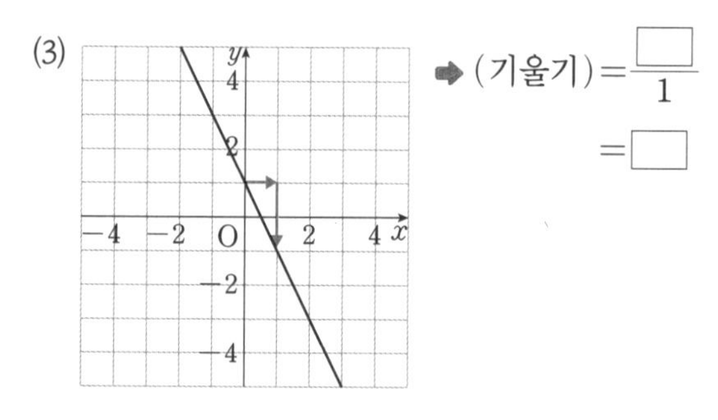

➡ $(\text{기울기})=\dfrac{\square}{1}$

$=\square$

(4)

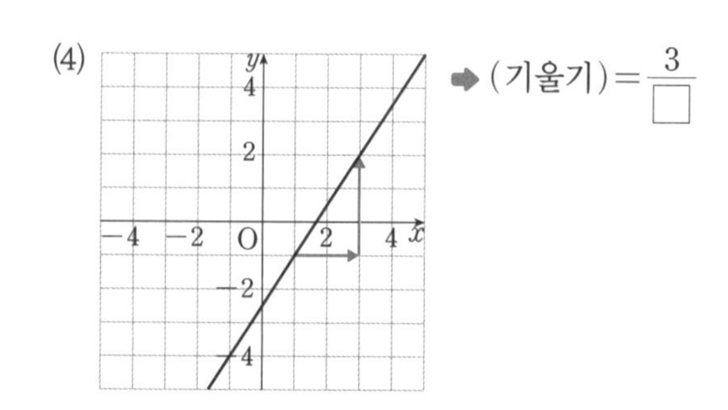

➡ $(\text{기울기})=\dfrac{3}{\square}$

03 다음 일차함수의 그래프의 기울기를 구하시오.

(1) $y=-x+5$

(2) $y=3x-1$

(3) $y=\frac{2}{3}x-2$

(4) $y=-\frac{1}{4}x+2$

04 다음을 구하시오.

(1) 일차함수 $y=x+2$의 그래프에서 x의 값의 증가량이 1일 때, y의 값의 증가량

(2) 일차함수 $y=\frac{1}{3}x+4$의 그래프에서 x의 값의 증가량이 6일 때, y의 값의 증가량

(3) 일차함수 $y=-2x-5$의 그래프에서 x의 값의 증가량이 2일 때, y의 값의 증가량

(4) 일차함수 $y=-\frac{3}{4}x-5$의 그래프에서 x의 값의 증가량이 4일 때, y의 값의 증가량

일차함수 $y=ax+b$에서 (기울기) $=\frac{(y\text{의 값의 증가량})}{(x\text{의 값의 증가량})}=a$임을 이용한다.

2. 두 점을 지나는 일차함수의 그래프의 기울기

두 점 (x_1, y_1), (x_2, y_2)를 지나는 일차함수의 그래프의 기울기

➡ (기울기) $=\frac{(y\text{의 값의 증가량})}{(x\text{의 값의 증가량})}$

$=\frac{y_2-y_1}{x_2-x_1}=\frac{y_1-y_2}{x_1-x_2}$ (단, $x_1\neq x_2$)

참고 점의 순서에 맞춰 각 좌표의 차로 기울기를 구한다.
$\frac{y_2-y_1}{x_1-x_2}$과 같이 구하지 않도록 주의한다.

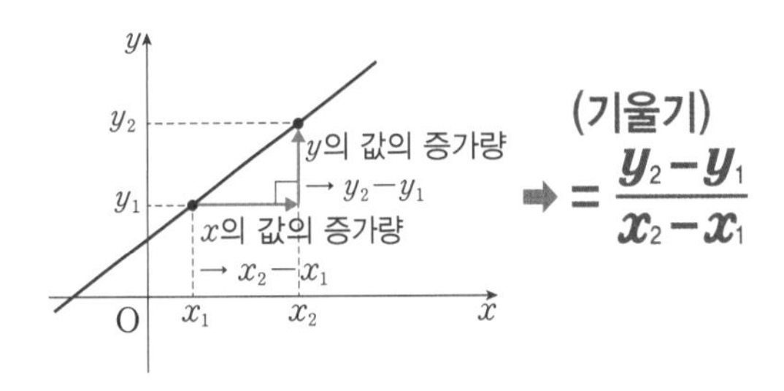

➡ (기울기) $=\frac{y_2-y_1}{x_2-x_1}$

05 다음 두 점을 지나는 일차함수의 그래프의 기울기를 구하시오.

(1) $(-1, 3)$, $(2, 8)$

(2) $(2, 3)$, $(5, 0)$

(3) $(1, -4)$, $(3, 1)$

(4) $(2, -4)$, $(3, -6)$

(5) $(-5, -6)$, $(-1, 1)$

(6) $(-4, -1)$, $(1, 9)$

3. 기울기와 y절편을 이용하여 그래프 그리기

❶ y절편을 이용하여 y축과 만나는 한 점을 좌표평면 위에 나타낸다.
❷ 기울기를 이용하여 그래프가 지나는 다른 한 점을 찾는다.
❸ 두 점을 직선으로 연결한다.

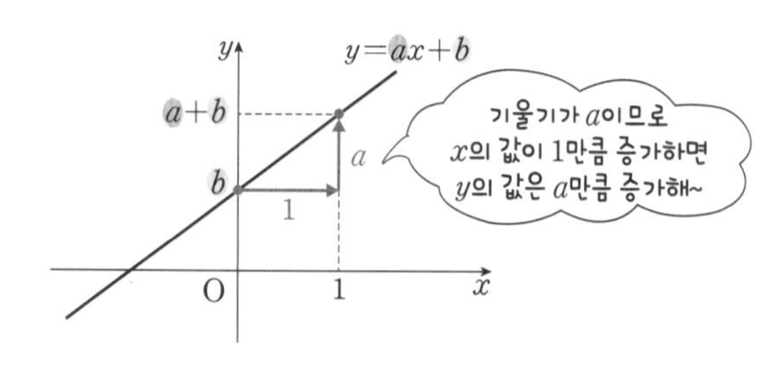

06 다음은 일차함수의 그래프의 기울기가 2이고 y절편이 1인 그래프를 그리는 과정이다. 빈칸에 알맞은 것을 써넣고, 그래프를 좌표평면 위에 그리시오.

❶ y절편이 1이므로 점 $(0, \square)$을 찍는다.
❷ 기울기가 2이므로 점 $(0, \square)$에서 x의 값이 1만큼 증가하고 y의 값이 2만큼 증가한 점 $(1, \square)$을 찍는다.
❸ 두 점을 직선으로 연결한다.

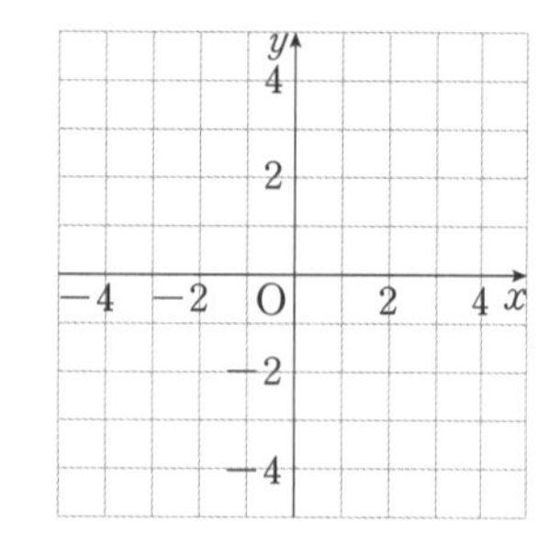

07 다음 일차함수의 기울기와 y절편을 구하고, 그것을 이용하여 그 그래프를 좌표평면 위에 그리시오.

(1) $y=x+2$ ➡ 기울기: ______, y절편: ______

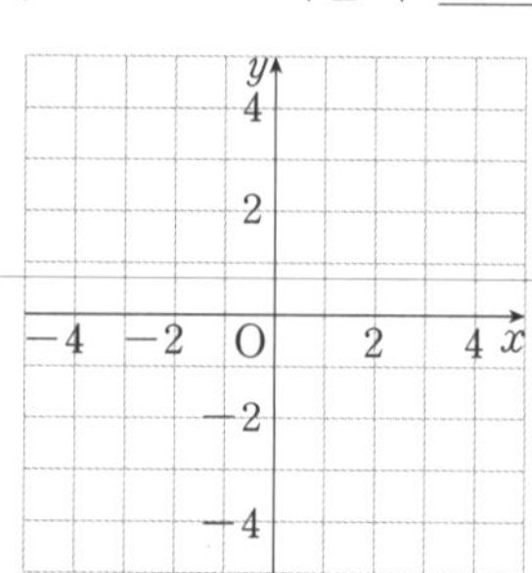

(2) $y=2x-3$ ➡ 기울기: ______, y절편: ______

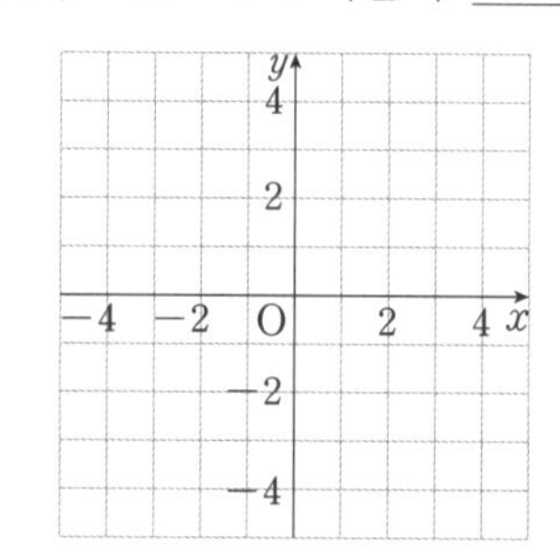

(3) $y=-3x-1$ ➡ 기울기: ______, y절편: ______

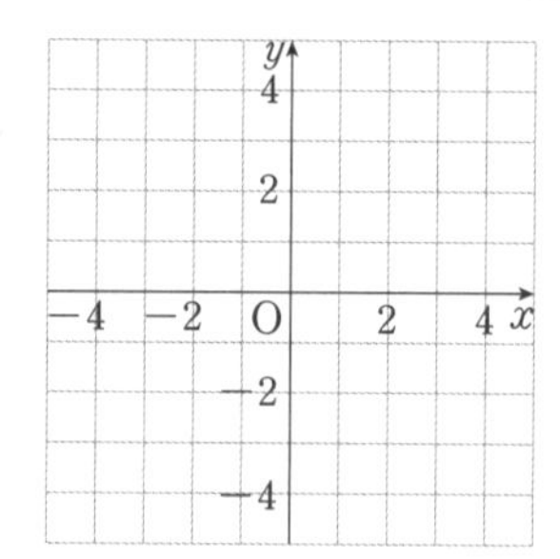

(4) $y=\frac{1}{2}x-2$ ➡ 기울기: ______, y절편: ______

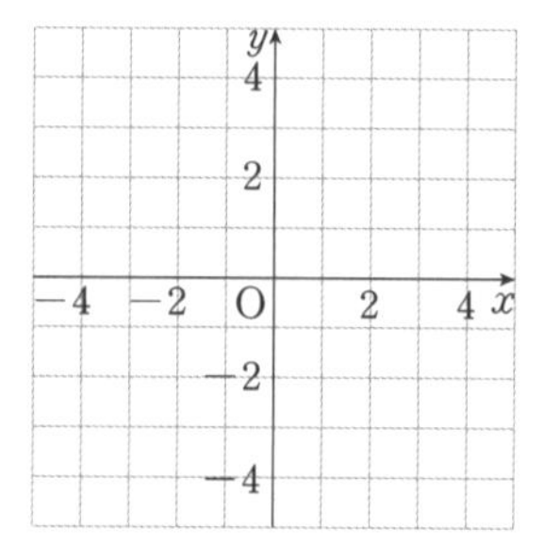

정답과 해설 _ p.49

01 일차함수 $y=ax-2$의 그래프가 오른쪽 그림과 같을 때, 상수 a의 값은?

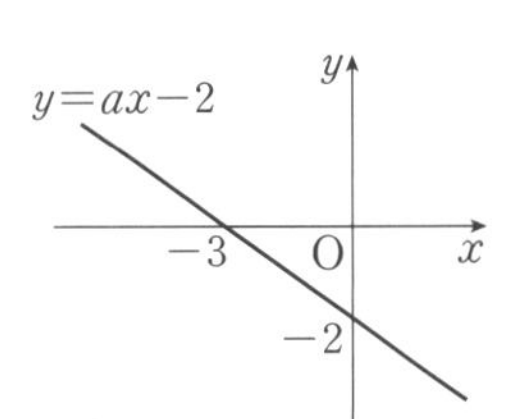

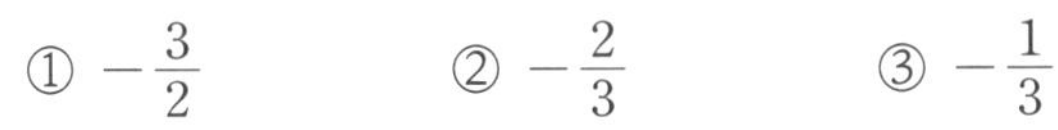

① $-\frac{3}{2}$　② $-\frac{2}{3}$　③ $-\frac{1}{3}$

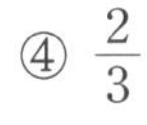

④ $\frac{2}{3}$　⑤ $\frac{3}{2}$

$(\text{기울기})=\frac{(y\text{의 값의 증가량})}{(x\text{의 값의 증가량})}$

02 다음 일차함수 중 그 그래프가 x의 값이 6만큼 증가할 때, y의 값이 2만큼 감소하는 것은?

① $y=3x+3$　② $y=2x+3$　③ $y=\frac{1}{3}x+1$

④ $y=-\frac{1}{3}x+1$　⑤ $y=-\frac{1}{2}x+3$

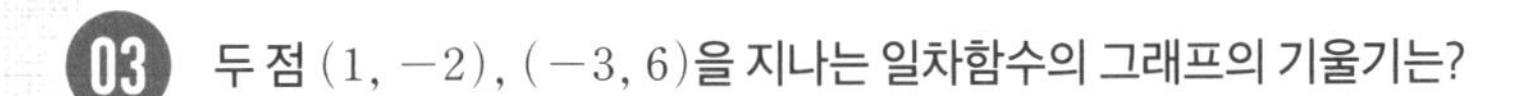

03 두 점 $(1,\ -2)$, $(-3,\ 6)$을 지나는 일차함수의 그래프의 기울기는?

① -4　② -2　③ -1

④ 1　⑤ 2

두 점 $(x_1,\ y_1)$, $(x_2,\ y_2)$를 지나는 일차함수의 그래프의 기울기는 $\frac{y_2-y_1}{x_2-x_1}$

04 두 점 $(-12,\ 8)$, $(k,\ -4)$를 지나는 일차함수의 그래프의 기울기가 -2일 때, k의 값은?

① -6　② -4　③ -2

④ 0　⑤ 2

1. 일차함수의 그래프의 성질

일차함수 $y=ax+b$의 그래프에서

(1) a의 부호: 그래프의 방향 결정

(2) b의 부호: 그래프가 y축과 만나는 점의 위치 결정

$a>0$	$a<0$
x의 값이 증가하면 y의 값도 증가한다. ➡ 오른쪽 위로 향하는 직선	x의 값이 증가하면 y의 값은 감소한다. ➡ 오른쪽 아래로 향하는 직선
y, $b>0$, 증가, b, 증가, $b<0$, O, x, b	y, 증가, b, 감소, O, x, b, $b>0$, $b<0$

참고 $b=0$이면 일차함수 $y=ax+b$의 그래프는 원점을 지난다.

01 다음 일차함수의 그래프를 보고 빈칸에 알맞은 것을 써넣으시오.

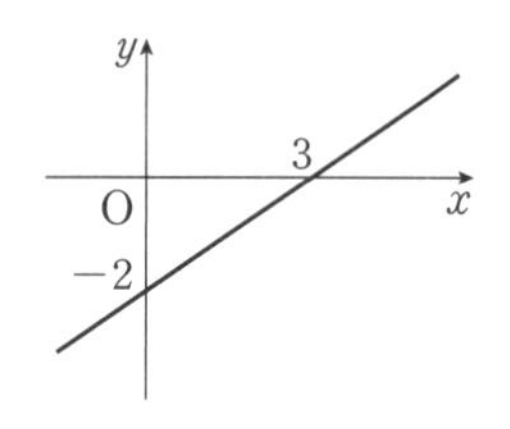

(1) x절편은 ☐이다.

(2) y절편은 ☐이다.

(3) 기울기는 ☐이다.

(4) 오른쪽 ☐로 향하는 직선이다.

(5) x의 값이 증가하면 y의 값도 ☐한다.

(6) 제☐사분면을 지나지 않는다.

02 다음 일차함수의 그래프를 보고 빈칸에 알맞은 것을 써넣으시오.

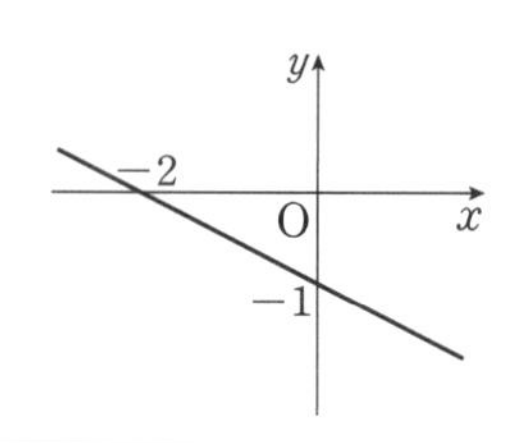

(1) x절편은 ☐이다.

(2) y절편은 ☐이다.

(3) 기울기는 ☐이다.

(4) 오른쪽 ☐로 향하는 직선이다.

(5) x의 값이 증가하면 y의 값은 ☐한다.

(6) 제☐사분면을 지나지 않는다.

03 다음을 만족하는 일차함수의 그래프를 보기에서 모두 고르시오.

| 보기 |

ㄱ. $y=3x$　　ㄴ. $y=4x-1$

ㄷ. $y=-x+3$　　ㄹ. $y=\frac{2}{3}x-\frac{1}{2}$

ㅁ. $y=-\frac{1}{4}x-6$　　ㅂ. $y=2x+4$

(1) 오른쪽 위로 향하는 직선

(2) 오른쪽 아래로 향하는 직선

(3) x의 값이 증가할 때 y의 값은 감소하는 직선

(4) y절편이 양수인 직선

(5) y축과 음의 부분에서 만나는 직선

(6) 원점을 지나는 직선

04 일차함수 $y=ax+b$의 그래프가 다음과 같을 때, □ 안에 $>$, $<$ 중 알맞은 것을 써넣으시오.

(1)

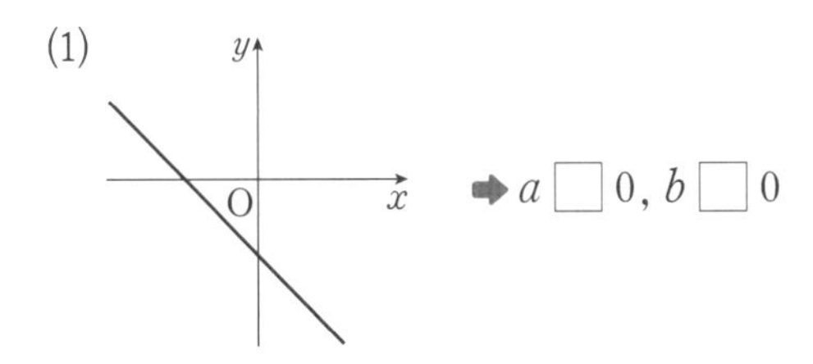

➡ a □ 0, b □ 0

(2)

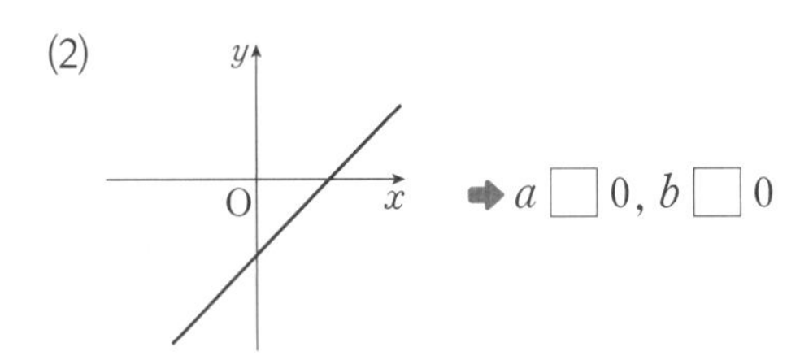

➡ a □ 0, b □ 0

(3)

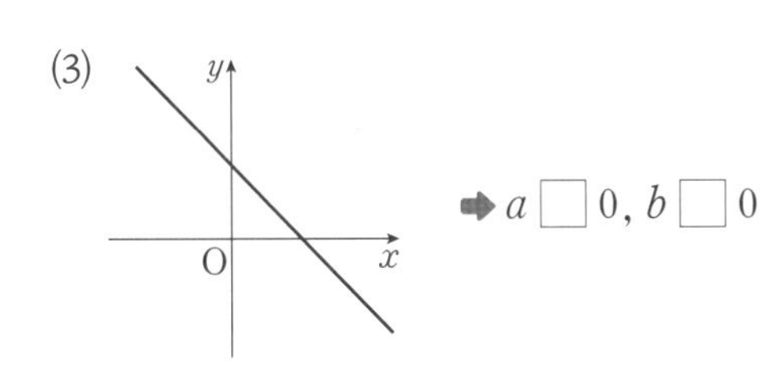

➡ a □ 0, b □ 0

(4)

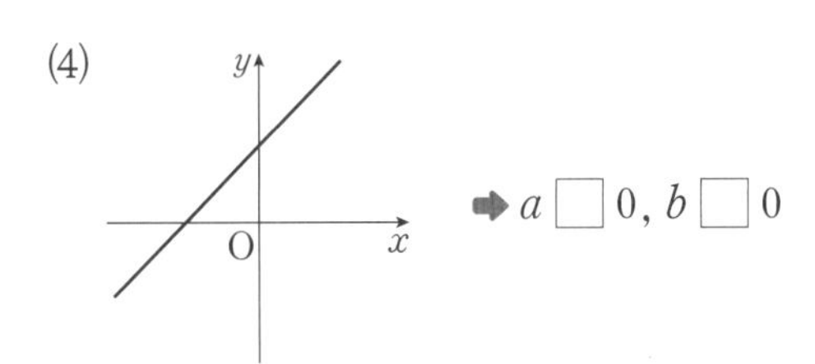

➡ a □ 0, b □ 0

쌤 Tip

그래프가 오른쪽 위를 향하면 기울기는 양수, 오른쪽 아래를 향하면 기울기는 음수!

05 일차함수와 그 그래프가 다음과 같을 때, 상수 a, b의 부호를 정하는 과정이다. □ 안에 $>$, $<$ 중 알맞은 것을 써넣으시오.

(1) $y=ax-b$

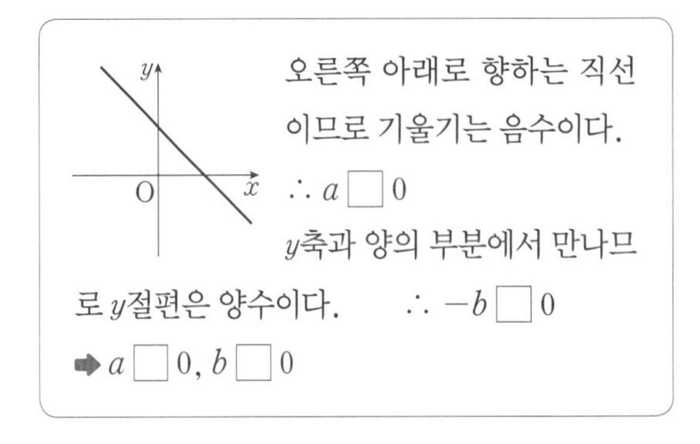

오른쪽 아래로 향하는 직선이므로 기울기는 음수이다.

$\therefore a$ □ 0

y축과 양의 부분에서 만나므로 y절편은 양수이다. $\therefore -b$ □ 0

➡ a □ 0, b □ 0

(2) $y=bx-a$

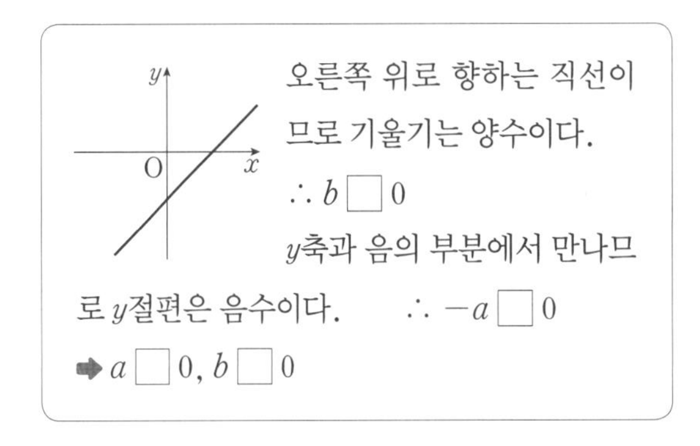

오른쪽 위로 향하는 직선이므로 기울기는 양수이다.

$\therefore b$ □ 0

y축과 음의 부분에서 만나므로 y절편은 음수이다. $\therefore -a$ □ 0

➡ a □ 0, b □ 0

06 일차함수와 그 그래프가 다음과 같을 때, □ 안에 $>$, $<$ 중 알맞은 것을 써넣으시오.

(1) $y=abx+b$

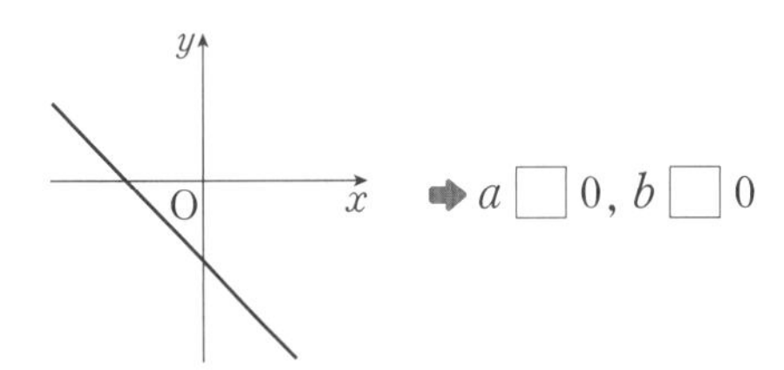

➡ a □ 0, b □ 0

(2) $y=-ax+ab$

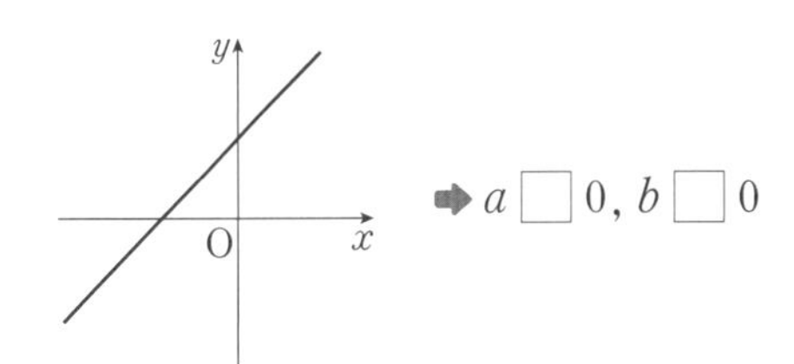

➡ a □ 0, b □ 0

2. 일차함수의 그래프의 평행·일치 up+

(1) 기울기가 같은 두 일차함수의 그래프는 서로 평행하거나 일치한다.
즉, 기울기가 같은 두 일차함수의 그래프에서
① y절편이 다르면 두 그래프는 평행하다.
② y절편이 같으면 두 그래프는 일치한다.

(2) 서로 평행한 두 일차함수의 그래프의 기울기는 같다.

$y=ax+b$, $y=ax+c$

$b \neq c$ $b=c$

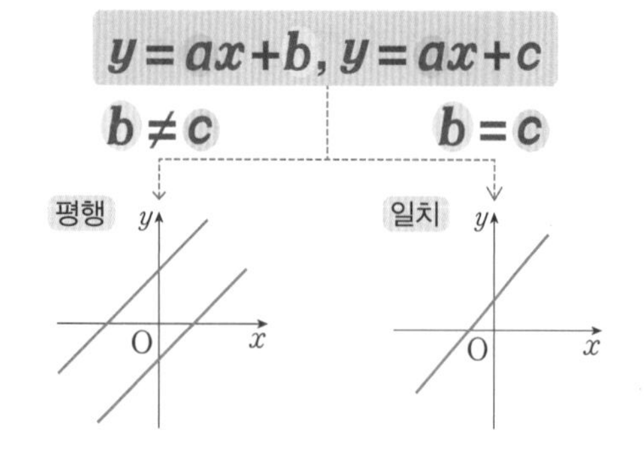

07 다음 두 일차함수의 그래프가 평행하면 '평', 일치하면 '일'을 ( ) 안에 써넣으시오.

(1) $y=2x-1$, $y=2x+1$ ( )

(2) $y=2(5-x)$, $y=10-2x$ ( )

(3) $y=\frac{1}{2}(6x-1)$, $y=3x-\frac{1}{2}$ ( )

(4) $y=-3(2x-3)$, $y=-6x+6$ ( )

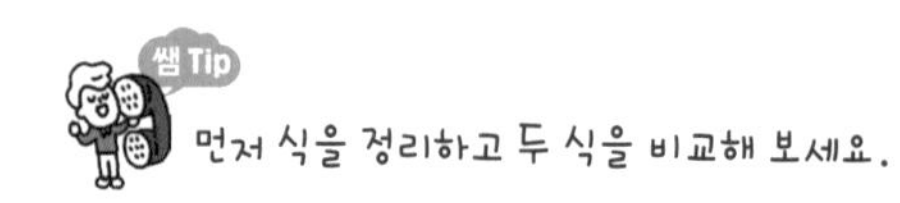

08 보기의 일차함수의 그래프에 대하여 다음에 답하시오.

보기
ㄱ. $y=3x-1$ ㄴ. $y=-x+2$
ㄷ. $y=-3(2-x)$ ㄹ. $y=-\frac{1}{3}x-1$
ㅁ. $y=-x-\frac{1}{3}$ ㅂ. $y=-\frac{1}{3}(x+3)$

(1) 서로 평행한 것끼리 짝 지으시오.

(2) 일치하는 것끼리 짝 지으시오.

(3) 오른쪽 그래프와 평행한 것을 모두 찾으시오.

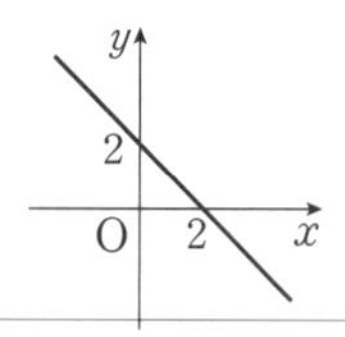

(4) 오른쪽 그래프와 일치하는 것을 찾으시오.

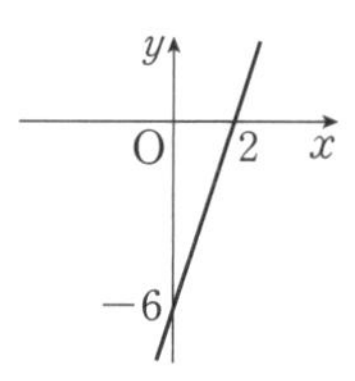

09 다음 두 일차함수의 그래프가 평행할 때, 상수 a의 값을 구하시오.

(1) $y=\frac{2}{5}x-3$, $y=ax+\frac{2}{5}$

(2) $y=-3ax+10$, $y=12x+1$

(3) $y=-\frac{a}{2}x+7$, $y=4x-\frac{1}{2}$

10 다음 두 일차함수의 그래프가 일치할 때, 상수 a, b의 값을 구하시오.

(1) $y=ax-5$, $y=2x+b$

(2) $y=-2ax-8$, $y=4x+4b$

(3) $y=\frac{a}{3}x+12$, $y=-9x+4b$

정답과 해설 _ p.50

01 다음 중 일차함수 $y=-\frac{1}{2}x+4$의 그래프에 대한 설명으로 옳은 것을 모두 고르면? (정답 2개)

① x절편은 8이다.
② y축의 음의 부분과 만난다.
③ 오른쪽 위를 향하는 직선이다.
④ x의 값이 증가할 때 y의 값도 증가한다.
⑤ 제3사분면을 지나지 않는다.

그래프가 지나지 않는 사분면은 그래프를 직접 그려서 확인한다.

02 일차함수 $y=ax-b$의 그래프가 오른쪽 그림과 같을 때, 상수 a, b의 부호는?

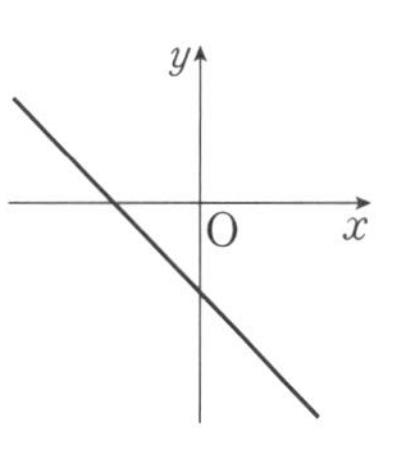

① $a>0$, $b<0$　② $a>0$, $b>0$
③ $a<0$, $b<0$　④ $a<0$, $b>0$
⑤ $a<0$, $b=0$

주어진 그래프에서 기울기의 부호와 y절편의 부호를 확인한다.

03 다음 일차함수 중 그 그래프가 일차함수 $y=\frac{2}{3}x-1$의 그래프와 서로 만나지 않는 것은?

① $y=-1-\frac{2}{3}x$　② $y=1+\frac{2}{3}x$　③ $y=2x$
④ $y=-\frac{2}{3}x+\frac{2}{3}$　⑤ $y=2-2x$

두 그래프가 서로 만나지 않는다는 것은 두 그래프가 평행함을 의미한다.

04 두 일차함수 $y=-2ax+16$, $y=10x-2b$의 그래프가 일치할 때, 상수 a, b에 대하여 $a+b$의 값을 구하시오.

두 그래프의 기울기와 y절편이 각각 같으면 두 그래프는 일치한다.

30강 일차함수의 식 구하기

정답과 해설 _ p.50

1. 기울기와 y절편을 알 때 일차함수의 식 구하기

기울기가 a이고 y절편이 b인 직선을 그래프로 하는 일차함수의 식은 $y=ax+b$이다.

기울기 : 2, y절편 : 1

➡ $y=2x+1$

01 기울기와 y절편이 다음과 같은 직선을 그래프로 하는 일차함수의 식을 구하시오.

(1) 기울기가 2이고, y절편이 3인 직선

(2) 기울기가 -3이고 y절편이 2인 직선

(3) 기울기가 $\frac{1}{2}$이고 y절편이 -4인 직선

(4) 기울기가 $-\frac{2}{3}$이고 y절편이 $-\frac{1}{2}$인 직선

02 다음 직선을 그래프로 하는 일차함수의 식을 구하시오.

(1) 기울기가 -1이고 점 $(0, 2)$를 지나는 직선

쌤 Tip 점 $(0, k)$를 지난다는 것은 y절편이 k임을 의미해요.

(2) 기울기가 5이고 점 $\left(0, -\frac{3}{4}\right)$을 지나는 직선

(3) 기울기가 $-\frac{1}{4}$이고 점 $(0, -1)$을 지나는 직선

(4) 기울기가 $\frac{6}{5}$이고 점 $(0, 3)$을 지나는 직선

03 다음 직선을 그래프로 하는 일차함수의 식을 구하시오.

(1) 일차함수 $y=-4x-1$의 그래프와 평행하고, y절편이 3인 직선

(2) 일차함수 $y=\frac{1}{2}x-8$의 그래프와 평행하고, 점 $\left(0, -\frac{1}{3}\right)$을 지나는 직선

(3) 일차함수 $y=-\frac{3}{5}x+1$의 그래프와 평행하고, 점 $(0, 2)$를 지나는 직선

(4) x의 값이 2만큼 증가할 때 y의 값은 4만큼 증가하고 y절편이 -8인 직선

(5) x의 값이 3만큼 증가할 때 y의 값은 1만큼 감소하고 점 $(0, 4)$를 지나는 직선

(6) x의 값이 4만큼 증가할 때 y의 값은 6만큼 감소하고 점 $(0, -3)$을 지나는 직선

2. 기울기와 한 점의 좌표를 알 때 일차함수의 식 구하기 up+

기울기가 a이고 점 (x_1, y_1)을 지나는 직선을 그래프로 하는 일차함수의 식은 다음과 같은 순서로 구한다.

❶ 구하는 일차함수의 식을 $y=ax+b$로 놓는다.
❷ $x=x_1$, $y=y_1$을 $y=ax+b$에 대입하여 b의 값을 구한다.

기울기 : 2, 지나는 한 점 : (1, -1)

→ $y=2x+b$ (-1, 1 대입) $\therefore b=-3$ → $y=2x$

04 다음 직선을 그래프로 하는 일차함수의 식을 구하시오.

(1) 기울기가 -3이고 점 $(2, 2)$를 지나는 직선

(2) 기울기가 2이고 점 $(-3, 2)$를 지나는 직선

(3) 기울기가 $\frac{1}{2}$이고 점 $(4, -7)$을 지나는 직선

(4) 기울기가 $-\frac{2}{3}$이고 점 $(-6, -5)$를 지나는 직선

(5) 기울기가 -1이고 점 $(6, 1)$을 지나는 직선

(6) 기울기가 $\frac{2}{5}$이고 점 $(-5, 8)$을 지나는 직선

05 다음 직선을 그래프로 하는 일차함수의 식을 구하시오.

(1) 일차함수 $y=-4x-1$의 그래프와 평행하고, 점 $\left(-\frac{1}{2}, 5\right)$를 지나는 직선

(2) 일차함수 $y=\frac{1}{3}x-8$의 그래프와 평행하고, 점 $\left(1, -\frac{1}{3}\right)$을 지나는 직선

(3) 일차함수 $y=\frac{3}{5}x+1$의 그래프와 평행하고, 점 $(10, -6)$을 지나는 직선

(4) 일차함수 $y=5x+1$의 그래프와 평행하고, x절편이 -2인 직선

(5) x의 값이 2만큼 증가할 때 y의 값은 4만큼 증가하고 점 $(5, 1)$을 지나는 직선

(6) x의 값이 3만큼 증가할 때 y의 값은 1만큼 증가하고 점 $(6, 1)$을 지나는 직선

(7) x의 값이 8만큼 증가할 때 y의 값은 6만큼 증가하고 x절편이 -4인 직선

(8) x의 값이 4만큼 증가할 때 y의 값은 6만큼 감소하고 점 $(2, -4)$를 지나는 직선

3. 서로 다른 두 점의 좌표를 알 때 일차함수의 식 구하기 up+

서로 다른 두 점 (x_1, y_1), (x_2, y_2)를 지나는 직선을 그래프로 하는 일차함수의 식은 다음과 같은 순서로 구한다.

❶ $(\text{기울기})=\dfrac{y_2-y_1}{x_2-x_1}=a$를 구한다.

❷ 구하는 일차함수의 식을 $y=ax+b$로 놓는다.

❸ 두 점 중 한 점의 좌표를 대입하여 b의 값을 구한다.

지나는 두 점 : (1, 3), (2, 5)

➡ $(\text{기울기})=\dfrac{5-3}{2-1}=2$ ➡ $y=2x+b$ (3, 1 대입) $\therefore b=1$

➡ $y=2x+1$

06 다음 두 점을 지나는 직선을 그래프로 하는 일차함수의 식을 구하시오.

(1) $(2, 1)$, $(4, 7)$

(2) $(1, 2)$, $(2, 0)$

(3) $(-2, 1)$, $(2, -3)$

(4) $(-1, -1)$, $(1, 3)$

(5) $(-1, 1)$, $(1, 2)$

(6) $(-3, 1)$, $(1, 2)$

07 다음 그림과 같은 직선을 그래프로 하는 일차함수의 식을 구하시오.

(1)

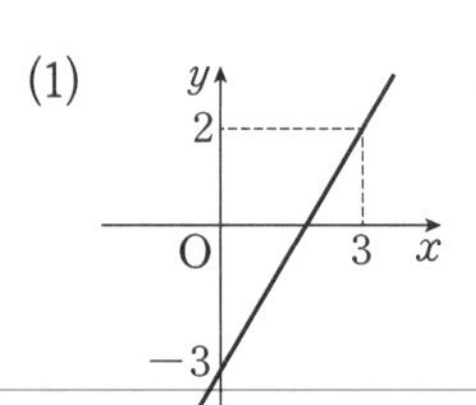

(2)

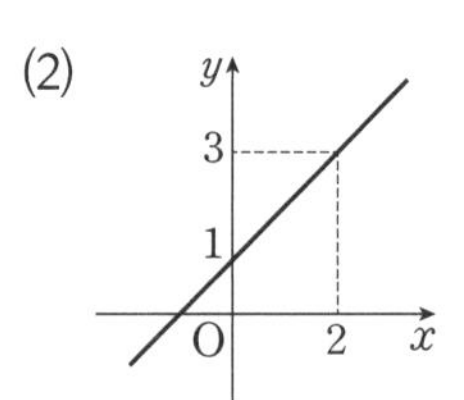

(3)

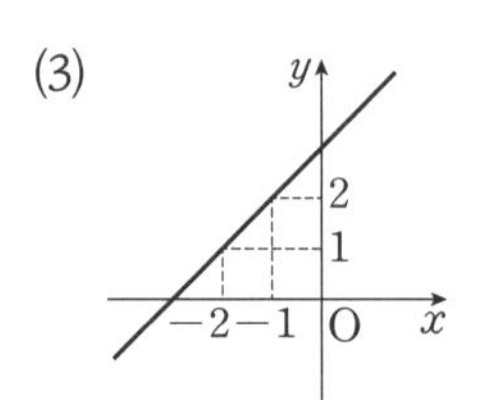

(4)

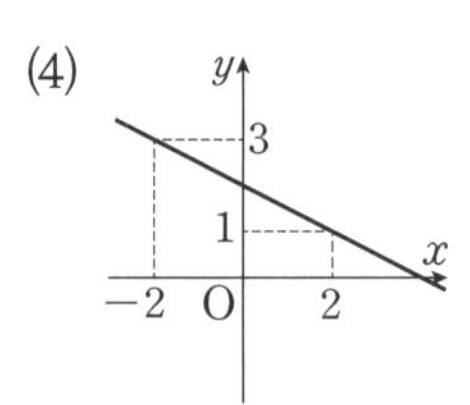

(5)

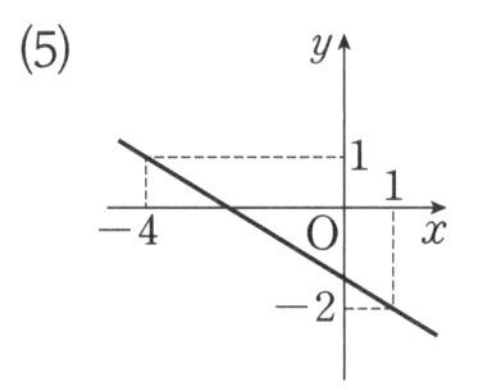

(6)

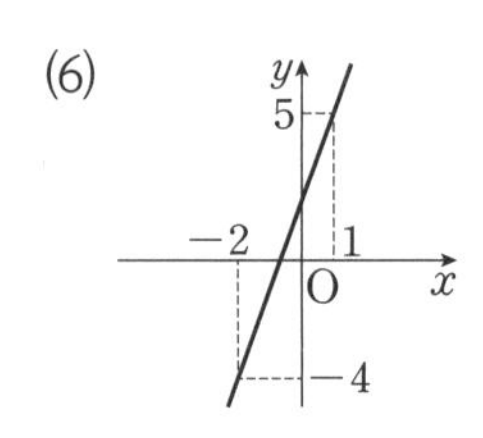

4. x절편과 y절편을 알 때 일차함수의 식 구하기 up+

x절편이 m, y절편이 n인 직선을 그래프로 하는 일차함수의 식은 다음과 같은 순서로 구한다.

❶ 두 점 $(m, 0)$, $(0, n)$을 지나는 직선의 기울기 $\frac{n-0}{0-m}=-\frac{n}{m}$을 구한다.

❷ 구하는 일차함수의 식은 $y=-\frac{n}{m}x+n$이다.

x절편 : 2, y절편 : 4

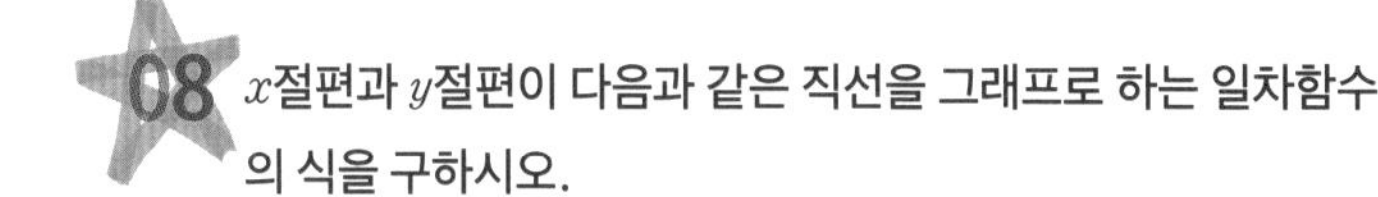

08 x절편과 y절편이 다음과 같은 직선을 그래프로 하는 일차함수의 식을 구하시오.

(1) x절편 3, y절편 2

(2) x절편 4, y절편 -3

(3) x절편 -1, y절편 2

(4) x절편 -2, y절편 -3

(5) x절편 5, y절편 -10

(6) x절편 -2, y절편 -4

09 다음 직선을 그래프로 하는 일차함수의 식을 구하시오.

(1)

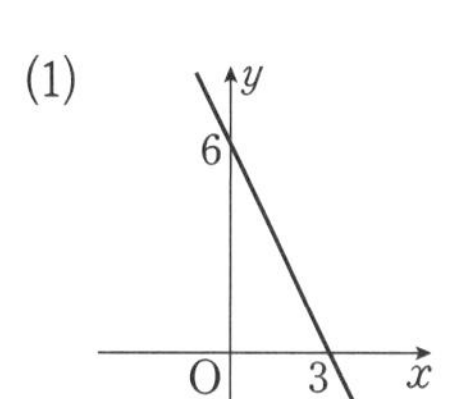

(2)

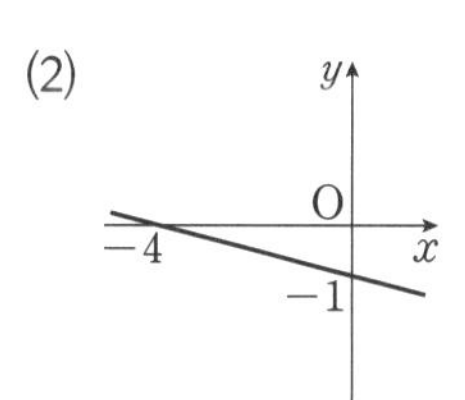

(3)

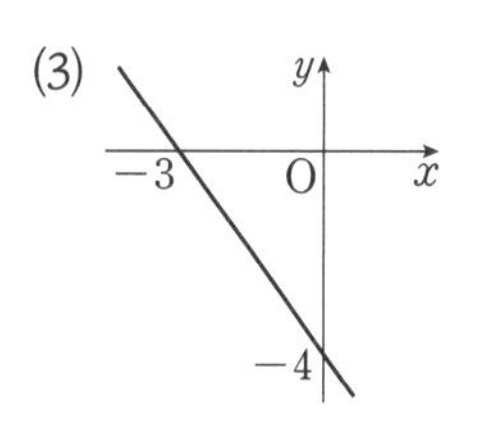

(4)

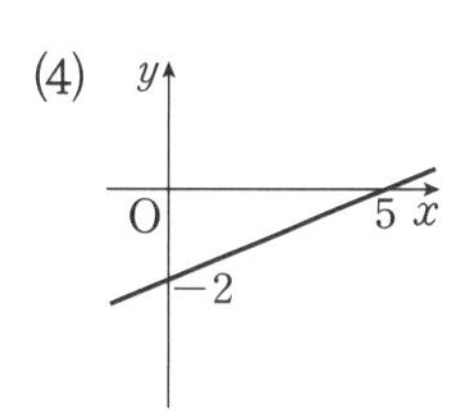

(5)

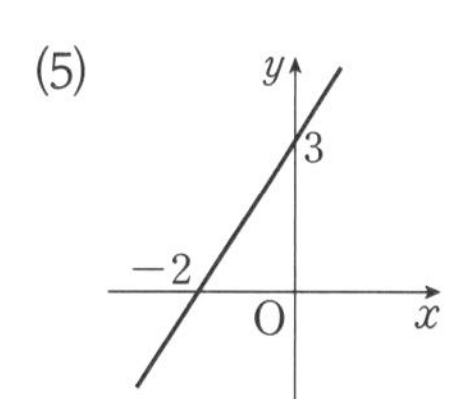

(6)

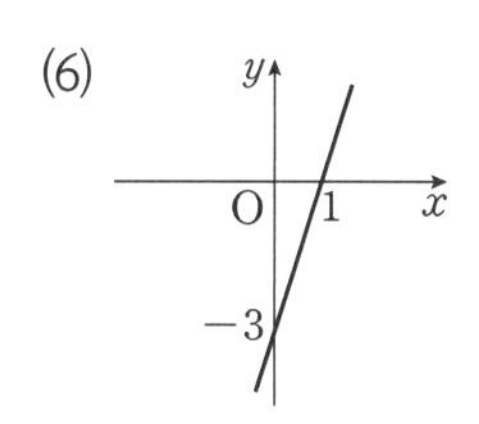

정답과 해설 _ p.53

01 기울기가 -5이고 점 $(-1, 3)$을 지나는 직선의 x절편은?

① $-\frac{3}{5}$　② $-\frac{2}{5}$　③ $-\frac{1}{5}$
④ $\frac{2}{5}$　⑤ $\frac{3}{5}$

02 두 점 $(-3, -4)$, $(-4, 2)$를 지나는 직선을 그래프로 하는 일차함수의 식은?

① $y=-6x-24$　② $y=-6x-22$　③ $y=-\frac{6}{7}x-2$
④ $y=-\frac{6}{7}x-\frac{10}{7}$　⑤ $y=\frac{6}{7}x-4$

두 점 (x_1, y_1), (x_2, y_2)를 지나는 직선의 기울기는 $\frac{y_2-y_1}{x_2-x_1}$로 구한다.

03 점 $(-2, 4)$를 지나고 y절편이 -6인 직선을 그래프로 하는 일차함수의 식을 구하시오.

y절편이 -6이라 하면 그래프가 점 $(0, -6)$을 지남을 의미한다.

04 오른쪽 그림과 같은 일차함수의 그래프와 평행하고, 점 $(6, 2)$를 지나는 직선을 그래프로 하는 일차함수의 식을 구하시오.

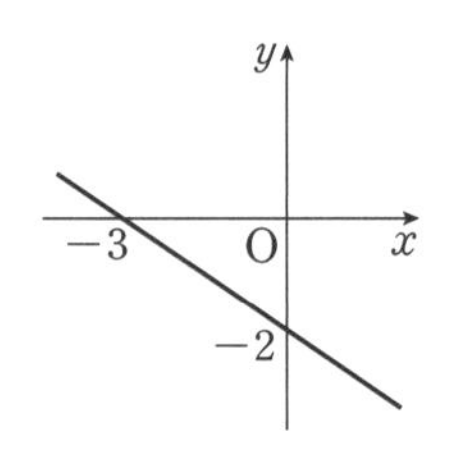

05 오른쪽 그림과 같은 직선이 점 $(-4, k)$를 지날 때, k의 값은?

① 2　② 4　③ 6
④ 8　⑤ 10

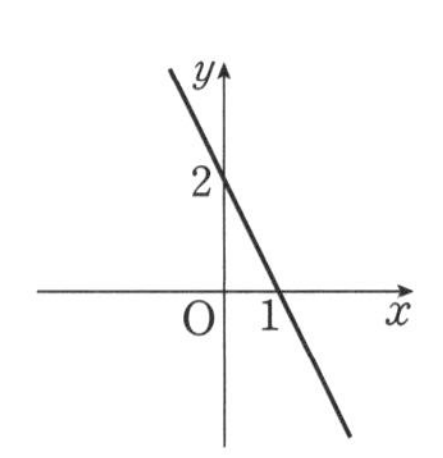

그래프를 보고 일차함수의 식을 구한 후, 그 식에 $x=-4$, $y=k$를 대입한다.

31강 ••• 일차함수의 활용

정답과 해설 _ p.53

1. 일차함수의 활용

일차함수의 활용 문제는 다음과 같은 순서로 푼다.

❶ 변하는 두 양을 x, y로 놓는다.
❷ x, y 사이의 관계를 일차함수 $y=ax+b$로 나타낸다.
❸ 함수식이나 그래프를 이용하여 문제를 푸는 데 필요한 함숫값을 찾는다.
❹ 구한 답이 문제의 뜻에 맞는지 확인한다.

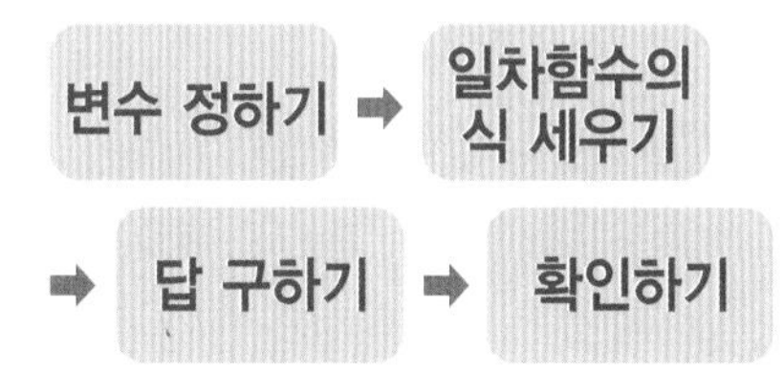

01 한 자루에 600원인 연필 x자루와 5000원인 필통 한 개의 값을 합하여 y원이라 할 때, 다음에 답하시오.

(1) x와 y 사이의 관계를 식으로 나타내시오.

(2) 연필 15자루와 필통 한 개의 값의 합을 구하시오.

(3) 연필과 필통 한 개의 값으로 19400원을 지불했을 때, 구매한 연필의 자루 수를 구하시오.

02 공기 중에서 소리의 속력은 기온이 0 ℃일 때 초속 331 m이고, 기온이 1 ℃ 올라갈 때마다 초속 0.6 m씩 증가한다고 한다. 기온이 x ℃일 때의 소리의 속력을 초속 y m라고 할 때, 다음에 답하시오.

(1) x와 y 사이의 관계를 식으로 나타내시오.

(2) 기온이 20 ℃일 때, 소리의 속력을 구하시오.

(3) 소리의 속력이 초속 340 m일 때의 기온을 구하시오.

03 길이가 4 cm인 용수철 저울은 무게가 1 g인 물체를 매달때마다 길이가 2 cm씩 늘어난다고 한다. x g인 물체를 매달았을 때의 용수철 저울의 길이를 y cm라 할 때, 다음에 답하시오.

(1) x와 y 사이의 관계를 식으로 나타내시오.

(2) 무게가 11 g인 물체를 매달았을 때, 용수철 저울의 길이를 구하시오.

(3) 용수철 저울의 길이가 32 cm일 때, 매단 물체의 무게를 구하시오.

04 30 L의 물이 들어 있는 수조에 매분 2L의 물을 더 넣으려고 한다. x분 후에 수조에 들어 있는 물의 양을 y L라 할 때, 다음에 답하시오.

(1) x와 y 사이의 관계를 식으로 나타내시오.

(2) 8분 후에 수조에 들어 있는 물의 양을 구하시오.

(3) 수조에 들어 있는 물의 양이 50 L일 때, 물을 넣기 시작한지 몇 분 후인지 구하시오.

05 1 L의 휘발유로 14 km를 달릴 수 있는 자동차가 있다. 이 자동차에 30 L의 휘발유를 넣고 x km를 달린 후에 남은 휘발유의 양을 y L라고 할 때, 다음에 답하시오.

(1) x와 y 사이의 관계를 식으로 나타내시오.

(2) 42 km를 달린 후 남은 휘발유의 양을 구하시오.

(3) 남은 휘발유의 양이 15 L일 때, 자동차가 달린 거리는 몇 km인지 구하시오.

06 기차가 A역을 출발하여 400 km 떨어진 B역을 향하여 시속 110 km의 속력으로 달리고 있다. 기차가 A역을 출발한 지 x시간 후 기차와 B역 사이의 거리를 y km라 할 때, 다음에 답하시오.

(1) x와 y 사이의 관계를 식으로 나타내시오.

(2) 기차가 A역을 출발한 지 2시간 후 기차와 B역 사이의 거리를 구하시오.

(3) 기차와 B역 사이의 거리가 125 km일 때, 기차가 A역을 출발한 지 몇 시간 후인지 구하시오.

07 아래 그림과 같은 직사각형 ABCD에서 점 P는 점 B를 출발하여 점 C까지 $\overline{BC}$를 따라 1초에 3 cm씩 움직인다. x초 후의 삼각형 ABP의 넓이를 y cm²라 할 때, 다음에 답하시오.

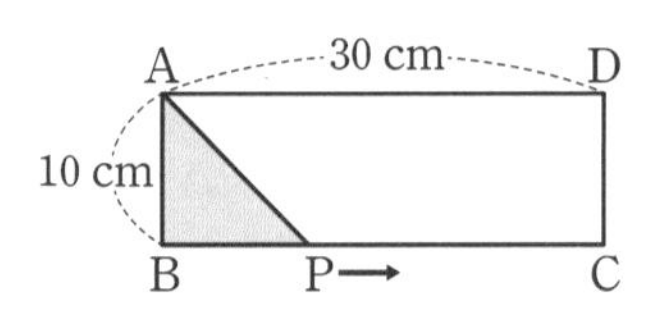

(1) x와 y 사이의 관계를 식으로 나타내시오.

(2) 점 P가 점 B를 출발한 지 3초 후의 삼각형 ABP의 넓이를 구하시오.

(3) 삼각형 ABP의 넓이가 120 cm²가 되는 것은 점 P가 점 B를 출발한 지 몇 초 후인지 구하시오.

정답과 해설 _ p.54

01 온도가 8 ℃인 물을 가열하면 온도가 1분에 2 ℃씩 올라간다고 할 때, 물의 온도가 80 ℃가 되려면 몇 분 동안 가열하면 되는지 구하시오.

x분 후의 물의 온도를 y ℃라 하고 식을 세운다.

02 길이가 24 cm인 양초에 불을 붙이면 양초의 길이가 1분에 0.5 cm씩 줄어든다고 한다. 양초가 완전히 타는데 걸리는 시간은 몇 분인지 구하시오.

03 300 L의 물이 들어 있는 물통에서 1분마다 15 L의 물이 흘러나간다. 물통에 남아 있는 물의 양이 30 L일 때, 물이 흘러나가기 시작한 지 몇 분 후인지 구하시오.

04 한결이는 10 km 달리기 대회에 참가하여 분속 150 m로 달리고 있다. 한결이가 출발한 지 몇 분 후에 한결이와 결승점까지의 거리가 4 km가 되는지 구하시오.

단위가 서로 다르므로 하나로 통일한다.

05 오른쪽 그림은 450 mL의 링거액을 일정한 속도로 맞고, 맞기 시작한 지 x분 후에 남은 링거액을 y mL라 할 때, x와 y 사이의 관계를 그래프로 나타낸 것이다. 80분 후에 남은 링거액의 양을 구하시오.

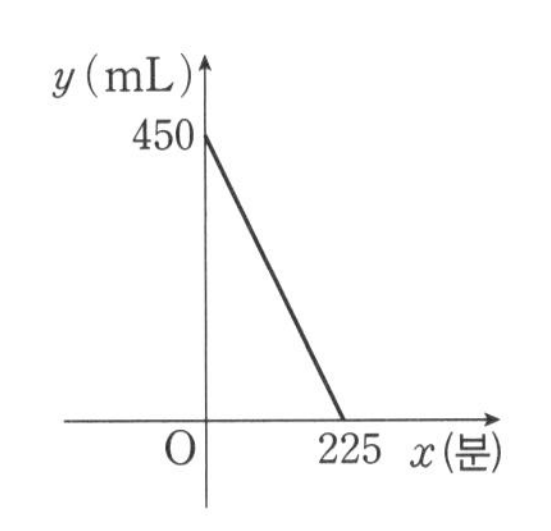

주어진 그래프를 보고 x와 y 사이의 관계를 식으로 나타낸다.

01 다음 중 y가 x의 함수인 것은 ○표, 함수가 아닌 것은 ×표를 ( ) 안에 써넣으시오.

(1) 정수 x보다 큰 정수 y ( )

(2) 가로의 길이가 x cm, 세로의 길이가 y cm인 직사각형의 넓이가 20 cm^2 ( )

(3) 200쪽인 책을 x쪽 읽었을 때, 남은 쪽수 y ( )

(4) 시속 5 km로 x시간 걸은 거리 y km ( )

02 다음과 같은 함수 $y=f(x)$에 대하여 $x=3$일 때의 함숫값을 구하시오.

(1) $f(x)=x-1$

(2) $f(x)=\frac{12}{x}$

(3) $f(x)=-3x+5$

(4) $f(x)=-\frac{1}{6}x+\frac{3}{2}$

03 다음을 구하시오.

(1) $f(x)=3x$에 대하여 $f(a)=-15$일 때, a의 값

(2) $f(x)=\frac{6}{x}$에 대하여 $f(a)=\frac{3}{2}$일 때, a의 값

(3) $f(x)=ax$에 대하여 $f(-2)=8$일 때, a의 값

(4) $f(x)=\frac{a}{x}$에 대하여 $f\left(-\frac{1}{3}\right)=5$일 때, a의 값

04 다음 중 y가 x에 대한 일차함수인 것은 ○표, 아닌 것은 ×표를 ( ) 안에 써넣으시오.

(1) $y=x(x+2)$ ( )

(2) $y=\frac{2}{x}$ ( )

(3) $2x-y+3=0$ ( )

(4) $y=x^2+x(3-x)$ ( )

05 다음을 구하시오.

(1) 일차함수 $f(x)=ax+4$에 대하여 $f(2)=2$일 때, 상수 a의 값

(2) 일차함수 $f(x)=-4x+a$에 대하여 $f(-1)=2$일 때, 상수 a의 값

06 다음 일차함수의 그래프를 y축의 방향으로 [ ] 안의 수만큼 평행이동한 그래프의 식을 구하시오.

(1) $y=3x$ $[-4]$

(2) $y=-\frac{1}{2}x$ $[3]$

07 다음 일차함수의 그래프를 y축의 방향으로 [ ] 안의 수만큼 평행이동한 그래프가 주어진 점을 지날 때, a의 값을 구하시오.

(1) $y=-6x$ $[-2]$, $(a, 10)$

(2) $y=\frac{2}{3}x$ $\left[-\frac{1}{6}\right]$, $(1, a)$

정답과 해설 _ p.55

08 다음 일차함수의 그래프의 x절편과 y절편을 각각 구하시오.

(1) $y=2x-2$

(2) $y=-3x-9$

(3) $y=\frac{1}{4}x+2$

(4) $y=-\frac{1}{3}x+1$

09 일차함수 $y=-x-3$의 그래프를 x절편과 y절편을 이용하여 좌표평면 위에 그리시오.

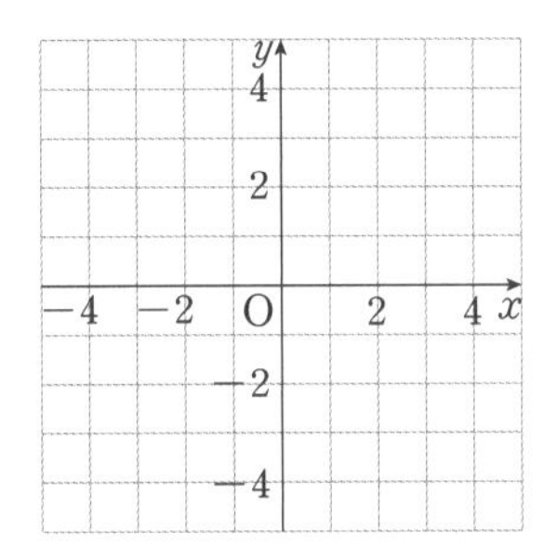

10 다음을 구하시오.

(1) 일차함수 $y=-2x+2$의 그래프에서 x의 값의 증가량이 2일 때, y의 값의 증가량

(2) 일차함수 $y=3x-5$의 그래프에서 x의 값의 증가량이 -1일 때, y의 값의 증가량

(3) 일차함수 $y=\frac{1}{2}x+4$의 그래프에서 x의 값의 증가량이 6일 때, y의 값의 증가량

(4) 일차함수 $y=-\frac{3}{5}x-5$의 그래프에서 x의 값의 증가량이 10일 때, y의 값의 증가량

개념 Tip 일차함수 $y=ax+b$에서 $\frac{(y\text{의 값의 증가량})}{(x\text{의 값의 증가량})}=a$임을 이용한다.

11 다음 두 점을 지나는 일차함수의 그래프의 기울기를 구하시오.

(1) $(-1,\ -3),\ (2,\ 12)$

(2) $(2,\ -4),\ (5,\ 2)$

12 기울기와 y절편을 이용하여 다음 일차함수의 그래프를 좌표평면 위에 그리시오.

(1) $y=2x-1$

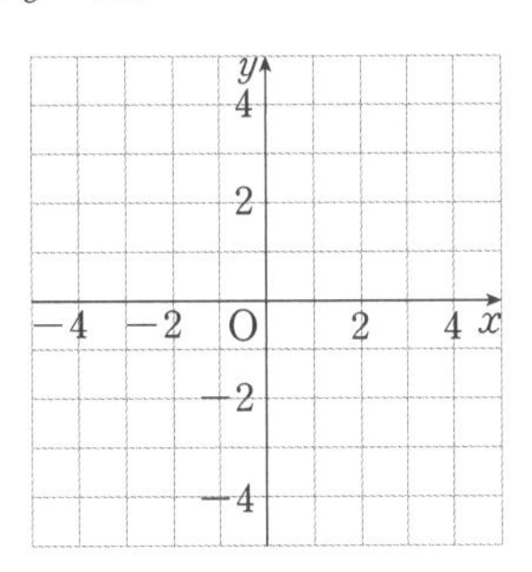

(2) $y=-\frac{1}{3}x-3$

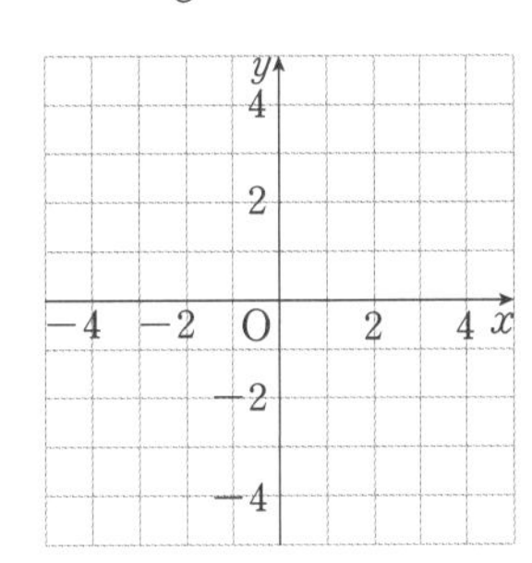

정답과 해설 _ p.55

13 다음을 만족하는 일차함수의 그래프를 보기에서 모두 고르시오.

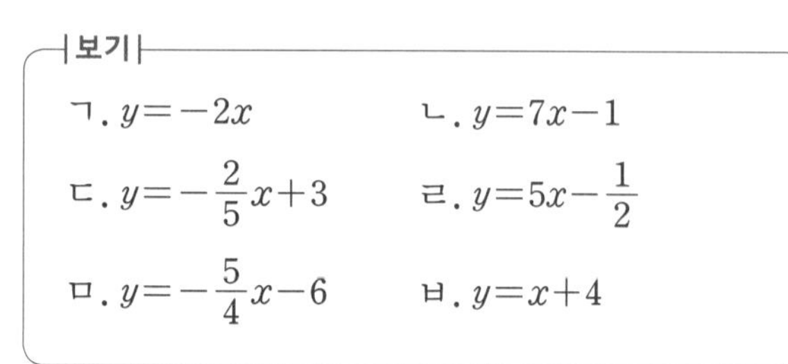

보기

ㄱ. $y=-2x$　　ㄴ. $y=7x-1$

ㄷ. $y=-\frac{2}{5}x+3$　　ㄹ. $y=5x-\frac{1}{2}$

ㅁ. $y=-\frac{5}{4}x-6$　　ㅂ. $y=x+4$

(1) 오른쪽 위로 향하는 직선

(2) x의 값이 증가할 때 y의 값은 감소하는 직선

(3) y절편이 양수인 직선

(4) y축과 음의 부분에서 만나는 직선

14 일차함수와 그 그래프가 다음과 같을 때, □ 안에 $>$, $<$ 중 알맞은 것을 써넣으시오.

(1) $y=-bx+a$

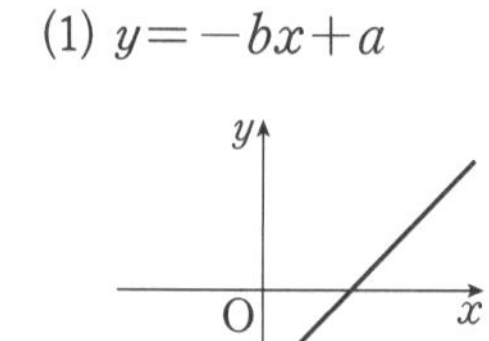

➡ a □ 0, b □ 0

(2) $y=-ax-ab$

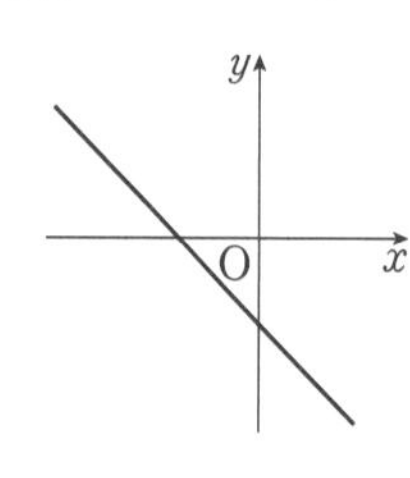

➡ a □ 0, b □ 0

15 다음 두 일차함수의 그래프가 평행하면 '평', 일치하면 '일'을 (　) 안에 써넣으시오.

(1) $y=\frac{1}{2}x$, $y=\frac{1}{2}x+\frac{1}{2}$　(　　)

(2) $y=3x-1$, $y=-(1-3x)$　(　　)

(3) $y=3(2-x)$, $y=2-3x$　(　　)

(4) $y=-\frac{1}{4}(6x-1)$, $y=-\frac{3}{2}x+\frac{1}{4}$　(　　)

16 다음 두 일차함수의 그래프가 평행할 때, 상수 a의 값을 구하시오.

(1) $y=-\frac{a}{3}x-2$, $y=4x-\frac{1}{2}$

(2) $y=4ax-1$, $y=-8x+1$

17 다음 두 일차함수의 그래프가 일치할 때, 상수 a, b의 값을 구하시오.

(1) $y=\frac{a}{2}x+10$, $y=-6x-2b$

(2) $y=-2ax-\frac{9}{2}$, $y=8x+3b$

18 다음과 같은 직선을 그래프로 하는 일차함수의 식을 구하시오.

(1) 기울기가 -2이고, y절편이 1인 직선

(2) 일차함수 $y=\frac{1}{2}x+2$의 그래프와 평행하고, 점 $(0, -7)$을 지나는 직선

(3) x의 값이 2만큼 증가할 때 y의 값은 6만큼 감소하고 y절편이 -8인 직선

도전 100점

19 다음 직선을 그래프로 하는 일차함수의 식을 구하시오.

(1) 기울기가 $-\frac{1}{2}$이고 점 $(2, 2)$를 지나는 직선

(2) 일차함수 $y=-\frac{5}{3}x+1$의 그래프와 평행하고, 점 $(-6, 4)$를 지나는 직선

(3) x의 값이 1만큼 증가할 때 y의 값은 2만큼 감소하고 점 $(-1, 4)$를 지나는 직선

20 다음 두 점을 지나는 직선을 그래프로 하는 일차함수의 식을 구하시오.

(1) $(2, 4)$, $(-3, -1)$

(2) $(-8, 3)$, $(4, -6)$

21 다음 직선을 그래프로 하는 일차함수의 식을 구하시오.

(1)

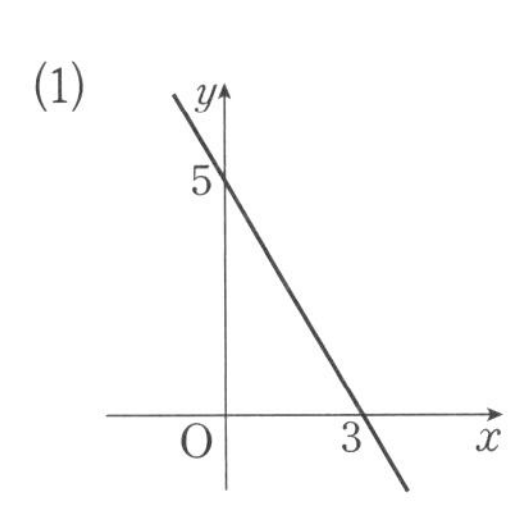

(2)

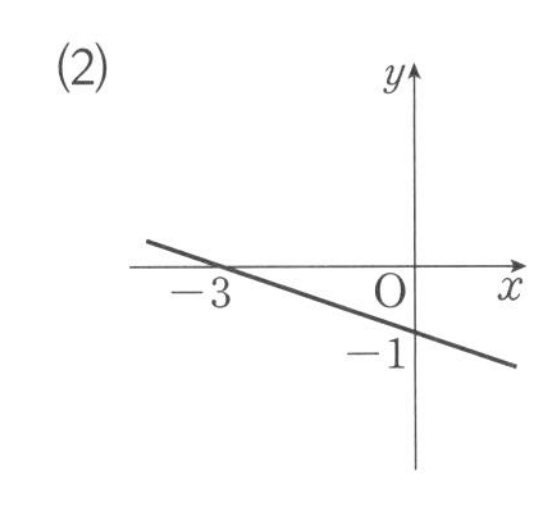

22 지면에서부터 10 km까지는 100 m 높아질 때마다 기온이 0.6 ℃씩 내려간다고 한다. 지면의 기온이 28 ℃일 때, 지면으로부터 6 km인 지점의 기온은 몇 ℃인지 구하시오.

23 다음 일차함수의 그래프 중 x절편이 나머지 넷과 다른 하나는?

① $y=-x-4$ ② $y=\frac{1}{2}x+2$
③ $y=3x+12$ ④ $y=-\frac{1}{4}x-\frac{3}{4}$
⑤ $y=-\frac{1}{4}x-1$

24 두 점 $(-3, 8)$, $(k, -4)$를 지나는 일차함수의 그래프의 기울기가 -2일 때, k의 값은?

① -5 ② -3 ③ -1
④ 1 ⑤ 3

25 다음 중 일차함수 $y=-\frac{1}{3}x-2$의 그래프에 대한 설명으로 옳은 것을 모두 고르면? (정답 2개)

① x절편은 6이다.
② y축의 음의 부분과 만난다.
③ 오른쪽 위를 향하는 직선이다.
④ x의 값이 증가할 때 y의 값도 증가한다.
⑤ 제1사분면을 지나지 않는다.

26 150 L의 물이 들어 있는 수조에서 2분마다 3 L의 물이 흘러나간다. 물이 흘러나간 지 몇 분 후에 수조에 있는 물이 완전히 흘러나가는지 구하시오.

정답과 해설 _ p.57

1. 일차함수와 일차방정식의 관계

(1) 일차방정식의 그래프: 두 미지수 x, y의 값의 범위가 모든 수일 때, 일차방정식 $ax+by+c=0$ (a, b, c는 상수, $a\neq0$, $b\neq0$)의 해 (x, y)를 좌표로 하는 점을 좌표평면 위에 나타내면 직선이 된다. 이 직선을 일차방정식의 그래프라고 한다.

(2) 일차함수와 일차방정식의 관계: 일차방정식 $ax+by+c=0$ (a, b, c는 상수, $a\neq0$, $b\neq0$)의 그래프는 일차함수 $y=-\frac{a}{b}x-\frac{c}{b}$의 그래프와 같다.

$ax+by+c=0$ (단, $a\neq0$, $b\neq0$) →(일차함수) $y=-\frac{a}{b}x-\frac{c}{b}$ ←(일차방정식)

01 일차방정식 $x-y+2=0$에 대하여 다음에 답하시오.

(1) 다음 표를 완성하시오.

x	⋯	-2	-1	0	1	2	⋯
y	⋯						⋯

(2) (1)에서 구한 해 (x, y)를 오른쪽 좌표평면 위에 나타내시오.

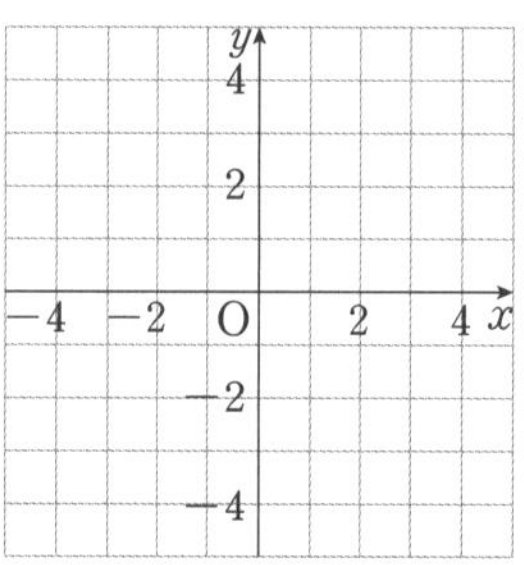

(3) x, y의 값의 범위가 모든 수일 때, 일차방정식 $x-y+2=0$의 그래프를 오른쪽 좌표평면 위에 그리시오.

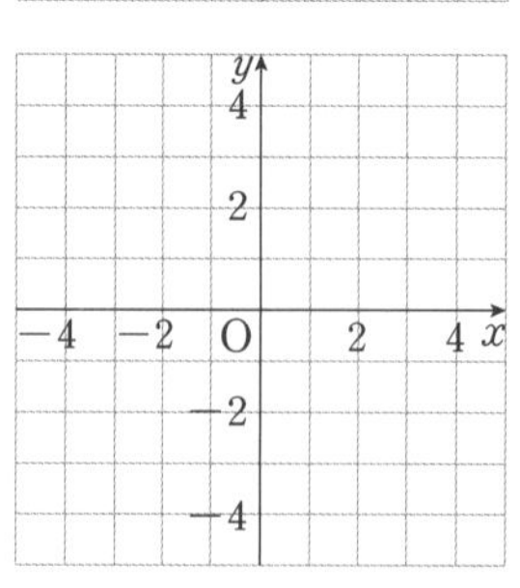

02 다음 일차방정식을 일차함수 $y=ax+b$ 꼴로 나타내시오.

(1) $2x+y-3=0$

(2) $3x+y-10=0$

(3) $x+2y=5$

(4) $5x+2y=12$

03 다음 일차방정식의 그래프의 기울기, x절편, y절편을 각각 구하시오.

(1) $3x-y-5=0$

➡ 기울기: ______, x절편: ______, y절편: ______

쌤 Tip 먼저 식을 $y=ax+b$ 꼴로 나타내어 보세요.

(2) $2x-3y+2=0$

➡ 기울기: ______, x절편: ______, y절편: ______

(3) $-x+2y+4=0$

➡ 기울기: ______, x절편: ______, y절편: ______

(4) $3x+4y-12=0$

➡ 기울기: ______, x절편: ______, y절편: ______

2. 일차방정식 $x=p$, $y=q$의 그래프 up+

(1) 방정식 $x=p\ (p\neq0)$의 그래프

① x좌표가 항상 p
② y축에 평행한 직선
③ x축에 수직인 직선
④ 함수가 아니다.

(2) 방정식 $y=q\ (q\neq0)$의 그래프

① y좌표가 항상 q
② x축에 평행한 직선
③ y축에 수직인 직선
④ 함수이다.

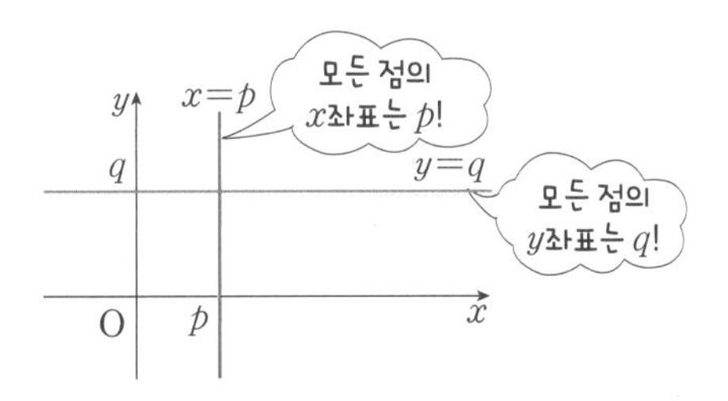

(3) 직선의 방정식: 두 미지수 x, y의 값의 범위가 모든 수일 때, 방정식
$ax+by+c=0$ (a, b, c는 상수, $a\neq0$ 또는 $b\neq0$)
을 직선의 방정식이라 한다.

04 방정식 $y=2$에 대하여 다음에 답하시오.

(1) 다음 표를 완성하시오.

x	⋯	-4	-2	0	2	4	⋯
y	⋯						⋯

(2) (1)에서 구한 해 (x, y)를 이용하여 오른쪽 좌표평면 위에 그래프를 그리시오.

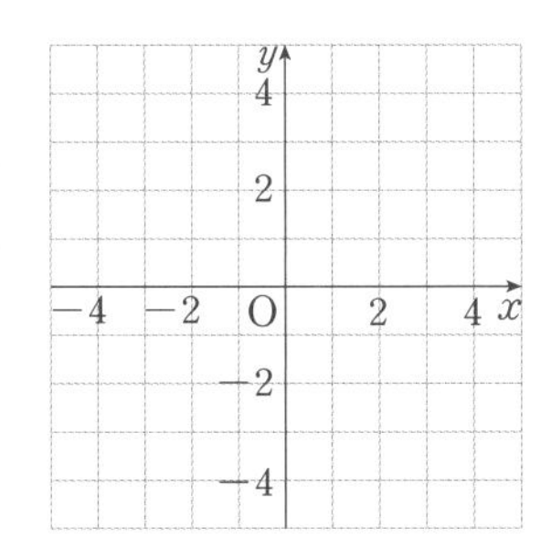

(3) 다음 □ 안에 알맞은 것을 써넣으시오.

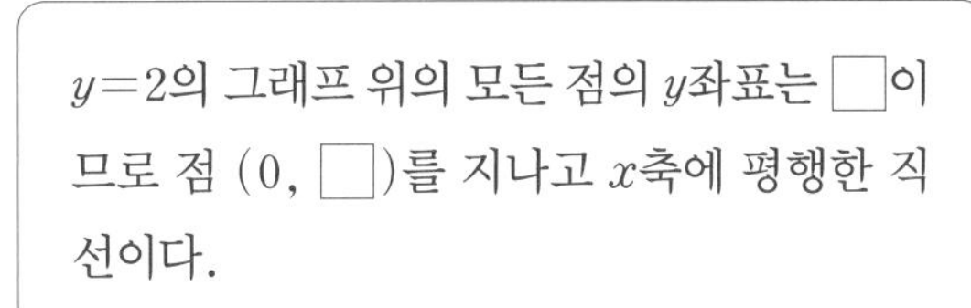
$y=2$의 그래프 위의 모든 점의 y좌표는 □이므로 점 (0, □)를 지나고 x축에 평행한 직선이다.

05 방정식 $x=2$에 대하여 다음에 답하시오.

(1) 다음 표를 완성하시오.

x	⋯						⋯
y	⋯	-4	-2	0	2	4	⋯

(2) (1)에서 구한 해 (x, y)를 이용하여 오른쪽 좌표평면 위에 그래프를 그리시오.

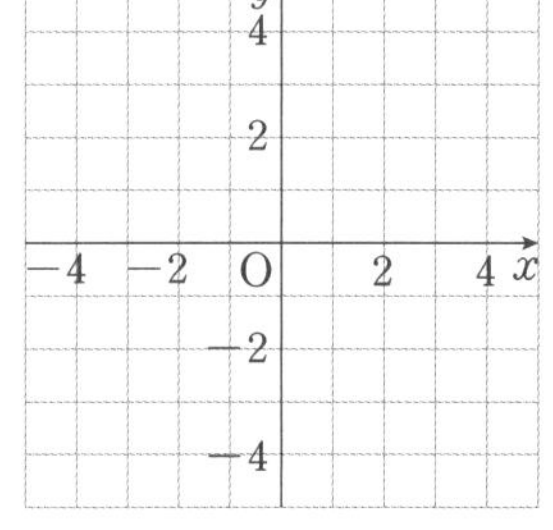

(3) 다음 □ 안에 알맞은 것을 써넣으시오.

$x=2$의 그래프 위의 모든 점의 x좌표는 □이므로 점 (□, 0)을 지나고 y축에 평행한 직선이다.

06 다음 방정식의 그래프를 아래 좌표평면 위에 그리시오.

(1) $y=3$　　(2) $2y=-8$

(3) $-2x=6$　　(4) $3x-2=10$

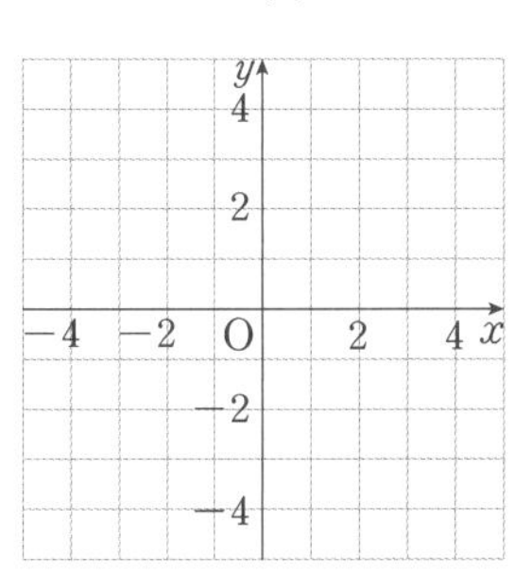

07 다음을 만족하는 직선의 방정식을 보기에서 모두 고르시오.

보기	
ㄱ. $y=-3$	ㄴ. $x+y+4=y$
ㄷ. $5x-15=0$	ㄹ. $4y=1$

(1) x축에 평행한 직선의 방정식

(2) y축에 평행한 직선의 방정식

08 다음 조건을 만족하는 직선의 방정식을 구하시오.

(1) 점 $(4, 3)$을 지나고 y축에 평행한 직선

(2) 점 $(-5, 1)$을 지나고 x축에 평행한 직선

(3) 점 $(3, -5)$를 지나고 x축에 수직인 직선

(4) 점 $(-4, -1)$을 지나고 y축에 수직인 직선

(5) 두 점 $(2, -1)$, $(-2, -1)$을 지나는 직선

(6) 두 점 $(1, 6)$, $(1, -3)$을 지나는 직선

(7) 두 점 $(-4, 3)$, $(-4, -3)$을 지나는 직선

(8) 두 점 $(-3, 5)$, $(-2, 5)$를 지나는 직선

09 다음 조건을 만족하는 a의 값을 구하시오.

(1) 두 점 $(-2, a-6)$, $(3, 2)$를 지나는 직선이 x축에 평행한 경우

(2) 두 점 $(a+3, -3)$, $(2, 3)$을 지나는 직선이 y축에 평행한 경우

(3) 두 점 $(5-2a, -9)$, $(1, 5)$를 지나는 직선이 x축에 수직인 경우

(4) 두 점 $(-4, 2a+6)$, $(4, 4-3a)$를 지나는 직선이 y축에 수직인 경우

정답과 해설 _ p.58

01 다음 중 일차방정식 $x+2y-4=0$의 그래프는?

> 주어진 일차방정식을 $y=ax+b$ 꼴로 바꾸어 그래프를 그려본다.

①
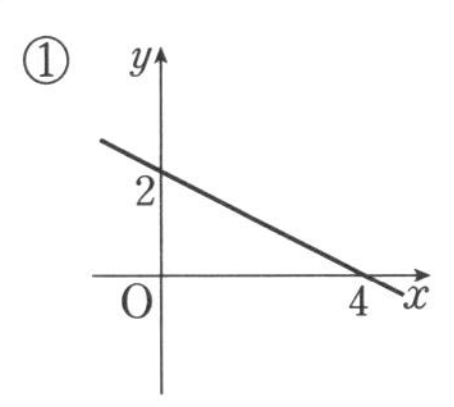

②
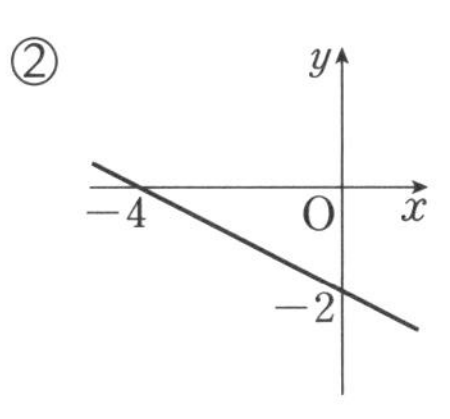

③
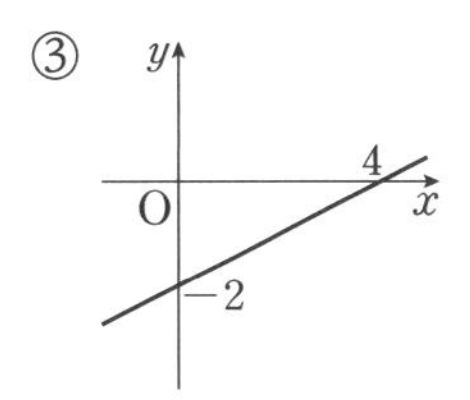

④
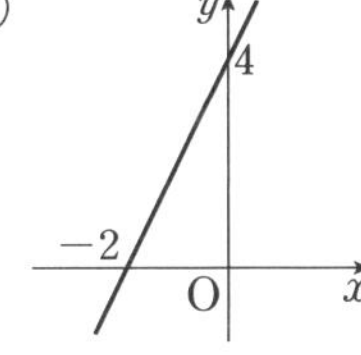

⑤
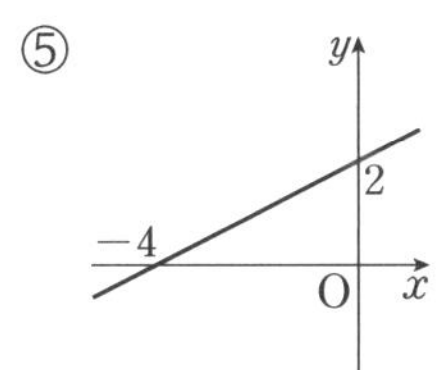

02 일차방정식 $3x+y+1=0$의 그래프에 대한 다음 설명 중 옳지 않은 것은?

① x절편은 $-\frac{1}{3}$이다.
② y절편은 -1이다.
③ 점 $(1, 4)$를 지난다.
④ 오른쪽 아래로 향하는 직선이다.
⑤ 제1사분면을 지나지 않는다.

03 x축에 평행하고 점 $(-4, 3)$을 지나는 직선의 방정식을 구하시오.

04 두 점 $(-3a-1, 5)$, $(2a-11, -5)$를 지나는 직선이 x축에 수직일 때, 상수 a의 값을 구하시오.

> 두 점을 지나는 직선이 x축에 수직이려면 두 점의 x좌표가 서로 같아야 한다.

정답과 해설 _ p.59

1. 연립일차방정식의 해와 그래프

연립일차방정식
$\begin{cases} ax+by+c=0 \\ a'x+b'y+c'=0 \end{cases}$ 의 해는
두 일차방정식
$ax+by+c=0$,
$a'x+b'y+c'=0$의 그래프의 교점의 좌표와 같다.

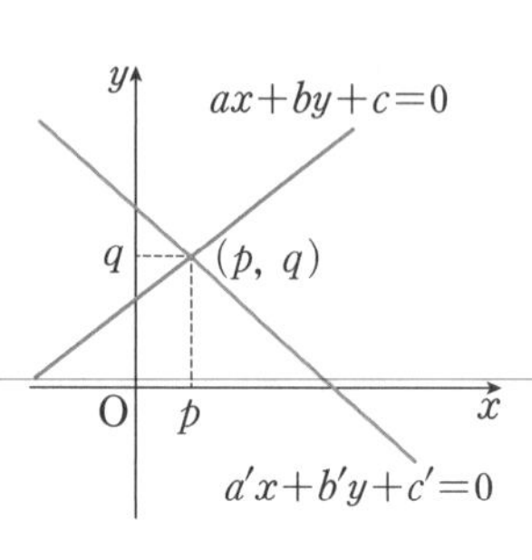

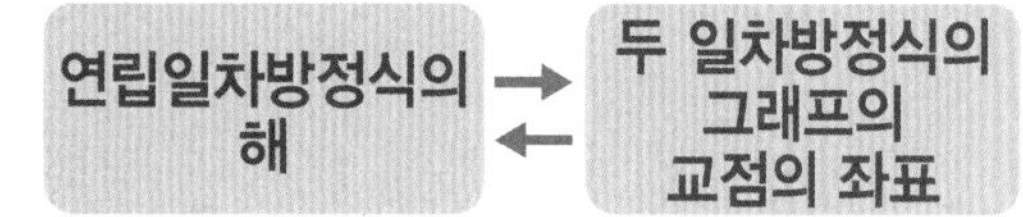

01 그래프를 보고 다음 연립방정식을 푸시오.

(1) $\begin{cases} x+y=5 \\ 2x-y=4 \end{cases}$

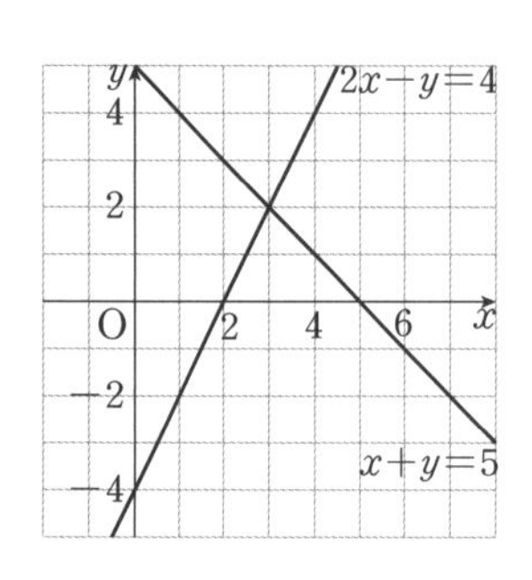

(2) $\begin{cases} x+2y=5 \\ x+y=2 \end{cases}$

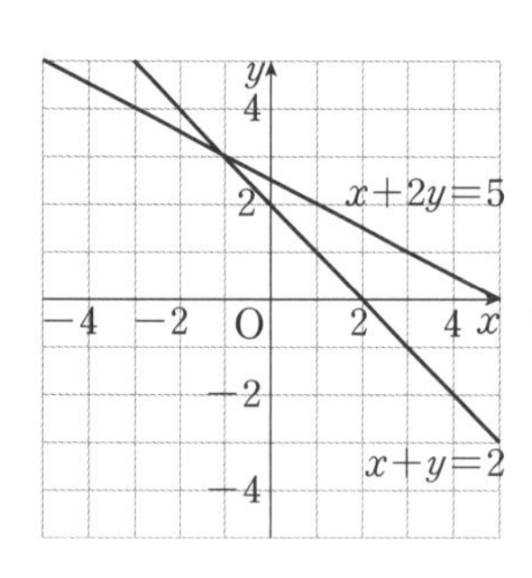

(3) $\begin{cases} x+2y=-4 \\ 3x+y=3 \end{cases}$

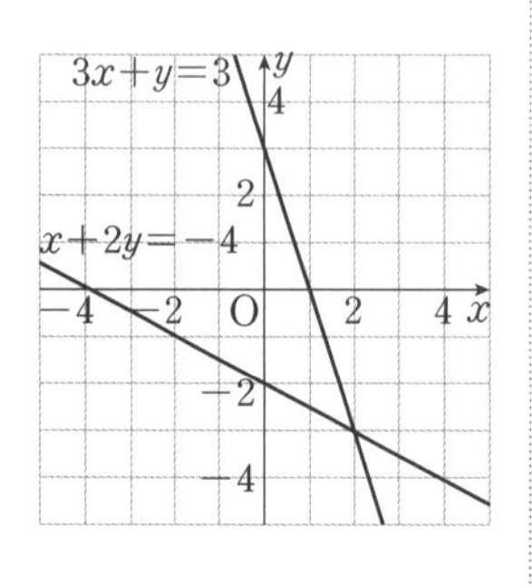

02 그래프를 그려 다음 연립방정식을 푸시오.

(1) $\begin{cases} x+y=1 \\ 2x+3y=5 \end{cases}$

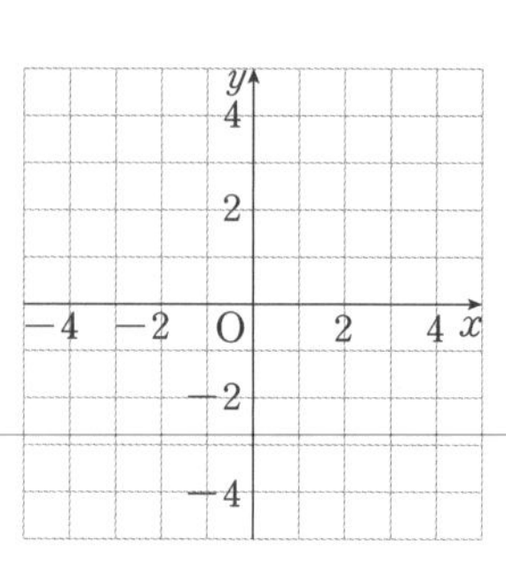

(2) $\begin{cases} x-2y=3 \\ x+y=-3 \end{cases}$

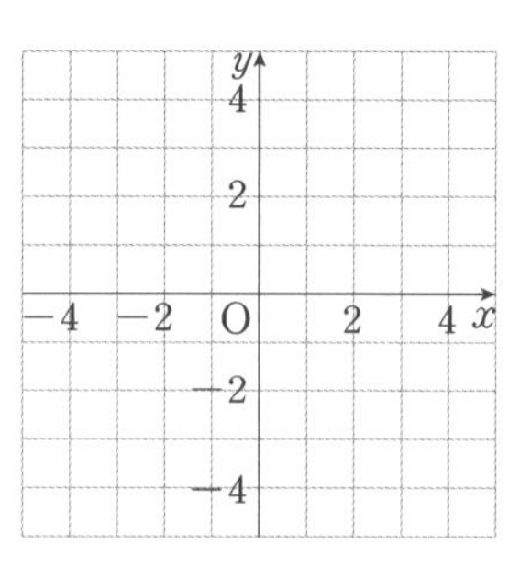

(3) $\begin{cases} 2x-y=-2 \\ -x+y=2 \end{cases}$

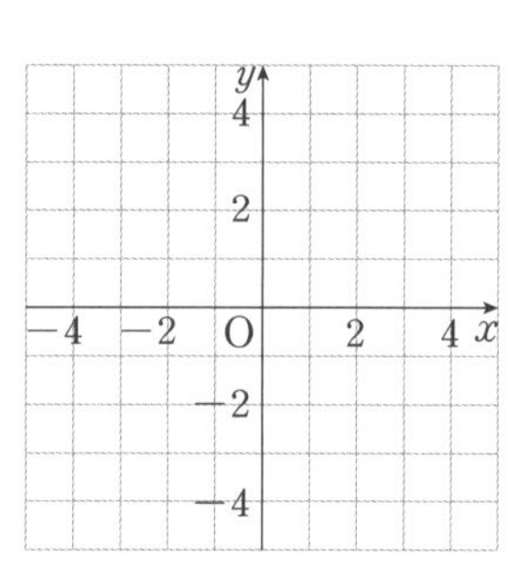

03 다음 연립방정식의 두 일차방정식의 그래프가 주어진 그림과 같을 때, 상수 a, b의 값을 각각 구하시오.

(1) $\begin{cases} x-ay=3 \\ bx+4y=-1 \end{cases}$

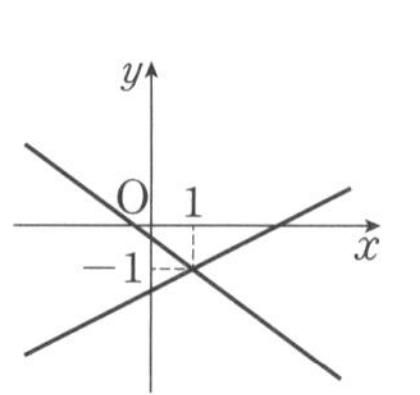

(2) $\begin{cases} ax+2y=-4 \\ -2x+y=b \end{cases}$

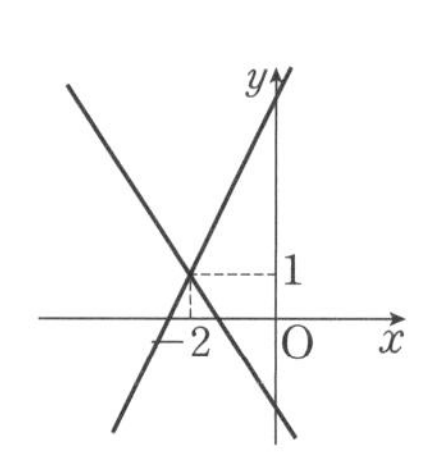

(3) $\begin{cases} 3x+ay=-1 \\ 2x+by=8 \end{cases}$

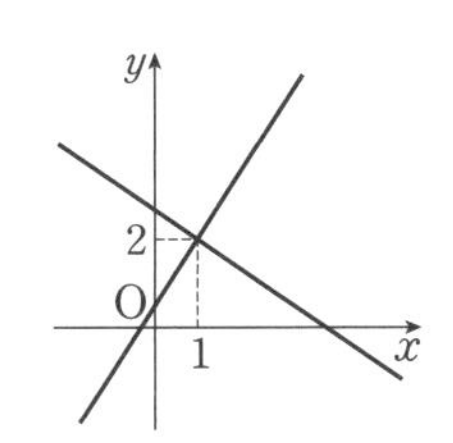

(4) $\begin{cases} x+y=a \\ 2x+by=-4 \end{cases}$

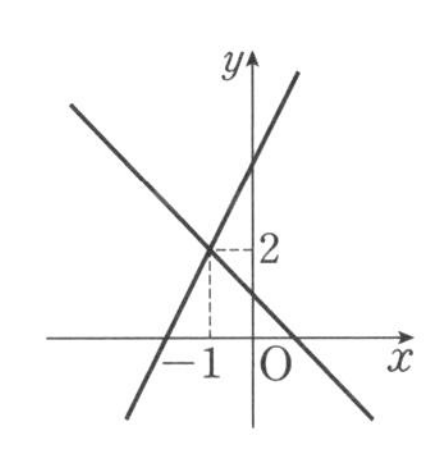

2. 연립방정식의 해의 개수와 그래프의 위치 관계

연립일차방정식 $\begin{cases} ax+by+c=0 \\ a'x+b'y+c'=0 \end{cases}$ 의 해의 개수는 두 일차방정식 $ax+by+c=0$, $a'x+b'y+c'=0$의 그래프의 교점의 개수와 같다. 즉, 연립방정식이

(1) 한 쌍의 해를 갖는다.

➡ 두 그래프의 교점이 1개이다.

➡ 기울기가 다르다.

➡ $\dfrac{a}{a'} \neq \dfrac{b}{b'}$

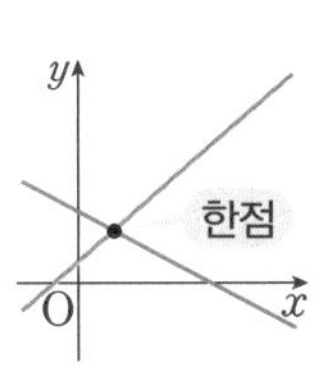

(2) 해가 무수히 많다.

➡ 두 그래프가 일치한다.

➡ 기울기와 y절편이 각각 같다.

➡ $\dfrac{a}{a'} = \dfrac{b}{b'} = \dfrac{c}{c'}$

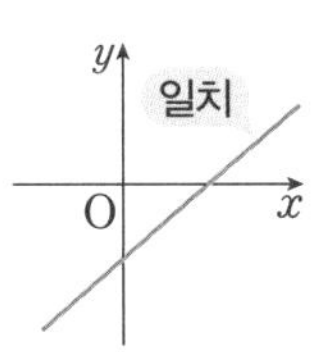

(3) 해가 없다.

➡ 두 그래프가 평행하다.

➡ 기울기는 같지만 y절편은 다르다.

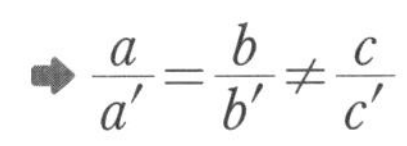
➡ $\dfrac{a}{a'} = \dfrac{b}{b'} \neq \dfrac{c}{c'}$

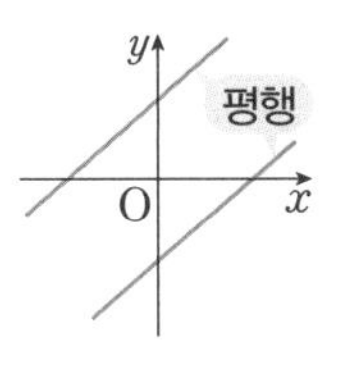

04 그래프를 그려 다음 연립방정식을 푸시오.

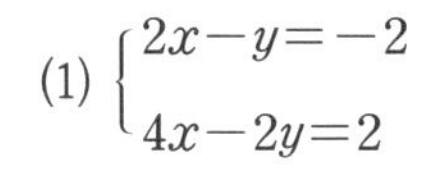
(1) $\begin{cases} 2x-y=-2 \\ 4x-2y=2 \end{cases}$

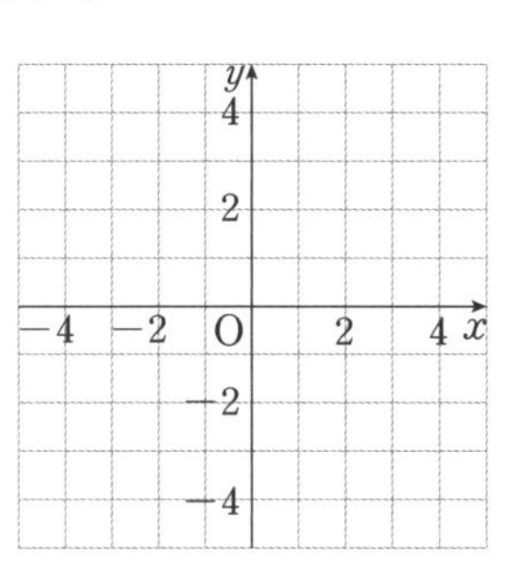

(2) $\begin{cases} 3x+2y=6 \\ 6x+4y=12 \end{cases}$

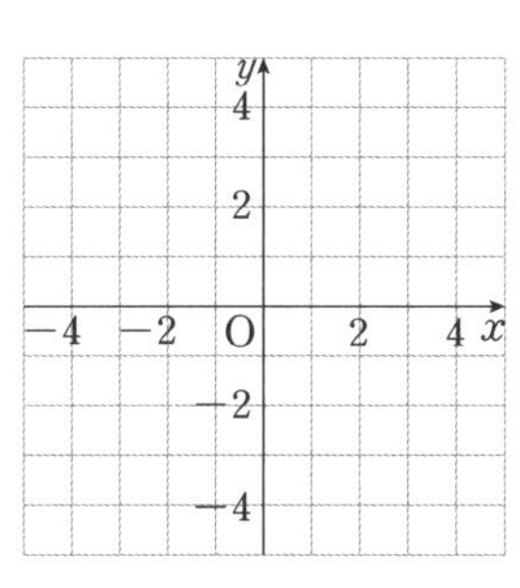

(3) $\begin{cases} x-2y=-3 \\ x+y=6 \end{cases}$

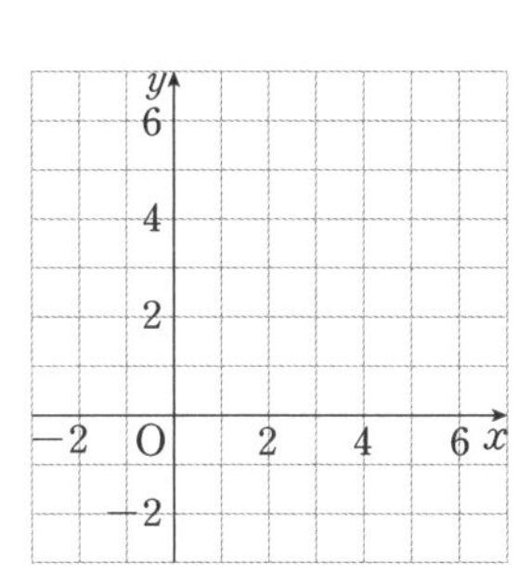

05 다음 두 직선의 위치 관계를 쓰고 연립방정식의 해의 개수를 구하시오.

(1) $\begin{cases} x+2y=2 \\ 2x+4y=4 \end{cases}$ ➡ 위치 관계: ________ 해의 개수: ________

(2) $\begin{cases} 2x-y=2 \\ 4x-2y=-2 \end{cases}$ ➡ 위치 관계: ________ 해의 개수: ________

(3) $\begin{cases} x+y=-2 \\ 2x-y=1 \end{cases}$ ➡ 위치 관계: ____________ 해의 개수: ____________

(4) $\begin{cases} 3x+y=2 \\ 6x+2y=2 \end{cases}$ ➡ 위치 관계: ____________ 해의 개수: ____________

(5) $\begin{cases} x-y=1 \\ 4x-4y=4 \end{cases}$ ➡ 위치 관계: ____________ 해의 개수: ____________

(6) $\begin{cases} x+2y=1 \\ 2x+y=-4 \end{cases}$ ➡ 위치 관계: ____________ 해의 개수: ____________

06 다음 연립방정식의 해가 없을 때, 상수 a의 값을 구하시오.

(1) $\begin{cases} ax-2y=1 \\ 6x-4y=-4 \end{cases}$

(2) $\begin{cases} 2x+4y=4 \\ ax-6y=3 \end{cases}$

(3) $\begin{cases} ax+y=-1 \\ 2x+6y=15 \end{cases}$

(4) $\begin{cases} 3x+4y=5 \\ ax+12y=3 \end{cases}$

07 다음 연립방정식의 해가 무수히 많을 때, 상수 a, b의 값을 각각 구하시오.

(1) $\begin{cases} ax+y=1 \\ 4x+2y=b \end{cases}$

(2) $\begin{cases} 2x+ay=6 \\ 3x-6y=b \end{cases}$

(3) $\begin{cases} ax+3y=-6 \\ 4x+by=12 \end{cases}$

(4) $\begin{cases} 4x+ay=-1 \\ bx+6y=2 \end{cases}$

정답과 해설 _ p.60

01 오른쪽 그림은 연립방정식 $\begin{cases} x-y=-1 \\ 2x+y=4 \end{cases}$ 를 풀기 위해 두 일차방정식의 그래프를 그린 것이다. 이 연립방정식의 해를 구하시오.

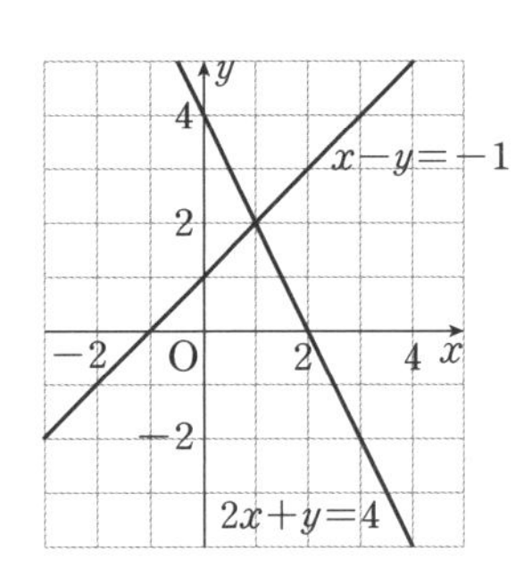

02 연립방정식 $\begin{cases} x+ay=1 \\ x+y=b \end{cases}$ 의 해를 구하기 위해 두 일차방정식의 그래프를 그렸더니 오른쪽 그림과 같았다. 이때 상수 a, b에 대하여 ab의 값은?

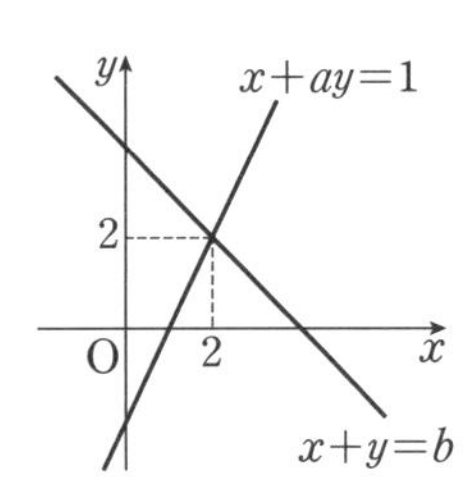

① -4　② -2　③ -1　④ 2　⑤ 4

교점의 좌표가 연립방정식의 해이다.

03 두 직선 $ax-4y=2$, $3x-2y=-8$의 교점이 존재하지 않을 때, 상수 a의 값을 구하시오.

두 직선의 교점이 존재하지 않으려면 두 직선이 평행해야 한다.

04 연립방정식 $\begin{cases} ax+2y=3 \\ 2x+by=-6 \end{cases}$ 의 해가 무수히 많을 때, 두 상수 a, b에 대하여 $a+b$의 값은?

① -5　② -3　③ -1　④ 1　⑤ 3

중단원 연산 마무리

01 다음 일차방정식을 일차함수 $y=ax+b$ 꼴로 나타내시오.

(1) $x-3y=5$

(2) $2x-y-6=0$

(3) $4x+2y-5=0$

(4) $5x-y=9$

02 다음 일차방정식의 그래프의 기울기, x절편, y절편을 각각 구하시오.

(1) $x-2y+6=0$

➡ 기울기: ______, x절편: ______, y절편: ______

(2) $3x-y-12=0$

➡ 기울기: ______, x절편: ______, y절편: ______

03 다음 방정식의 그래프를 아래 좌표평면 위에 그리시오.

(1) $y=-4$ (2) $3y=9$

(3) $-2x=4$ (4) $1-3x=-11$

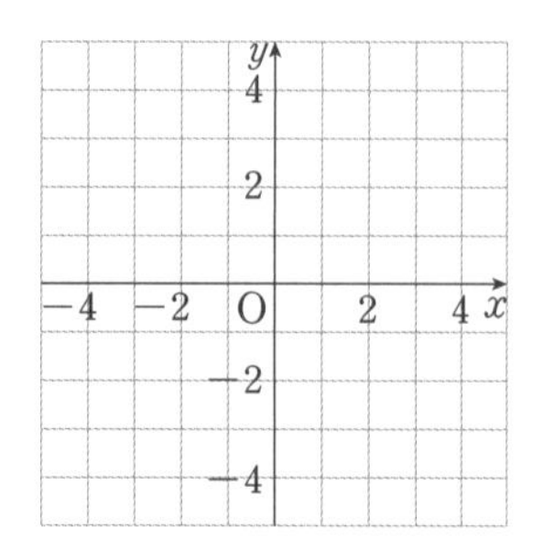

04 다음 조건을 만족하는 직선의 방정식을 구하시오.

(1) 점 $(1, -5)$를 지나고 y축에 평행한 직선

(2) 점 $(-3, -6)$을 지나고 x축에 수직인 직선

(3) 두 점 $(2, 2)$, $(-2, 2)$를 지나는 직선

05 다음 조건을 만족하는 a의 값을 구하시오.

(1) 두 점 $(-5, 5-a)$, $(3, 2)$를 지나는 직선이 x축에 평행한 경우

(2) 두 점 $(2a+3, -3)$, $(5, 3)$을 지나는 직선이 y축에 평행한 경우

(3) 두 점 $(5-3a, -9)$, $(1, 2)$를 지나는 직선이 x축에 수직인 경우

(4) 두 점 $(-4, a+6)$, $(4, 10-3a)$를 지나는 직선이 y축에 수직인 경우

06 그래프를 그려 다음 연립방정식을 푸시오.

(1) $\begin{cases} x-y=2 \\ 2x-3y=2 \end{cases}$

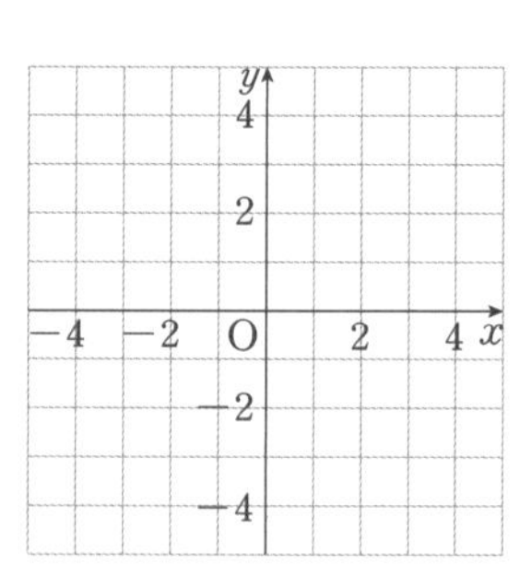

(2) $\begin{cases} 2x+5y=3 \\ 3x-4y=-7 \end{cases}$

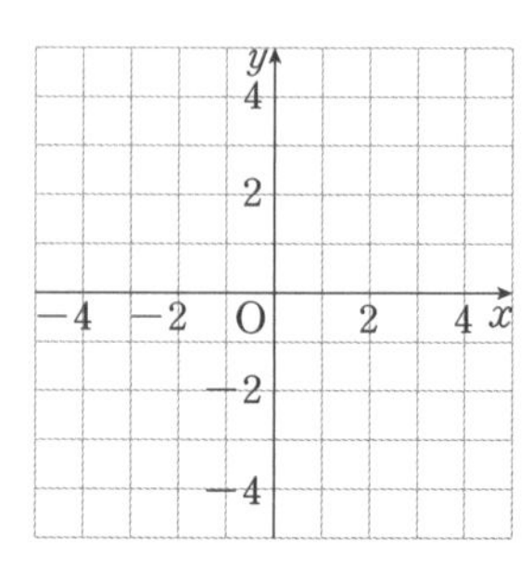

정답과 해설 _ p.61

도전 100점

07 다음 연립방정식의 두 일차방정식의 그래프가 주어진 그림과 같을 때, 상수 a, b의 값을 각각 구하시오.

(1) 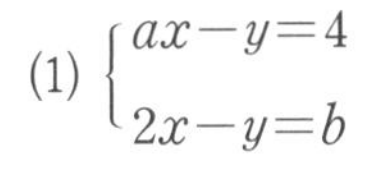 $\begin{cases} ax-y=4 \\ 2x-y=b \end{cases}$

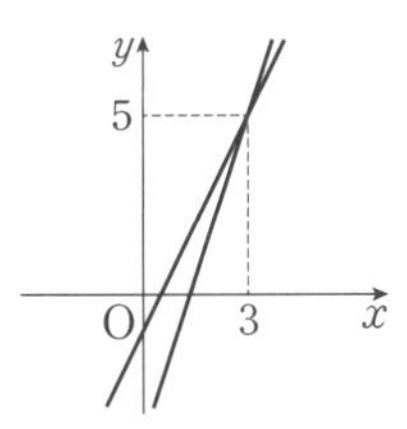

(2) $\begin{cases} x-ay=3 \\ bx-y=-4 \end{cases}$

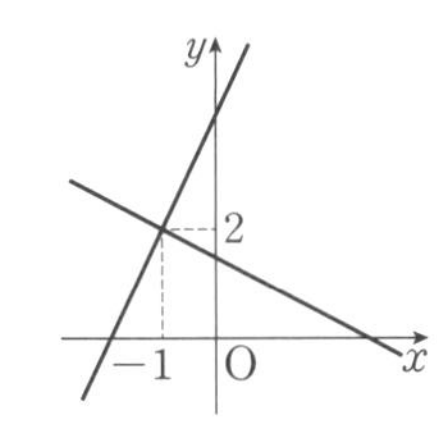

08 다음 두 직선의 위치 관계를 쓰고 연립방정식의 해의 개수를 구하시오.

(1) $\begin{cases} x-y=2 \\ 2x-2y=4 \end{cases}$ ➡ 위치 관계: ________ 해의 개수: ________

(2) $\begin{cases} 2x+y=4 \\ 4x+2y=4 \end{cases}$ ➡ 위치 관계: ________ 해의 개수: ________

09 다음 연립방정식의 해가 없을 때, 상수 a의 값을 구하시오.

(1) $\begin{cases} ax-2y=-1 \\ 2x+4y=6 \end{cases}$　　(2) $\begin{cases} 2x+4y=4 \\ ax+6y=5 \end{cases}$

10 다음 연립방정식의 해가 무수히 많을 때, 상수 a, b의 값을 각각 구하시오.

(1) $\begin{cases} -4x+2y=a \\ bx-y=3 \end{cases}$　　(2) $\begin{cases} ax+4y=6 \\ 3x+by=9 \end{cases}$

11 일차방정식 $5x-2y+3=0$의 그래프에 대한 다음 설명 중 옳지 않은 것은?

① x절편은 $\frac{5}{2}$이다.
② y절편은 $\frac{3}{2}$이다.
③ 점 $(1, 4)$를 지난다.
④ 제4사분면을 지나지 않는다.
⑤ 일차방정식 $15x-6y+10=0$의 그래프와 평행하다.

12 연립방정식 $\begin{cases} ax+y=5 \\ 2x+by=-4 \end{cases}$의 해를 구하기 위해 두 일차방정식의 그래프를 그렸더니 오른쪽 그림과 같았다. 이때 상수 a, b에 대하여 $a+b$의 값은?

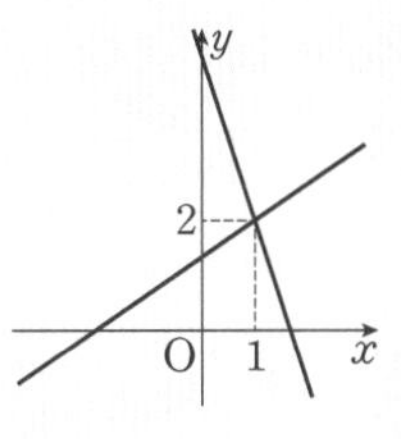

① -6　② -3　③ 0
④ 3　⑤ 6

13 연립방정식 $\begin{cases} ax-8y=10 \\ 9x+by=-15 \end{cases}$의 해가 무수히 많을 때, 두 상수 a, b에 대하여 $a+b$의 값은?

① 0　② 3　③ 6
④ 12　⑤ 18

나만의 비법 노트

힘수 연산으로 **수학** 기초 체력 **UP!**

힘이 붙는 수학 연산

정답과 해설

중등 2-1

금성출판사

푸르넷 에듀 소개

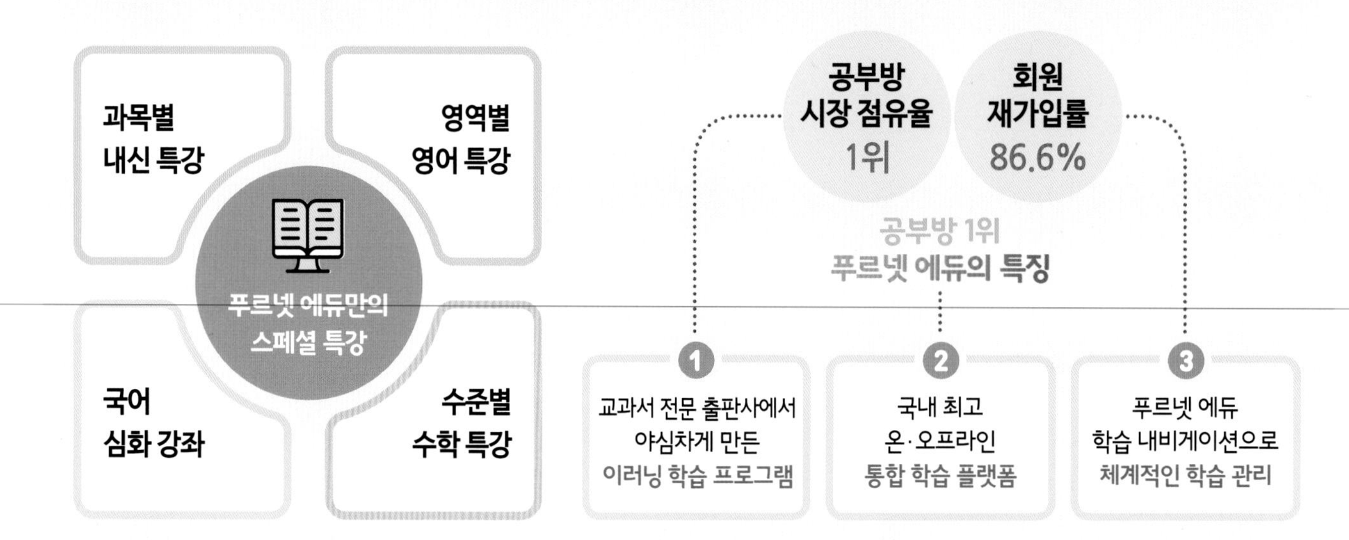

푸르넷 에듀 상품

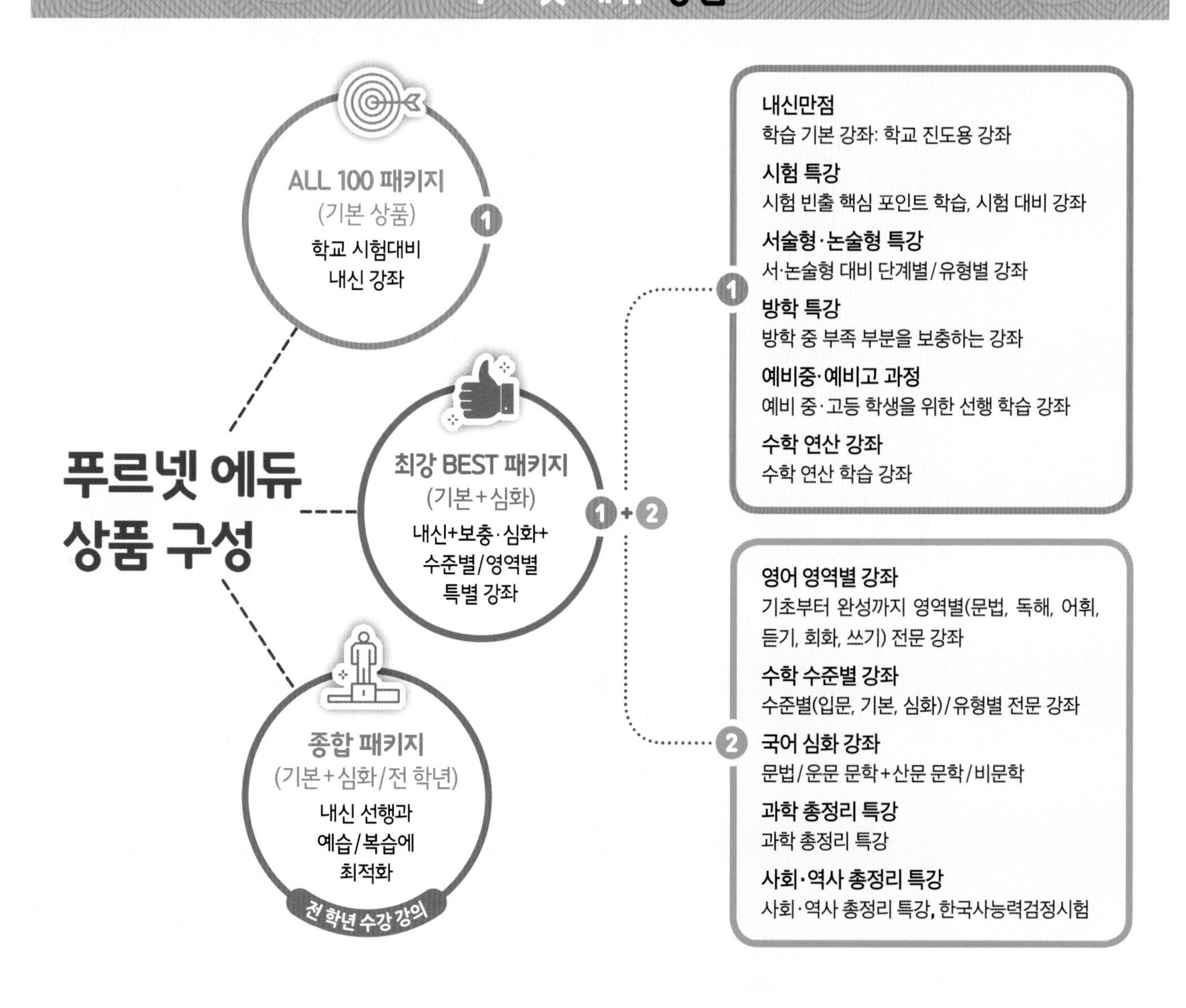

중등 2-1

정답과 해설

I 수와 식

힘수 점검 7쪽

1. (1) 1.1 (2) 0.4 (3) 0.68 (4) 1.23

2. (1) 2^4 (2) 3^2 (3) $4^3\times7^2$ (4) $\left(\frac{1}{2}\right)^3\times\left(\frac{1}{5}\right)^3$

3. (1) $\frac{6}{3}$, $+2$ (2) -4, 0, $\frac{6}{3}$, $+2$

(3) -4, $-1\frac{2}{9}$ (4) $\frac{1}{5}$, $-1\frac{2}{9}$

4. (1) $\frac{ab}{3}$ (2) $-\frac{4b}{a}$ (3) $2x+\frac{7y}{z}$ (4) $\frac{5x}{2+y}$

5. (1) $6x$ (2) $14a$ (3) $2x-6$ (4) $3a-6$

6. (1) $-7a$ (2) x (3) $2y-5$ (4) $-4x+5$

1강 유리수와 소수 8~10쪽

01 (1) ○ (2) ○ (3) × (4) ○ (5) × (6) ○

02 (1) $\frac{10}{5}$, 7 (2) -5 (3) 0.2333, $-\frac{2}{3}$, -4.5

(4) 0.2333, $\frac{10}{5}$, 7

(5) -5, 0.2333, 0, $-\frac{2}{3}$, $\frac{10}{5}$, 7, -4.5

03 (1) 유 (2) 무 (3) 유 (4) 유 (5) 무

04 (1) 0.5, 유 (2) 0.3, 유 (3) 0.666⋯, 무

(4) 0.65, 유 (5) -0.375, 유 (6) $-0.777\cdots$, 무

(7) 0.8333⋯, 무 (8) -1.8, 유

05 (1) $\frac{2}{5}$, 5 (2) $\frac{9}{10}$, 2, 5 (3) $\frac{53}{100}$, 2, 5 (4) $\frac{3}{4}$, 2

06 (1) 2, 2, 2, 0.2 (2) 5^2, 5^2, 25, 0.25

(3) 2^2, 2^2, 16, 0.16 (4) 2^2, 2^2, 108, 0.108

(5) 7, 5, 5, 35, 0.35

07 (1) 0.125 (2) 0.24 (3) 0.175 (4) 0.44 (5) 0.65

08 (1) 유 (2) 유 (3) 무 (4) 무 (5) 유

09 (1) 3 (2) 11 (3) 21 (4) 3 (5) 9

05 (1) $0.4=\frac{4}{10}=\frac{2}{5}$

(2) $0.9=\frac{9}{10}=\frac{9}{2\times5}$

(3) $0.53=\frac{53}{100}=\frac{53}{2^2\times5^2}$

(4) $0.75=\frac{75}{100}=\frac{3}{4}=\frac{3}{2^2}$

06 (1) $\frac{1}{5}=\frac{1\times\boxed{2}}{5\times\boxed{2}}=\frac{\boxed{2}}{10}=\boxed{0.2}$

(2) $\frac{1}{2^2}=\frac{1\times\boxed{5^2}}{2^2\times\boxed{5^2}}=\frac{\boxed{25}}{100}=\boxed{0.25}$

(3) $\frac{4}{5^2}=\frac{4\times\boxed{2^2}}{5^2\times\boxed{2^2}}=\frac{\boxed{16}}{100}=\boxed{0.16}$

(4) $\frac{27}{2\times5^3}=\frac{27\times\boxed{2^2}}{2\times5^3\times\boxed{2^2}}=\frac{\boxed{108}}{1000}=\boxed{0.108}$

(5) $\frac{21}{2^2\times3\times5}=\frac{\boxed{7}}{2^2\times5}=\frac{7\times\boxed{5}}{2^2\times5\times\boxed{5}}=\frac{\boxed{35}}{100}=\boxed{0.35}$

07 (1) $\frac{1}{8}=\frac{1}{2^3}=\frac{1\times5^3}{2^3\times5^3}=\frac{125}{1000}=0.125$

(2) $\frac{6}{25}=\frac{6}{5^2}=\frac{6\times2^2}{5^2\times2^2}=\frac{24}{100}=0.24$

(3) $\frac{7}{40}=\frac{7}{2^3\times5}=\frac{7\times5^2}{2^3\times5\times5^2}=\frac{175}{1000}=0.175$

(4) $\frac{33}{75}=\frac{11}{25}=\frac{11}{5^2}=\frac{11\times2^2}{5^2\times2^2}=\frac{44}{100}=0.44$

(5) $\frac{39}{60}=\frac{13}{20}=\frac{13}{2^2\times5}=\frac{13\times5}{2^2\times5\times5}=\frac{65}{100}=0.65$

08 (2) $\frac{6}{2^2\times3\times5}=\frac{1}{2\times5}$로 분모의 소인수가 2와 5뿐이므로 유한소수로 나타낼 수 있다.

(3) $\frac{10}{2^2\times5\times11}=\frac{1}{2\times11}$로 분모의 소인수에 11이 있으므로 무한소수로만 나타낼 수 있다.

(4) $\frac{5}{45}=\frac{1}{9}=\frac{1}{3^2}$로 분모의 소인수에 3이 있으므로 무한소수로만 나타낼 수 있다.

(5) $\frac{27}{120}=\frac{9}{40}=\frac{9}{2^3\times5}$로 분모의 소인수가 2와 5뿐이므로 유한소수로 나타낼 수 있다.

09 (1) a의 값은 분모의 소인수 중 2나 5가 아닌 수, 즉 3의 배수이어야 하므로 가장 작은 자연수는 3이다.

(2) a의 값은 분모의 소인수 중 2나 5가 아닌 수, 즉 11의 배수이어야 하므로 가장 작은 자연수는 11이다.

(3) 주어진 분수를 약분하면

$$\frac{6\times a}{2\times3^2\times5^2\times7}=\frac{a}{3\times5^2\times7}$$

a의 값은 분모의 소인수 중 2나 5가 아닌 수, 즉 21의 배수이어야 하므로 가장 작은 자연수는 21이다.

(4) $\frac{7}{60}\times a=\frac{7}{2^2\times3\times5}\times a$

a의 값은 분모의 소인수 중 2나 5가 아닌 수, 즉 3의 배수이어야 하므로 가장 작은 자연수는 3이다.

(5) $\frac{14}{180}\times a=\frac{7}{90}\times a=\frac{7}{2\times3^2\times5}\times a$

a의 값은 분모의 소인수 중 2나 5가 아닌 수, 즉 9의 배수이어야 하므로 가장 작은 자연수는 9이다.

힘수 만점 11쪽

01 ④ 02 ③, ⑤ 03 ③ 04 ② 05 ④

01 ④ -1.23은 정수가 아닌 유리수이다.

02 ① $\frac{16}{2}=8$, ⑤ $-\frac{12}{8}=-\frac{3}{2}$

따라서 정수가 아닌 유리수는 ③, ⑤이다.

03 $\frac{21}{28}=\frac{3}{4}=\frac{3}{2^2}=\frac{3\times5^2}{2^2\times5^2}=\frac{75}{100}=0.75$

이므로 $a=3$, $b=25$, $c=0.75$

$\therefore a+b+c=3+25+0.75=28.75$

04 분수를 유한소수로 나타내려면 기약분수로 나타내었을 때, 분모의 소인수가 2나 5뿐이어야 한다.

① $\frac{1}{3}$ ② $\frac{3}{8}=\frac{3}{2^3}$ ③ $\frac{7}{9}=\frac{7}{3^2}$

④ $\frac{2}{12}=\frac{1}{6}=\frac{1}{2\times3}$ ⑤ $\frac{5}{21}=\frac{5}{3\times7}$

따라서 유한소수로 나타낼 수 있는 것은 ②이다.

05 분모의 소인수 중 2나 5가 아닌 수를 모두 곱한 수의 배수가 a의 값이 될 수 있으므로 a의 값은 3의 배수이어야 한다. 따라서 보기 중 a의 값이 될 수 있는 것은 ④이다.

2강 + 순환소수 12~13쪽

01 (1) ○ (2) ○ (3) × (4) ○ (5) ×
02 (1) 2 (2) 74 (3) 5 (4) 231 (5) 80
03 (1) $3.\dot{3}$ (2) $0.6\dot{8}$ (3) $4.\dot{1}\dot{4}$ (4) $2.3\dot{3}\dot{5}$ (5) $1.\dot{0}4\dot{5}$
04 (1) ○ (2) × (3) ○ (4) × (5) ×
05 (1) 6, 18, $0.\dot{6}$ (2) 4, 36, $0.\dot{4}$ (3) 7, 2, 77, 22, $0.\dot{2}\dot{7}$ (4) 3, 3, 18, 18, $0.8\dot{3}$
06 (1) $0.\dot{1}$ (2) $0.1\dot{3}$ (3) $0.\dot{1}\dot{5}$
07 (1) 5 (2) 8 (3) 5 08 (1) 9 (2) 7 (3) 2

03 (1) 순환마디는 3이므로 $3.\dot{3}$

(2) 순환마디는 8이므로 $0.6\dot{8}$

(3) 순환마디는 14이므로 $4.\dot{1}\dot{4}$

(4) 순환마디는 35이므로 $2.3\dot{3}\dot{5}$

(5) 순환마디는 045이므로 $1.\dot{0}4\dot{5}$

04 (1) $0.721721721\cdots$ ⇨ $0.\dot{7}2\dot{1}$

(2) $1.341341341\cdots$ ⇨ $1.\dot{3}4\dot{1}$

(3) $5.9212121\cdots$ ⇨ $5.9\dot{2}\dot{1}$

(4) $2.666\cdots$ ⇨ $2.\dot{6}$

(5) $3.141414\cdots$ ⇨ $3.1\dot{4}$

05 (1) $3\overline{)20}$ = 0.6[6]⋯ : 18, 20, [18], ⋮ ⇨ $0.\dot{6}$

(2) $9\overline{)40}$ = 0.4[4]⋯ : 36, 40, [36], ⋮ ⇨ $0.\dot{4}$

(3) $11\overline{)30}$ = 0.2[7][2]⋯ : 22, 80, [77], 30, [22], ⋮ ⇨ $0.\dot{2}\dot{7}$

(4) $6\overline{)50}$ = 0.8[3][3]⋯ : 48, 20, [18], 20, [18], ⋮ ⇨ $0.8\dot{3}$

06 (1) $\frac{1}{9}=0.111\cdots=0.\dot{1}$

(2) $\frac{2}{15}=0.1333\cdots=0.1\dot{3}$

(3) $\frac{5}{33}=0.151515\cdots=0.\dot{1}\dot{5}$

07 (1) 순환마디의 숫자는 5, 8의 2개이고 $15=2\times7+1$이므로 소수점 아래 15번째 자리의 숫자는 순환마디의 1번째 숫자와 같은 5이다.

(2) 순환마디의 숫자는 5, 8의 2개이고 $24=2\times12$이므로 소수점 아래 24번째 자리의 숫자는 순환마디의 2번째 숫자와 같은 8이다.

(3) 순환마디의 숫자는 5, 8의 2개이고 $31=2\times15+1$이므로 소수점 아래 31번째 자리의 숫자는 순환마디의 1번째 숫자와 같은 5이다.

08 (1) 순환마디의 숫자는 2, 7, 9의 3개이고 $12=3\times4$이므로 소수점 아래 12번째 자리의 숫자는 순환마디의 3번째 숫자와 같은 9이다.

(2) 순환마디의 숫자는 2, 7, 9의 3개이고 $20=3\times6+2$이므로 소수점 아래 20번째 자리의 숫자는 순환마디의 2번째 숫자와 같은 7이다.

(3) 순환마디의 숫자는 2, 7, 9의 3개이고 $37=3\times12+1$이므로 소수점 아래 37번째 자리의 숫자는 순환마디의 1번째 숫자와 같은 2이다.

힘수 만점 14쪽

01 ② **02** ② **03** 3 **04** ③ **05** 6

01 ① 1.555… ⇨ 5 ② 0.138138… ⇨ 138
③ 0.24646… ⇨ 46 ④ 4.242424… ⇨ 24
⑤ 2.0909… ⇨ 09

02 ① 0.333… ⇨ $0.\dot{3}$ ② 2.6363… ⇨ $2.\dot{6}\dot{3}$
③ 1.851851… ⇨ $1.\dot{8}5\dot{1}$ ④ 1.342342… ⇨ $1.\dot{3}4\dot{2}$
⑤ 4.17272… ⇨ $4.1\dot{7}\dot{2}$

03 $\frac{3}{11}=0.\dot{2}\dot{7}$이므로 $a=2$
$\frac{2}{15}=0.1\dot{3}$이므로 $b=1$
$\therefore a+b=2+1=3$

04 ① $\frac{1}{3}=0.\dot{3}$ ② $\frac{1}{6}=0.1\dot{6}$
③ $\frac{1}{7}=0.\dot{1}4285\dot{7}$ ④ $\frac{2}{11}=0.\dot{1}\dot{8}$
⑤ $\frac{7}{12}=0.58\dot{3}$
따라서 순환마디의 숫자의 개수가 가장 많은 것은 ③이다.

05 순환마디의 숫자는 3, 6, 5, 2의 4개이고 $150=4\times37+2$이므로 소수점 아래 150번째 자리의 숫자는 순환마디의 2번째 숫자와 같은 6이다.

3강 순환소수를 분수로 나타내기(1) 15~16쪽

01 (1) 10, 10, 9, 2, $\frac{2}{9}$ (2) 100, 100, 99, 19, $\frac{19}{99}$
(3) 100, 100, 99, 172, $\frac{172}{99}$
02 (1) ㄱ (2) ㄴ (3) ㄷ (4) ㄷ
03 (1) $\frac{5}{9}$ (2) $\frac{86}{99}$ (3) $\frac{205}{99}$ (4) $\frac{41}{37}$
04 (1) 3.222…, 32.222…, 29, $\frac{29}{90}$
(2) 1.2727…, 127.2727…, 126, 126, $\frac{7}{55}$
05 (1) ㄱ (2) ㄴ (3) ㄷ (4) ㄱ
06 (1) $\frac{4}{15}$ (2) $\frac{541}{990}$ (3) $\frac{548}{495}$ (4) $\frac{43}{300}$

01 (1) $0.\dot{2}$를 x로 놓으면
$x=0.222\cdots$ …… ㉠
㉠의 양변에 $\boxed{10}$을 곱하면
$\boxed{10}x=2.222\cdots$ …… ㉡
㉡−㉠을 하면
$\boxed{9}x=\boxed{2}$
$\therefore x=\boxed{\frac{2}{9}}$
(2) $0.\dot{1}\dot{9}$를 x로 놓으면
$x=0.1919\cdots$ …… ㉠
㉠의 양변에 $\boxed{100}$을 곱하면
$\boxed{100}x=19.1919\cdots$ …… ㉡
㉡−㉠을 하면
$\boxed{99}x=\boxed{19}$
$\therefore x=\boxed{\frac{19}{99}}$
(3) $1.\dot{7}\dot{3}$을 x로 놓으면
$x=1.7373\cdots$ …… ㉠
㉠의 양변에 $\boxed{100}$을 곱하면
$\boxed{100}x=173.7373\cdots$ …… ㉡
㉡−㉠을 하면
$\boxed{99}x=\boxed{172}$
$\therefore x=\boxed{\frac{127}{99}}$

02 (1)
$$\begin{array}{rl} & 10x=4.444\cdots \\ -) & x=0.444\cdots \\ \hline & 9x=4 \end{array}$$
따라서 필요한 식은 ㄱ이다.
(2)
$$\begin{array}{rl} & 100x=119.1919\cdots \\ -) & x=\ \ 1.1919\cdots \\ \hline & 99x=118 \end{array}$$
따라서 필요한 식은 ㄴ이다.
(3)
$$\begin{array}{rl} & 1000x=318.318318\cdots \\ -) & x=\ \ 0.318318\cdots \\ \hline & 999x=318 \end{array}$$
따라서 필요한 식은 ㄷ이다.
(4)
$$\begin{array}{rl} & 1000x=3027.027027\cdots \\ -) & x=\ \ 3.027027\cdots \\ \hline & 999x=3024 \end{array}$$
따라서 필요한 식은 ㄷ이다.

03 (1) $0.\dot{5}$를 x로 놓으면 $x=0.555\cdots$ …… ㉠
㉠의 양변에 10을 곱하면
$10x=5.555\cdots$ …… ㉡
㉡−㉠을 하면
$9x=5$ $\therefore x=\frac{5}{9}$
(2) $0.\dot{8}\dot{6}$을 x로 놓으면 $x=0.8686\cdots$ …… ㉠
㉠의 양변에 100을 곱하면
$100x=86.8686\cdots$ …… ㉡
㉡−㉠을 하면
$99x=86$ $\therefore x=\frac{86}{99}$

(3) $2.\dot{0}\dot{7}$을 x로 놓으면 $x=2.0707\cdots$ ······ ㉠

㉠의 양변에 100을 곱하면

$100x=207.0707\cdots$ ······ ㉡

㉡－㉠을 하면

$99x=205 \quad \therefore x=\frac{205}{99}$

(4) $1.\dot{1}0\dot{8}$을 x로 놓으면 $x=1.108108\cdots$ ······ ㉠

㉠의 양변에 1000을 곱하면

$1000x=1108.108108\cdots$ ······ ㉡

㉡－㉠을 하면

$999x=1107 \quad \therefore x=\frac{1107}{999}=\frac{41}{37}$

04 (1) $0.3\dot{2}$를 x로 놓으면

$x=0.3222\cdots$ ······ ㉠

㉠의 양변에 10을 곱하면

$10x=\boxed{3.222\cdots}$ ······ ㉡

㉠의 양변에 100을 곱하면

$100x=\boxed{32.222\cdots}$ ······ ㉢

㉢－㉡을 하면 $90x=\boxed{29}$

$\therefore x=\boxed{\frac{29}{90}}$

(2) $0.1\dot{2}\dot{7}$을 x로 놓으면

$x=0.12727\cdots$ ······ ㉠

㉠의 양변에 10을 곱하면

$10x=\boxed{1.2727\cdots}$ ······ ㉡

㉠의 양변에 1000을 곱하면

$1000x=\boxed{127.2727\cdots}$ ······ ㉢

㉢－㉡을 하면 $990x=\boxed{126}$

$\therefore x=\frac{\boxed{126}}{990}=\boxed{\frac{7}{55}}$

05 (1)

$$\begin{array}{rr} & 100x=48.888\cdots \\ -) & 10x=\ \ 4.888\cdots \\ \hline & 90x=44 \end{array}$$

따라서 필요한 식은 ㄱ이다.

(2)

$$\begin{array}{rr} & 1000x=1197.9797\cdots \\ -) & 10x=\ \ 11.9797\cdots \\ \hline & 990x=1186 \end{array}$$

따라서 필요한 식은 ㄴ이다.

(3)

$$\begin{array}{rr} & 1000x=135.555\cdots \\ -) & 100x=\ \ 13.555\cdots \\ \hline & 900x=122 \end{array}$$

따라서 필요한 식은 ㄷ이다.

(4)

$$\begin{array}{rr} & 100x=302.222\cdots \\ -) & 10x=\ \ 30.222\cdots \\ \hline & 990x=272 \end{array}$$

따라서 필요한 식은 ㄱ이다.

06 (1) $0.2\dot{6}$을 x로 놓으면 $x=0.2666\cdots$ ······ ㉠

㉠의 양변에 10을 곱하면

$10x=2.666\cdots$ ······ ㉡

㉠의 양변에 100을 곱하면

$100x=26.666\cdots$ ······ ㉢

㉢－㉡을 하면 $90x=24 \quad \therefore x=\frac{4}{15}$

(2) $0.5\dot{4}\dot{6}$을 x로 놓으면 $x=0.54646\cdots$ ······ ㉠

㉠의 양변에 10을 곱하면

$10x=5.4646\cdots$ ······ ㉡

㉠의 양변에 1000을 곱하면

$1000x=546.4646\cdots$ ······ ㉢

㉢－㉡을 하면 $990x=541 \quad \therefore x=\frac{541}{990}$

(3) $1.1\dot{0}\dot{7}$을 x로 놓으면 $x=1.10707\cdots$ ······ ㉠

㉠의 양변에 10을 곱하면

$10x=11.0707\cdots$ ······ ㉡

㉠의 양변에 1000을 곱하면

$1000x=1107.0707\cdots$ ······ ㉢

㉢－㉡을 하면 $990x=1096 \quad \therefore x=\frac{548}{495}$

(4) $0.14\dot{3}$을 x로 놓으면 $x=0.14333\cdots$ ······ ㉠

㉠의 양변에 100을 곱하면

$100x=14.333\cdots$ ······ ㉡

㉠의 양변에 1000을 곱하면

$1000x=143.333\cdots$ ······ ㉢

㉢－㉡을 하면 $900x=129 \quad \therefore x=\frac{43}{300}$

힘수 만점 17쪽

01 ③ **02** ③ **03** ④ **04** ①

01 $0.\dot{3}\dot{5}$를 x로 놓으면

$x=0.3535\cdots$ ······ ㉠

㉠의 양변에 $\boxed{100}$을 곱하면

$\boxed{100}x=35.3535\cdots$ ······ ㉡

㉡－㉠을 하면

$\boxed{99}x=\boxed{35}$

$\therefore x=\boxed{\frac{35}{99}}$

따라서 (가)~(마)에 들어갈 수로 옳지 않은 것은 ③이다.

02 가장 편리한 식은 다음과 같다.

① $10x-x$ ② $100x-10x$ ③ $100x-x$

④ $1000x-x$ ⑤ $10000x-10x$

따라서 $100x-x$를 이용하는 것이 가장 편리한 것은 ③이다.

03 $x=1.2\dot{1}\dot{3}=1.21313\cdots$ …… ㉠

㉠의 양변에 10을 곱하면

$10x=12.1313\cdots$ …… ㉡

㉠의 양변에 1000을 곱하면

$1000x=1213.1313\cdots$ …… ㉢

㉢－㉡을 하면 $990x=1201$

따라서 가장 편리한 식은 ④이다.

04 $4.2\dot{3}$을 x로 놓으면

$x=4.2333\cdots$ …… ㉠

㉠의 양변에 10을 곱하면

$10x=42.333\cdots$ …… ㉡

㉠의 양변에 100을 곱하면

$100x=423.333\cdots$ …… ㉢

㉢－㉡을 하면 $90x=381$

$\therefore x=\frac{381}{90}=\frac{127}{30}$

따라서 분자와 분모의 합은

$127+30=157$

4강 순환소수를 분수로 나타내기(2) 18~19쪽

01 (1) 9 (2) 99 (3) 2, 9, $\frac{23}{9}$ (4) 1, 99, $\frac{146}{99}$ (5) 1, 999, $\frac{1295}{999}$

02 (1) $\frac{16}{33}$ (2) $\frac{236}{99}$ (3) $\frac{401}{333}$

03 (1) 1, 90, $\frac{11}{90}$ (2) 3, 990, $\frac{311}{990}$ (3) 38, 90, $\frac{349}{90}$ (4) 12, 900, $\frac{113}{900}$ (5) 267, 900, $\frac{2407}{900}$

04 (1) $\frac{29}{90}$ (2) $\frac{121}{45}$ (3) $\frac{511}{495}$

05 (1) $<$ (2) $>$ (3) $>$

06 (1) $>$ (2) $>$ (3) $<$

07 (1) × (2) ○ (3) ○ (4) ○

08 (1) × (2) × (3) ○ (4) ×

01 (1) $0.\dot{7}=\frac{7}{\boxed{9}}$

(2) $0.\dot{2}\dot{3}=\frac{23}{\boxed{99}}$

(3) $2.\dot{5}=\frac{25-\boxed{2}}{\boxed{9}}=\boxed{\frac{23}{9}}$

(4) $1.\dot{4}\dot{7}=\frac{147-\boxed{1}}{\boxed{99}}=\boxed{\frac{146}{99}}$

(5) $1.\dot{2}9\dot{6}=\frac{1296-\boxed{1}}{\boxed{999}}=\boxed{\frac{1295}{999}}$

02 (1) $0.\dot{4}\dot{8}=\frac{48}{99}=\frac{16}{33}$

(2) $2.\dot{3}\dot{8}=\frac{238-2}{99}=\frac{236}{99}$

(3) $1.\dot{2}0\dot{4}=\frac{1204-1}{999}=\frac{1203}{999}=\frac{401}{333}$

03 (1) $0.1\dot{2}=\frac{12-\boxed{1}}{\boxed{90}}=\boxed{\frac{11}{90}}$

(2) $0.3\dot{1}\dot{4}=\frac{314-\boxed{3}}{\boxed{990}}=\boxed{\frac{311}{990}}$

(3) $3.8\dot{7}=\frac{387-\boxed{38}}{\boxed{90}}=\boxed{\frac{349}{90}}$

(4) $0.12\dot{5}=\frac{125-\boxed{12}}{\boxed{900}}=\boxed{\frac{113}{900}}$

(5) $2.67\dot{4}=\frac{2674-\boxed{267}}{\boxed{900}}=\boxed{\frac{2407}{900}}$

04 (1) $0.3\dot{2}=\frac{32-3}{90}=\frac{29}{90}$

(2) $2.6\dot{8}=\frac{268-26}{90}=\frac{242}{90}=\frac{121}{45}$

(3) $1.0\dot{3}\dot{2}=\frac{1032-10}{990}=\frac{1022}{990}=\frac{511}{495}$

05 (1) $0.\dot{3}=0.3333\cdots$

$0.\dot{3}\dot{4}=0.3434\cdots$

이므로 $0.\dot{3}\boxed{<}0.\dot{3}\dot{4}$

(2) $0.1\dot{7}=0.1777\cdots$

$0.\dot{1}\dot{7}=0.1717\cdots$

이므로 $0.1\dot{7}\boxed{>}0.\dot{1}\dot{7}$

(3) $0.\dot{3}1\dot{2}=0.312312\cdots$

$0.3\dot{1}\dot{2}=0.312121\cdots$

이므로 $0.\dot{3}1\dot{2}\boxed{>}0.3\dot{1}\dot{2}$

06 (1) $0.\dot{5}=\frac{5}{9}=\frac{55}{99}$, $0.\dot{5}\dot{4}=\frac{54}{99}$이므로 $0.\dot{5}\boxed{>}0.\dot{5}\dot{4}$

(2) $0.6\dot{7}=\frac{67-6}{90}=\frac{61}{90}$, $0.\dot{6}=\frac{6}{9}=\frac{60}{90}$이므로

$0.6\dot{7}\boxed{>}0.\dot{6}$

(3) $0.\dot{2}\dot{8}=\frac{28}{99}=\frac{280}{990}$, $0.2\dot{8}=\frac{28-2}{90}=\frac{26}{90}=\frac{286}{990}$이므로

$0.\dot{2}\dot{8}\boxed{<}0.2\dot{8}$

08 (1) 순환하지 않는 무한소수는 분수로 나타낼 수 없다.

(2) 유한소수는 모두 유리수이다.

(4) 무한소수 중 순환소수는 유리수이다.

힘수 만점 20쪽

01 ①, ⑤ **02** ② **03** ⑤ **04** ④

01 ② $0.2\dot{5}=\frac{25-2}{90}=\frac{23}{90}$ ③ $1.\dot{7}=\frac{17-1}{9}=\frac{16}{9}$

④ $0.\dot{5}1\dot{6}=\frac{516}{999}=\frac{172}{333}$ ⑤ $1.\dot{3}\dot{5}=\frac{135-1}{99}=\frac{134}{99}$

02 $\frac{1}{6}<0.\dot{x}<\frac{1}{3}$에서 $\frac{1}{6}<\frac{x}{9}<\frac{1}{3}$이므로

$\frac{3}{18}<\frac{2x}{18}<\frac{6}{18}$, 즉 $3<2x<6$

따라서 이를 만족하는 한 자리의 자연수 x의 값은 2이다.

03 ① $0.\dot{2}=0.2222\cdots$, $0.\dot{2}\dot{4}=0.2424\cdots$이므로 $0.\dot{2}<0.\dot{2}\dot{4}$

② $0.5\dot{3}=0.5333\cdots$, $0.\dot{5}\dot{3}=0.5353\cdots$이므로 $0.5\dot{3}<0.\dot{5}\dot{3}$

③ $1.\dot{1}\dot{2}=1.1212\cdots$, $1.\dot{1}2\dot{1}=1.121121\cdots$이므로 $1.\dot{1}\dot{2}>1.\dot{1}2\dot{1}$

④ $0.4\dot{4}\dot{3}=0.44343\cdots$, $0.\dot{4}4\dot{3}=0.443443\cdots$이므로 $0.4\dot{4}\dot{3}<0.\dot{4}4\dot{3}$

⑤ $1.2\dot{7}=1.2777\cdots$, $1.2727\cdots$이므로 $1.2\dot{7}>1.\dot{2}\dot{7}$

04 ④ 무한소수 중 순환소수는 유리수이다.

5강 중단원 연산 마무리 21~23쪽

01 (1) ○ (2) × (3) × (4) ○ **02** (1) $\frac{8}{4}$, 10 (2) -3
(3) 2.177, $-\frac{1}{6}$, 1.5 (4) 2.177, $\frac{8}{4}$, 10, 1.5
03 (1) $0.444\cdots$, 무 (2) $0.08333\cdots$, 무 (3) 1.375, 유
(4) 0.45, 유 **04** (1) 0.625 (2) 0.16 (3) 0.075 (4) 0.05
05 (1) 유 (2) 유 (3) 무 (4) 무 **06** (1) ○ (2) × (3) ○ (4) ×
07 (1) × (2) × (3) ○ (4) × **08** (1) $1.1\dot{6}$ (2) $2.\dot{7}$
(3) $0.\dot{4}\dot{5}$ (4) $0.3\dot{8}$ **09** (1) 6 (2) 5
10 100, 100, 99, 62, $\frac{62}{99}$
11 10, 10, $629.2929\cdots$, 623, $\frac{623}{990}$
12 (1) ○ (2) × (3) × (4) ○
13 (1) 99 (2) 1, 9, $\frac{14}{9}$ (3) 2, 90, $\frac{19}{90}$ (4) 26, 90, $\frac{241}{90}$
14 (1) $\frac{3}{11}$ (2) $\frac{77}{111}$ (3) $\frac{187}{90}$ (4) $\frac{287}{900}$
15 (1) ○ (2) ○ (3) × (4) ○ **16** ⑤
17 ④ **18** ①, ⑤

04 (1) $\frac{5}{8}=\frac{5}{2^3}=\frac{5\times5^3}{2^3\times5^3}=\frac{625}{1000}=0.625$

(2) $\frac{4}{25}=\frac{4}{5^2}=\frac{4\times2^2}{5^2\times2^2}=\frac{16}{100}=0.16$

(3) $\frac{3}{40}=\frac{3}{2^3\times5}=\frac{3\times5^2}{2^3\times5\times5^2}=\frac{75}{1000}=0.075$

(4) $\frac{6}{120}=\frac{1}{20}=\frac{1}{2^2\times5}=\frac{1\times5}{2^2\times5\times5}=\frac{5}{100}=0.05$

05 (1) $\frac{9}{2^2\times3}=\frac{3}{2^2}$으로 분모의 소인수가 2뿐이므로 유한소수로 나타낼 수 있다.

(2) $\frac{12}{2^2\times5}=\frac{3}{5}$으로 분모의 소인수가 5뿐이므로 유한소수로 나타낼 수 있다.

(3) $\frac{10}{2^2\times5^2\times7}=\frac{1}{2\times5\times7}$로 분모의 소인수에 7이 있으므로 무한소수로만 나타낼 수 있다.

(4) $\frac{33}{135}=\frac{11}{45}=\frac{11}{3^2\times5}$로 분모의 소인수에 3이 있으므로 무한소수로만 나타낼 수 있다.

07 (1) $0.234234\cdots$ ⇨ $0.\dot{2}3\dot{4}$

(2) $2.727272\cdots$ ⇨ $2.\dot{7}\dot{2}$

(4) $0.4111\cdots$ ⇨ $0.4\dot{1}$

08 (1) $\frac{7}{6}=1.1666\cdots=1.1\dot{6}$

(2) $\frac{25}{9}=2.777\cdots=2.\dot{7}$

(3) $\frac{5}{11}=0.4545\cdots=0.\dot{4}\dot{5}$

(4) $\frac{7}{18}=0.3888\cdots=0.3\dot{8}$

09 주어진 분수를 순환소수로 나타내면 $\frac{6}{13}=0.\dot{4}6153\dot{8}$이므로 순환마디의 숫자는 4, 6, 1, 5, 3, 8의 6개이다.

(1) $50=6\times8+2$이므로 소수점 아래 50번째 자리의 숫자는 순환마디의 2번째 숫자와 같은 6이다.

(2) $100=6\times16+4$이므로 소수점 아래 100번째 자리의 숫자는 순환마디의 4번째 숫자와 같은 5이다.

10 $0.\dot{6}\dot{2}$를 x로 놓으면

$x=0.6262\cdots$ …… ㉠

㉠의 양변에 $\boxed{100}$을 곱하면

$\boxed{100}x=62.6262\cdots$ …… ㉡

㉡−㉠을 하면

$\boxed{99}x=\boxed{62}$

$\therefore x=\boxed{\frac{62}{99}}$

11 $0.6\dot{2}\dot{9}$를 x로 놓으면

$x=0.62929\cdots$ …… ㉠

㉠의 양변에 $\boxed{10}$을 곱하면

$\boxed{10}x=6.2929\cdots$ …… ㉡

㉠의 양변에 1000을 곱하면

$1000x=\boxed{629.2929\cdots}$ …… ㉢

㉢−㉡을 하면 $990x=\boxed{623}$

$\therefore x=\boxed{\frac{623}{990}}$

12 (2) $x=0.4\dot{2}$ ⇨ $100x-10x$

(3) $x=2.\dot{3}2\dot{5}$ ⇨ $1000x-x$

13 (1) $0.\dot{2}\dot{6}=\dfrac{26}{\boxed{99}}$

(2) $1.\dot{5}=\dfrac{15-\boxed{1}}{\boxed{9}}=\boxed{\dfrac{14}{9}}$

(3) $0.2\dot{1}=\dfrac{21-\boxed{2}}{\boxed{90}}=\boxed{\dfrac{19}{90}}$

(4) $2.6\dot{7}=\dfrac{267-\boxed{26}}{\boxed{90}}=\boxed{\dfrac{241}{90}}$

14 (1) $0.\dot{2}\dot{7}=\dfrac{27}{99}=\dfrac{3}{11}$

(2) $0.\dot{6}9\dot{3}=\dfrac{693}{999}=\dfrac{77}{111}$

(3) $2.0\dot{7}=\dfrac{207-20}{90}=\dfrac{187}{90}$

(4) $0.31\dot{8}=\dfrac{318-31}{900}=\dfrac{287}{900}$

15 (3) 정수가 아닌 모든 유리수는 유한소수 또는 순환소수로 나타낼 수 있다.

16 분모의 소인수 중 2나 5가 아닌 수를 모두 곱한 수의 배수가 a의 값이 될 수 있으므로 a의 값은 7의 배수이어야 한다. 따라서 보기 중 a의 값이 될 수 있는 것은 ⑤이다.

17 $\dfrac{2}{13}=0.\dot{1}5384\dot{6}$이므로 $a=6$

$\dfrac{8}{33}=0.\dot{2}\dot{4}$이므로 $b=2$

$\therefore a+b=8$

18 ② $0.1\dot{8}=\dfrac{18-1}{90}=\dfrac{17}{90}$

③ $2.\dot{2}=\dfrac{22-2}{9}=\dfrac{20}{9}$

④ $0.\dot{2}2\dot{1}=\dfrac{221}{999}$

⑤ $1.\dot{5}\dot{7}=\dfrac{157-1}{99}=\dfrac{156}{99}=\dfrac{52}{33}$

6강 지수법칙(1), (2) 24~25쪽

01 (1) x^6 (2) 2^8 (3) a^7 (4) y^{10} (5) x^9 (6) b^8 (7) 3^{11} (8) y^{13}
02 (1) x^5y^7 (2) a^9b^8 (3) a^3b^6 (4) a^5b^7 (5) x^6y^5
03 (1) 3 (2) 6 (3) 2 (4) 3 (5) 7
04 (1) a^{12} (2) 2^{20} (3) b^{15} (4) a^{40} (5) x^{30} (6) a^{11} (7) y^{14} (8) x^{22}
05 (1) $a^{16}b^6$ (2) x^5y^9 (3) $a^{13}b^{20}$ (4) $a^{29}b^{13}$ (5) $x^{16}y^{13}$
06 (1) 6 (2) 3 (3) 5 (4) 5 (5) 2

01 (1) $x^2\times x^4=x^{2+4}=x^6$

(2) $2^3\times 2^5=2^{3+5}=2^8$

(3) $a^4\times a^3=a^{4+3}=a^7$

(4) $y^3\times y^7=y^{3+7}=y^{10}$

(5) $x^3\times x^2\times x^4=x^{3+2+4}=x^9$

(6) $b^2\times b\times b^5=b^{2+1+5}=b^8$

(7) $3^4\times 3^5\times 3^2=3^{4+5+2}=3^{11}$

(8) $y^2\times y^7\times y^3\times y=y^{2+7+3+1}=y^{13}$

02 (1) $x^5\times y\times y^6=x^5\times y^{1+6}=x^5y^7$

(2) $a^4\times a^5\times b^8=a^{4+5}\times b^8=a^9b^8$

(3) $a^2\times a\times b^4\times b^2=a^{2+1}\times b^{4+2}=a^3b^6$

(4) $a^2\times b^4\times b^3\times a^3=a^{2+3}\times b^{4+3}=a^5b^7$

(5) $x^4\times y^2\times x^2\times y^3=x^{4+2}\times y^{2+3}=x^6y^5$

03 (1) $2^{2+\square}=2^5$에서 $2+\square=5$ $\therefore \square=3$

(2) $x^{\square+4}=x^{10}$에서 $\square+4=10$ $\therefore \square=6$

(3) $a^{4+\square+2}=a^8$에서 $4+\square+2=8$ $\therefore \square=2$

(4) $a^{\square+5}\times b^{2+5}=a^8b^7$에서

$\square+5=8$ $\therefore \square=3$

(5) $x^{3+7}\times y^{1+\square}=x^{10}y^8$에서

$1+\square=8$ $\therefore \square=7$

04 (1) $(a^3)^4=a^{3\times4}=a^{12}$

(2) $(2^4)^5=2^{4\times5}=2^{20}$

(3) $(b^5)^3=b^{5\times3}=b^{15}$

(4) $\{(a^4)^2\}^5=a^{4\times2\times5}=a^{40}$

(5) $\{(x^2)^5\}^3=x^{2\times5\times3}=x^{30}$

(6) $(a^3)^2\times a^5=a^{3\times2}\times a^5=a^{6+5}=a^{11}$

(7) $y^4\times(y^2)^5=y^4\times y^{2\times5}=y^{4+10}=y^{14}$

(8) $(x^4)^3\times(x^5)^2=x^{4\times3}\times x^{5\times2}=x^{12+10}=x^{22}$

05 (1) $(a^5)^3\times a\times b^6=a^{5\times3}\times a\times b^6$
$=a^{15+1}\times b^6=a^{16}b^6$

(2) $x^5\times(y^2)^4\times y=x^5\times y^{2\times4}\times y=x^5\times y^{8+1}=x^5y^9$

(3) $a^3\times(b^4)^5\times(a^5)^2=a^3\times b^{4\times5}\times a^{5\times2}$
$=a^{3+10}\times b^{20}=a^{13}b^{20}$

(4) $(a^4)^2\times b^5\times(a^3)^7\times(b^2)^4=a^{4\times2}\times b^5\times a^{3\times7}\times b^{2\times4}$
$=a^{8+21}\times b^{5+8}=a^{29}b^{13}$

(5) $(x^3)^2\times y\times(y^4)^3\times(x^2)^5=x^{3\times2}\times y\times y^{4\times3}\times x^{2\times5}$
$=x^{6+10}\times y^{1+12}=x^{16}y^{13}$

06 (1) $a^{3\times\square}=a^{18}$에서 $3\times\square=18$ $\therefore \square=6$

(2) $3^{\square\times4}=3^{12}$에서 $\square\times4=12$ $\therefore \square=3$

(3) $x^{\square\times2}=x^{10}$에서 $\square\times2=10$ $\therefore \square=5$

(4) $b^{1+\square\times2}=b^{11}$에서 $1+\square\times2=11$ $\therefore \square=5$

(5) $x^{\square\times5+3}=x^{13}$에서 $\square\times5+3=13$ $\therefore \square=2$

힘수 만점 26쪽

01 ③ 02 ⑤ 03 ⑤ 04 ③ 05 ⑤

01 $a^4\times b^2\times a\times b^3=a^{4+1}\times b^{2+3}=a^5b^5$

02 $2^4\times 2^5=2^x$, $2^{4+5}=2^x$ $\quad\therefore x=9$

03 $(x^5)^2\times(x^3)^4=x^{5\times2}\times x^{3\times4}=x^{10+12}=x^{22}$

04 $x^{3+\square\times5}=x^{18}$에서

$3+\square\times5=18$ $\quad\therefore \square=3$

05 ⑤ $x^6\times y^5\times(y^2)^3=x^6\times y^5\times y^{2\times3}$

$=x^6\times y^{5+6}=x^6y^{11}$

7강 지수법칙(3), (4) 27~28쪽

01 (1) x^2 (2) 1 (3) $\frac{1}{x^2}$ (4) 2^3 (5) 1 (6) a^2 (7) $\frac{1}{b^3}$ (8) 1

02 (1) a^3 (2) $\frac{1}{x^2}$ (3) b^{14} (4) $\frac{1}{y^4}$ (5) x^4

03 (1) 7 (2) 8 (3) 3 (4) 3 (5) 2

04 (1) a^3b^6 (2) $x^{15}y^{10}$ (3) $8x^{12}$ (4) $27a^6b^{12}$ (5) $\frac{a^3}{b^6}$ (6) $\frac{x^8}{y^{12}}$ (7) $\frac{a^{15}}{27}$ (8) $\frac{4x^{10}}{y^8}$

05 (1) x^8 (2) $-a^{12}$ (3) $16y^{20}$ (4) $-\frac{x^{20}}{y^{15}}$ (5) $-\frac{8a^6}{b^9}$

06 (1) 5 (2) 4 (3) 2 (4) 4 (5) 6

01 (1) $x^4\div x^2=x^{4-2}=x^2$

(2) $x^3\div x^3=1$

(3) $x^2\div x^4=\frac{1}{x^{4-2}}=\frac{1}{x^2}$

(4) $2^5\div 2^2=2^{5-2}=2^3$

(5) $3^4\div 3^4=1$

(6) $a^5\div a^2\div a=a^{5-2}\div a=a^3\div a=a^{3-1}=a^2$

(7) $b^4\div b^2\div b^5=b^{4-2}\div b^5=b^2\div b^5=\frac{1}{b^{5-2}}=\frac{1}{b^3}$

(8) $y^4\div y^3\div y=y^{4-3}\div y=y\div y=1$

02 (1) $(a^2)^4\div a^5=a^8\div a^5=a^{8-5}=a^3$

(2) $x^4\div(x^3)^2=x^4\div x^6=\frac{1}{x^{6-4}}=\frac{1}{x^2}$

(3) $(b^4)^5\div(b^2)^3=b^{20}\div b^6=b^{20-6}=b^{14}$

(4) $(y^2)^3\div(y^5)^2=y^6\div y^{10}=\frac{1}{y^{10-6}}=\frac{1}{y^4}$

(5) $(x^6)^3\div x^2\div(x^3)^4=x^{18}\div x^2\div x^{12}=x^{18-2}\div x^{12}$

$=x^{16}\div x^{12}=x^{16-12}=x^4$

03 (1) $a^{\square-2}=a^5$에서 $\square-2=5$ $\quad\therefore \square=7$

(2) $\frac{1}{x^{\square-5}}=\frac{1}{x^3}$에서 $\square-5=3$ $\quad\therefore \square=8$

(4) $b^{14}\div b^{\square\times2}=b^8$, $b^{14-\square\times2}=b^8$에서 $14-\square\times2=8$

$\therefore \square=3$

(5) $x^{\square\times4}\div x^{12}=\frac{1}{x^4}$, $\frac{1}{x^{12-\square\times4}}=\frac{1}{x^4}$에서

$12-\square\times4=4$ $\quad\therefore \square=2$

04 (1) $(ab^2)^3=a^3b^{2\times3}=a^3b^6$

(2) $(x^3y^2)^5=x^{3\times5}y^{2\times5}=x^{15}y^{10}$

(3) $(2x^4)^3=2^3x^{4\times3}=8x^{12}$

(4) $(3a^2b^4)^3=3^3a^{2\times3}b^{4\times3}=27a^6b^{12}$

(5) $\left(\frac{a}{b^2}\right)^3=\frac{a^3}{b^{2\times3}}=\frac{a^3}{b^6}$

(6) $\left(\frac{x^2}{y^3}\right)^4=\frac{x^{2\times4}}{y^{3\times4}}=\frac{x^8}{y^{12}}$

(7) $\left(\frac{a^5}{3}\right)^3=\frac{a^{5\times3}}{3^3}=\frac{a^{15}}{27}$

(8) $\left(\frac{2x^5}{y^4}\right)^2=\frac{2^2x^{5\times2}}{y^{4\times2}}=\frac{4x^{10}}{y^8}$

05 (1) $(-x^2)^4=(-1)^4x^{2\times4}=x^8$

(2) $(-a^4)^3=(-1)^3a^{4\times3}=-a^{12}$

(3) $(-2y^5)^4=(-2)^4y^{5\times4}=16y^{20}$

(4) $\left(-\frac{x^4}{y^3}\right)^5=(-1)^5\times\frac{x^{4\times5}}{y^{3\times5}}=-\frac{x^{20}}{y^{15}}$

(5) $\left(-\frac{2a^2}{b^3}\right)^3=(-2)^3\times\frac{a^{2\times3}}{b^{3\times3}}=-\frac{8a^6}{b^9}$

06 (1) $a^{\square\times2}b^{4\times2}=a^{10}b^8$에서 $\square\times2=10$ $\quad\therefore \square=5$

(2) $(-3)^{\square}x^{3\times\square}=3^4x^{12}$에서 $(-3)^{\square}=3^4$, $3\times\square=12$

$\therefore \square=4$

(3) $(-1)^3x^{\square\times3}y^{7\times3}=-x^6y^{21}$에서 $\square\times3=6$ $\quad\therefore \square=2$

(4) $\frac{a^{\square\times6}}{b^{2\times6}}=\frac{a^{24}}{b^{12}}$에서 $\square\times6=24$ $\quad\therefore \square=4$

(5) $(-1)^5\times\frac{x^{5\times5}}{y^{\square\times5}}=-\frac{x^{25}}{y^{30}}$에서 $\square\times5=30$ $\quad\therefore \square=6$

힘수 만점 29쪽

01 ③ 02 ⑤ 03 ① 04 ④ 05 ③

01 ① $a^3\div a^7=\frac{1}{a^4}$ ② $a^4\div a^4=1$

③ $a^5\div a^7=\frac{1}{a^2}$ ④ $a^6\div a^4\div a^5=a^2\div a^5=\frac{1}{a^3}$

⑤ $a^7\div a^3\div a^4=a^4\div a^4=1$

02 $\frac{1}{x^{a-7}}=\frac{1}{x^2}$에서 $a-7=2$ $\quad\therefore a=9$

03 $(x^2)^7\div(x^3)^2\div(x^4)^3=x^{14}\div x^6\div x^{12}=x^8\div x^{12}=\frac{1}{x^4}$

04 $(-2)^b x^{4b} y^{ab} = -32x^c y^{10}$이므로

$(-2)^b = -32$에서 $b=5$

$4b=c$에서 $c=20$

$ab=10$에서 $a=2$

$\therefore a+b+c=2+5+20=27$

05 ① $\frac{1}{a^{\square-3}} = \frac{1}{a^4}$에서 $\square-3=4$ $\therefore \square=7$

② $x^{\square} \div x^5 = 1$에서 $\square=5$

③ $b^{\square-5} = b^3$에서 $\square-5=3$ $\therefore \square=8$

④ $\frac{a^{6\times3}}{b^{\square\times3}} = \frac{a^{18}}{b^{12}}$에서 $\square\times3=12$ $\therefore \square=4$

⑤ $(-1)^{\square} \times \frac{x^{7\times\square}}{y^{3\times\square}} = \frac{x^{14}}{y^6}$에서 $(-1)^{\square}=1$, $7\times\square=14$,

$3\times\square=6$ $\therefore \square=2$

8강 단항식의 곱셈과 나눗셈 30~32쪽

01 (1) $8xy$ (2) $-6ab$ (3) $-21xy$ (4) $-\frac{3}{2}a^2b$ (5) $-6x^3$ (6) $-8a^3b$ (7) $-5ab^3$ (8) $10x^3y^4$

02 (1) $-12a^3b^3$ (2) $-4x^4y^5z$ (3) $4a^4bc^4$ (4) $-x^{11}y^{10}$ (5) $-27x^7y^8$

03 (1) $-36a^4b^5$ (2) $-16x^{14}y^{11}$ (3) $6x^5y^6z^3$ (4) $-128a^5b^5c^6$ (5) $-108x^{13}y^{10}$

04 (1) $3b$ (2) $-5y$ (3) $-2b$ (4) $-\frac{3a}{b^2}$ (5) $-3a^3b^2$ (6) $3x^2y$ (7) $4x^6y^2$

05 (1) $\frac{1}{3x}$ (2) $-\frac{3}{y}$ (3) $-\frac{b}{2a}$ (4) $\frac{4}{xy}$ (5) $-\frac{5}{2a^2b}$

06 (1) $-6x^3$ (2) $\frac{1}{8}ab^7$ (3) $6ab$ (4) $6x^2y^2$ (5) $\frac{1}{32}xy^5$ (6) $-\frac{3a}{8b}$ (7) $-\frac{8}{3}a^5b^4$

07 (1) $4x^3y$ (2) $-2a^2$ (3) $\frac{6x^2}{y^2}$ (4) $96a^4b$

08 (1) $9a^2$ (2) $4x^5$ (3) $12y$ (4) $6x^2y^5$ (5) $4a^7b^3$ (6) $\frac{1}{2}a^8b^{13}$ (7) $-\frac{50x^2}{y^3}$

09 (1) $-5x^4$ (2) $2a^2b$ (3) $3x^2y^3$ (4) $-\frac{6b^6}{a^2}$ (5) $-36x^6y^4$

01 (1) $2x\times4y=2\times4\times x\times y=8xy$

(2) $3a\times(-2b)=3\times(-2)\times a\times b=-6ab$

(3) $-3x\times7y=(-3)\times7\times x\times y=-21xy$

(4) $3ab\times\left(-\frac{1}{2}a\right)=3\times\left(-\frac{1}{2}\right)\times a\times b\times a=-\frac{3}{2}a^2b$

(5) $3x\times(-2x^2)=3\times(-2)\times x\times x^2=-6x^3$

(6) $4a^2\times(-2ab)=4\times(-2)\times a^2\times a\times b=-8a^3b$

(7) $-ab\times5b^2=(-1)\times5\times a\times b\times b^2=-5ab^3$

(8) $(-5x^2y)\times(-2xy^3)=(-5)\times(-2)\times x^2\times y\times x\times y^3$
$=10x^3y^4$

02 (1) $(2ab)^2\times(-3ab)=4a^2b^2\times(-3ab)=-12a^3b^3$

(2) $-x^2yz\times(-2xy^2)^2=-x^2yz\times4x^2y^4=-4x^4y^5z$

(3) $-4abc\times(-ac)^3=-4abc\times(-a^3c^3)=4a^4bc^4$

(4) $(x^2y)^4\times(-xy^2)^3=x^8y^4\times(-x^3y^6)=-x^{11}y^{10}$

(5) $(-x^2y)^2\times(-3xy^2)^3=x^4y^2\times(-27x^3y^6)=-27x^7y^8$

03 (1) $4ab^2\times(-3ab)^2\times(-ab)$
$=4ab^2\times9a^2b^2\times(-ab)=-36a^4b^5$

(2) $x^3y\times(2x^2y)^4\times(-xy^2)^3$
$=x^3y\times16x^8y^4\times(-x^3y^6)=-16x^{14}y^{11}$

(3) $(-xyz)^2\times(xy^2)^2\times6xz$
$=x^2y^2z^2\times x^2y^4\times6xz=6x^5y^6z^3$

(4) $(-4abc)^2\times(2ac)^3\times(-b^3c)$
$=16a^2b^2c^2\times8a^3c^3\times(-b^3c)=-128a^5b^5c^6$

(5) $(-2x^3y)^2\times(x^2y)^2\times(-3xy^2)^3$
$=4x^6y^2\times x^4y^2\times(-27x^3y^6)=-108x^{13}y^{10}$

04 (1) $6ab\div2a=\frac{6ab}{2a}=3b$

(2) $10xy\div(-2x)=\frac{10xy}{-2x}=-5y$

(3) $(-8ab^2)\div4ab=\frac{-8ab^2}{4ab}=-2b$

(4) $(-6a^2b)\div2ab^3=\frac{-6a^2b}{2ab^3}=-\frac{3a}{b^2}$

(5) $18a^4b^5\div(-6ab^3)=\frac{18a^4b^5}{-6ab^3}=-3a^3b^2$

(6) $12x^4y^3\div(-2xy)^2=12x^4y^3\div4x^2y^2$
$=\frac{12x^4y^3}{4x^2y^2}=3x^2y$

(7) $(6x^4y^3)^2\div(-3xy^2)^2=36x^8y^6\div9x^2y^4$
$=\frac{36x^8y^6}{9x^2y^4}=4x^6y^2$

06 (1) $x^4\div\left(-\frac{x}{6}\right)=x^4\times\left(-\frac{6}{x}\right)=-6x^3$

(2) $a^7b^4\div\left(\frac{2a^2}{b}\right)^3=a^7b^4\div\frac{8a^6}{b^3}=a^7b^4\times\frac{b^3}{8a^6}=\frac{1}{8}ab^7$

(3) $(-9a^2b^2)\div\left(-\frac{3}{2}ab\right)=(-9a^2b^2)\times\left(-\frac{2}{3ab}\right)=6ab$

(4) $(-15x^4y^5)\div\left(-\frac{5}{2}x^2y^3\right)=(-15x^4y^5)\times\left(-\frac{2}{5x^2y^3}\right)$
$=6x^2y^2$

(5) $\left(-\frac{1}{4}xy^2\right)^2\div\frac{2x}{y}=\frac{1}{16}x^2y^4\times\frac{y}{2x}=\frac{1}{32}xy^5$

(6) $\left(\frac{1}{3}a^2b\right)^2\div\left(-\frac{2}{3}ab\right)^3=\frac{1}{9}a^4b^2\div\left(-\frac{8}{27}a^3b^3\right)$
$=\frac{1}{9}a^4b^2\times\left(-\frac{27}{8a^3b^3}\right)=-\frac{3a}{8b}$

(7) $\left(-\frac{2}{3}a^3b^2\right)^3\div\left(-\frac{1}{3}a^2b\right)^2=\left(-\frac{8}{27}a^9b^6\right)\div\frac{1}{9}a^4b^2$

$=\left(-\frac{8}{27}a^9b^6\right)\times\frac{9}{a^4b^2}$

$=-\frac{8}{3}a^5b^4$

07 (1) $8x^5y^3\div xy^2\div 2x=8x^5y^3\times\frac{1}{xy^2}\times\frac{1}{2x}$

$=4x^3y$

(2) $40a^4b^2\div(-4a^2b)\div 5b=40a^4b^2\times\left(-\frac{1}{4a^2b}\right)\times\frac{1}{5b}$

$=-2a^2$

(3) $\frac{2}{5}x^4y^3\div(-x^2y)\div\left(-\frac{1}{15}y^4\right)$

$=\frac{2}{5}x^4y^3\times\left(-\frac{1}{x^2y}\right)\times\left(-\frac{15}{y^4}\right)$

$=\frac{6x^2}{y^2}$

(4) $(4a^4b)^2\div\left(-\frac{1}{2}a\right)^2\div\frac{2}{3}a^2b$

$=16a^8b^2\div\frac{1}{4}a^2\div\frac{2}{3}a^2b$

$=16a^8b^2\times\frac{4}{a^2}\times\frac{3}{2a^2b}$

$=96a^4b$

08 (1) $3a^4\times 6a\div 2a^3=3a^4\times 6a\times\frac{1}{2a^3}$

$=9a^2$

(2) $8x^4\div 2x\times x^2=8x^4\times\frac{1}{2x}\times x^2=4x^5$

(3) $16xy^2\div 4x^2y\times 3x=16xy^2\times\frac{1}{4x^2y}\times 3x=12y$

(4) $3xy\div\frac{1}{2}x^2\times x^3y^4=3xy\times\frac{2}{x^2}\times x^3y^4$

$=6x^2y^5$

(5) $a^5b^3\times(-6a^2b)^2\div(3ab)^2=a^5b^3\times 36a^4b^2\div 9a^2b^2$

$=a^5b^3\times 36a^4b^2\times\frac{1}{9a^2b^2}$

$=4a^7b^3$

(6) $\frac{1}{6}ab\times(-a^3b^5)^4\div\frac{1}{3}a^5b^8=\frac{1}{6}ab\times a^{12}b^{20}\times\frac{3}{a^5b^8}$

$=\frac{1}{2}a^8b^{13}$

(7) $\left(-\frac{5}{2}x^2\right)^2\div\left(\frac{1}{2}xy^2\right)^3\times(-xy^3)$

$=\frac{25}{4}x^4\div\frac{1}{8}x^3y^6\times(-xy^3)$

$=\frac{25}{4}x^4\times\frac{8}{x^3y^6}\times(-xy^3)$

$=-\frac{50x^2}{y^3}$

09 (1) $\square\times 3x^2=-15x^6$에서

$\square=-15x^6\div 3x^2=\frac{-15x^6}{3x^2}=-5x^4$

(2) $-4a^3b\times\square=-8a^5b^2$에서

$\square=-8a^5b^2\div(-4a^3b)=\frac{-8a^5b^2}{-4a^3b}=2a^2b$

(3) $9x^3y^4\div\square=3xy$에서

$9x^3y^4\times\frac{1}{\square}=3xy\qquad\therefore\ \square=\frac{9x^3y^4}{3xy}=3x^2y^3$

(4) $(-a^3b)^3\times\square\div 6a^6b^7=ab^2$에서

$-a^9b^3\times\square\times\frac{1}{6a^6b^7}=ab^2$

$\square\times\left(-\frac{a^3}{6b^4}\right)=ab^2$

$\therefore\ \square=ab^2\times\left(-\frac{6b^4}{a^3}\right)=-\frac{6b^6}{a^2}$

(5) $(6x^2y)^2\div\square\times(-2xy^2)^3=8xy^4$에서

$36x^4y^2\times\frac{1}{\square}\times(-8x^3y^6)=8xy^4$

$\therefore\ \square=36x^4y^2\times(-8x^3y^6)\times\frac{1}{8xy^4}$

$=-36x^6y^4$

힘수 만점 33쪽

01 ⑤ **02** ① **03** ⑤ **04** ③ **05** ②

01 $(2x^5y)^3\times\left(-\frac{3}{4}xy^2\right)^2\times(-xy^2)^4$

$=8x^{15}y^3\times\frac{9}{16}x^2y^4\times x^4y^8$

$=\frac{9}{2}x^{21}y^{15}$

02 $6x^2y\div(-2x^7y^4)\div\frac{1}{3}xy^2$

$=6x^2y\times\left(-\frac{1}{2x^7y^4}\right)\times\frac{3}{xy^2}$

$=-\frac{9}{x^6y^5}$

03 ① $2x^3\times(-x)^5=2x^3\times(-x^5)=-2x^8$

③ $9x^2y\div\frac{xy}{3}=9x^2y\times\frac{3}{xy}=27x$

④ $(-2xy)^2\div xy^4=\frac{4x^2y^2}{xy^4}=\frac{4x}{y^2}$

⑤ $16x^4y^2\div 2xy^3\div 4xy=16x^4y^2\times\frac{1}{2xy^3}\times\frac{1}{4xy}=\frac{2x^2}{y^2}$

04 $(-2x^4y)^A\div 4x^By\times 2x^6y^2$

$=(-2)^Ax^{4A}y^A\times\frac{1}{4x^By}\times 2x^6y^2$

$=(-2)^A\times\frac{1}{4}\times 2\times\frac{x^{4A}y^A\times x^6y^2}{x^By}$

$=\frac{(-2)^A}{2}x^{4A+6-B}y^{A+2-1}$

$=Cx^2y^3$

$A+2-1=3$이므로 $A=2$

$4A+6-B=2$이므로 $B=12$

$\frac{(-2)^A}{2}=C$이므로 $C=2$

$\therefore\ A+B+C=2+12+2=16$

05 $20a^2b \div \square \times 5ab^3 = 8a^2b$에서

$\square = 20a^2b \times 5ab^3 \times \frac{1}{8a^2b}$

$= \frac{25}{2}ab^3$

9강 다항식의 덧셈과 뺄셈 34~36쪽

01 (1) $5x-3y$ (2) $3x-2y$ (3) $3x-3y$ (4) $a+14b$
(5) $8x-y$ (6) $-x+16y$ (7) $-2x-4y-13$
(8) $8a-5b+7$

02 (1) $3x+7y$ (2) $-3a+9b$ (3) $4a-5b+6$
(4) $-13x-9y$ (5) $2x-16y+7$

03 (1) $\frac{3}{4}x-y$ (2) $-\frac{3}{4}a+\frac{5}{4}b$ (3) $\frac{4}{3}x+\frac{1}{6}y$
(4) $\frac{3}{5}x+\frac{7}{20}y$ (5) $\frac{7}{15}x+\frac{4}{15}y$

04 (1) $7a-5b-8$ (2) $6x-2y$ (3) $9a-3b$ (4) $-x-7y$
(5) $-4a-b$ (6) $2x-y$ (7) $-x+5y$ (8) $10a-11b$

05 (1) ○ (2) × (3) ○ (4) × (5) ○

06 (1) $4x^2-x-1$ (2) $3a^2+4a$ (3) $-3a^2-4a+6$
(4) $7x^2-4x$ (5) $5x^2-4x-1$ (6) $5x^2+3$
(7) $8a^2+6a+1$ (8) $5a^2-2a+8$

07 (1) x^2-1 (2) $2a^2-3a+5$ (3) $6x^2-4$ (4) x^2-4x+1
(5) $-a^2+2a-1$ (6) $-2x^2-5x+7$ (7) $-x^2-3x+23$
(8) $2x^2-9x+1$

08 (1) $2x^2-3x-2$ (2) $4x^2-7x$ (3) $-7x^2+12x+4$
(4) $\frac{6}{5}x^2-\frac{11}{5}x+\frac{3}{2}$ (5) $\frac{1}{6}x^2-\frac{7}{12}x+\frac{3}{2}$

09 (1) $3x-5y+9$ (2) $-a-5b+6$ (3) $-5x^2+9x+3$
(4) $a^2-3a+12$ (5) $4x^2-4x+6$

01 (1) $(2x+y)+(3x-4y)=2x+y+3x-4y$
$=2x+3x+y-4y$
$=5x-3y$

(2) $(x-3y)+(2x+y)=x-3y+2x+y$
$=x+2x-3y+y$
$=3x-2y$

(3) $(5x-4y)+(-2x+y)=5x-4y-2x+y$
$=5x-2x-4y+y$
$=3x-3y$

(4) $3(a+5b)+(-2a-b)=3a+15b-2a-b$
$=3a-2a+15b-b$
$=a+14b$

(5) $(2x+y)+2(3x-y)=2x+y+6x-2y$
$=2x+6x+y-2y$
$=8x-y$

(6) $2(x+5y)+3(-x+2y)=2x+10y-3x+6y$
$=2x-3x+10y+6y$
$=-x+16y$

(7) $4(-2x+y-5)+(6x-8y+7)$
$=-8x+4y-20+6x-8y+7$
$=-8x+6x+4y-8y-20+7$
$=-2x-4y-13$

(8) $3(2a+b+3)+2(a-4b-1)$
$=6a+3b+9+2a-8b-2$
$=6a+2a+3b-8b+9-2$
$=8a-5b+7$

02 (1) $(6x+2y)-(3x-5y)=6x+2y-3x+5y$
$=6x-3x+2y+5y$
$=3x+7y$

(2) $(-2a+4b)-(a-5b)=-2a+4b-a+5b$
$=-2a-a+4b+5b$
$=-3a+9b$

(3) $(a-4b+5)-(-3a+b-1)=a-4b+5+3a-b+1$
$=a+3a-4b-b+5+1$
$=4a-5b+6$

(4) $-2(2x-3y)-3(3x+5y)=-4x+6y-9x-15y$
$=-4x-9x+6y-15y$
$=-13x-9y$

(5) $4(-x-3y+2)-(-6x+4y+1)$
$=-4x-12y+8+6x-4y-1$
$=-4x+6x-12y-4y+8-1$
$=2x-16y+7$

03 (1) $\frac{x}{2}+\frac{x-4y}{4}=\frac{2x+(x-4y)}{4}=\frac{2x+x-4y}{4}$
$=\frac{3}{4}x-y$

(2) $\frac{1}{2}(a+2b)-\frac{1}{4}(5a-b)=\frac{2(a+2b)-(5a-b)}{4}$
$=\frac{2a+4b-5a+b}{4}$
$=\frac{-3a+5b}{4}=-\frac{3}{4}a+\frac{5}{4}b$

(3) $\frac{x+2y}{3}+\frac{2x-y}{2}=\frac{2(x+2y)+3(2x-y)}{6}$
$=\frac{2x+4y+6x-3y}{6}$
$=\frac{8x+y}{6}=\frac{4}{3}x+\frac{1}{6}y$

(4) $\frac{4x-y}{4}-\frac{2x-3y}{5}=\frac{5(4x-y)-4(2x-3y)}{20}$

$=\dfrac{20x-5y-8x+12y}{20}$

$=\dfrac{12x+7y}{20}=\dfrac{3}{5}x+\dfrac{7}{20}y$

(5) $\dfrac{1}{3}(2x-y)+\dfrac{1}{5}(-x+3y)=\dfrac{5(2x-y)+3(-x+3y)}{15}$

$=\dfrac{10x-5y-3x+9y}{15}$

$=\dfrac{7x+4y}{15}=\dfrac{7}{15}x+\dfrac{4}{15}y$

04 (1) $a-\{8-(6a-5b)\}=a-(8-6a+5b)$

$=a-8+6a-5b$

$=7a-5b-8$

(2) $2x-\{3y-(4x+y)\}=2x-(3y-4x-y)$

$=2x-(-4x+2y)$

$=2x+4x-2y=6x-2y$

(3) $12a-\{7a-(4a-3b)\}=12a-(7a-4a+3b)$

$=12a-(3a+3b)$

$=12a-3a-3b=9a-3b$

(4) $2x-5y-\{4x-(x-2y)\}=2x-5y-(4x-x+2y)$

$=2x-5y-(3x+2y)$

$=2x-5y-3x-2y$

$=-x-7y$

(5) $4a-2b-\{9a-2b-(a-b)\}$

$=4a-2b-(9a-2b-a+b)$

$=4a-2b-(8a-b)$

$=4a-2b-8a+b$

$=-4a-b$

(6) $-x-[3y-\{5x-y-(2x-3y)\}]$

$=-x-\{3y-(5x-y-2x+3y)\}$

$=-x-\{3y-(3x+2y)\}$

$=-x-(3y-3x-2y)$

$=-x-(-3x+y)$

$=-x+3x-y$

$=2x-y$

(7) $6x-[-x-y-\{3y-(8x-y)\}]$

$=6x-\{-x-y-(3y-8x+y)\}$

$=6x-\{-x-y-(-8x+4y)\}$

$=6x-(-x-y+8x-4y)$

$=6x-(7x-5y)$

$=6x-7x+5y$

$=-x+5y$

(8) $2a-3b+[7a-2b-\{a-(2a-6b)\}]$

$=2a-3b+\{7a-2b-(a-2a+6b)\}$

$=2a-3b+\{7a-2b-(-a+6b)\}$

$=2a-3b+(7a-2b+a-6b)$

$=2a-3b+(8a-8b)$

$=2a-3b+8a-8b$

$=10a-11b$

06 (1) $(x^2-1)+(3x^2-x)=x^2-1+3x^2-x$

$=4x^2-x-1$

(2) $(2a^2-a)+(a^2+5a)=2a^2-a+a^2+5a$

$=3a^2+4a$

(3) $(-a^2-4a)+(-2a^2+6)=-a^2-4a-2a^2+6$

$=-3a^2-4a+6$

(4) $(4x^2+x)+(3x^2-5x)=4x^2+x+3x^2-5x$

$=7x^2-4x$

(5) $(x^2-3x-2)+(4x^2-x+1)$

$=x^2-3x-2+4x^2-x+1$

$=5x^2-4x-1$

(6) $(3x^2-2x-7)+2(x^2+x+5)$

$=3x^2-2x-7+2x^2+2x+10$

$=5x^2+3$

(7) $2(a^2-3a+5)+3(2a^2+4a-3)$

$=2a^2-6a+10+6a^2+12a-9$

$=8a^2+6a+1$

(8) $4(2a^2+a-1)+3(-a^2-2a+4)$

$=8a^2+4a-4-3a^2-6a+12$

$=5a^2-2a+8$

07 (1) $(x^2-x)-(-x+1)=x^2-x+x-1$

$=x^2-1$

(2) $(4a^2-3a)-(2a^2-5)=4a^2-3a-2a^2+5$

$=2a^2-3a+5$

(3) $(5x^2+2)-(-x^2+6)=5x^2+2+x^2-6$

$=6x^2-4$

(4) $(2x^2-x-1)-(x^2+3x-2)$

$=2x^2-x-1-x^2-3x+2$

$=x^2-4x+1$

(5) $(2a^2-3a)-(3a^2-5a+1)$

$=2a^2-3a-3a^2+5a-1$

$=-a^2+2a-1$

(6) $2(x^2-x+3)-(4x^2+3x-1)$

$=2x^2-2x+6-4x^2-3x+1$

$=-2x^2-5x+7$

(7) $2(4x^2+4)-3(3x^2+x-5)$

$=8x^2+8-9x^2-3x+15$

$=-x^2-3x+23$

(8) $3(2x^2+x-5)-4(x^2+3x-4)$

$=6x^2+3x-15-4x^2-12x+16$

$=2x^2-9x+1$

08 (1) $x^2-3x+\{4-(-x^2+6)\}$
$=x^2-3x+(4+x^2-6)$
$=x^2-3x+(x^2-2)$
$=x^2-3x+x^2-2$
$=2x^2-3x-2$

(2) $3x^2-[x-\{6(-x^2-x)+7x^2\}]$
$=3x^2-\{x-(-6x^2-6x+7x^2)\}$
$=3x^2-\{x-(x^2-6x)\}$
$=3x^2-(x-x^2+6x)$
$=3x^2-(-x^2+7x)$
$=3x^2+x^2-7x$
$=4x^2-7x$

(3) $7x-[2x^2-1-\{x+3-(5x^2-4x)\}]$
$=7x-\{2x^2-1-(x+3-5x^2+4x)\}$
$=7x-\{2x^2-1-(-5x^2+5x+3)\}$
$=7x-(2x^2-1+5x^2-5x-3)$
$=7x-(7x^2-5x-4)$
$=7x-7x^2+5x+4$
$=-7x^2+12x+4$

(4) $\frac{x^2-x}{5}+\frac{2x^2-4x+3}{2}$
$=\frac{2(x^2-x)+5(2x^2-4x+3)}{10}$
$=\frac{2x^2-2x+10x^2-20x+15}{10}$
$=\frac{12x^2-22x+15}{10}$
$=\frac{6}{5}x^2-\frac{11}{5}x+\frac{3}{2}$

(5) $\frac{2x^2-x-2}{4}-\frac{x^2+x-6}{3}$
$=\frac{3(2x^2-x-2)-4(x^2+x-6)}{12}$
$=\frac{6x^2-3x-6-4x^2-4x+24}{12}$
$=\frac{2x^2-7x+18}{12}$
$=\frac{1}{6}x^2-\frac{7}{12}x+\frac{3}{2}$

09 (1) $(x-8)+\square=4x-5y+1$
$\therefore \square=(4x-5y+1)-(x-8)$
$=4x-5y+1-x+8$
$=3x-5y+9$

(2) $(2a-b+5)-\square=3a+4b-1$
$\therefore \square=(2a-b+5)-(3a+4b-1)$
$=2a-b+5-3a-4b+1$
$=-a-5b+6$

(3) $(-x^2+4x+3)-\square=4x^2-5x$
$\therefore \square=(-x^2+4x+3)-(4x^2-5x)$
$=-x^2+4x+3-4x^2+5x$
$=-5x^2+9x+3$

(4) $\square+(a^2-5)=2a^2-3a+7$
$\therefore \square=(2a^2-3a+7)-(a^2-5)$
$=2a^2-3a+7-a^2+5$
$=a^2-3a+12$

(5) $\square-(x^2-4x+7)=3x^2-1$
$\therefore \square=(3x^2-1)+(x^2-4x+7)$
$=3x^2-1+x^2-4x+7$
$=4x^2-4x+6$

힘수 만점 37쪽

01 ① **02** ① **03** ⑤ **04** $3a^2+4a-6$ **05** ④

01 $\left(\frac{1}{2}x-\frac{1}{3}y\right)-\left(\frac{2}{3}x-\frac{1}{4}y\right)=\frac{1}{2}x-\frac{1}{3}y-\frac{2}{3}x+\frac{1}{4}y$
$=\frac{1}{2}x-\frac{2}{3}x-\frac{1}{3}y+\frac{1}{4}y$
$=-\frac{1}{6}x-\frac{1}{12}y$

따라서 $a=-\frac{1}{6}$, $b=-\frac{1}{12}$이므로
$a+b=-\frac{1}{6}+\left(-\frac{1}{12}\right)=-\frac{1}{4}$

02 $x-[2y-x-\{3y-2(x+4y)\}-5]$
$=x-\{2y-x-(3y-2x-8y)-5\}$
$=x-\{2y-x-(-2x-5y)-5\}$
$=x-(2y-x+2x+5y-5)$
$=x-(x+7y-5)$
$=x-x-7y+5$
$=-7y+5$

03 $(x^2-4x+8)-(-3x^2-x+2)$
$=x^2-4x+8+3x^2+x-2$
$=4x^2-3x+6$
따라서 x^2의 계수는 4, 상수항은 6이므로 합은 10이다.

04 $2a^2-7a+5+\square=5a^2-3a-1$에서
$\square=(5a^2-3a-1)-(2a^2-7a+5)$
$=5a^2-3a-1-2a^2+7a-5$
$=3a^2+4a-6$

05 어떤 식을 A라 하면
$A-(3x^2-4x+1)=7x^2+x-3$
$\therefore A=(7x^2+x-3)+(3x^2-4x+1)$
$=7x^2+x-3+3x^2-4x+1$
$=10x^2-3x-2$

따라서 바르게 계산한 식은

$(10x^2-3x-2)+(3x^2-4x+1)$

$=10x^2-3x-2+3x^2-4x+1$

$=13x^2-7x-1$

10강+ 단항식과 다항식의 곱셈과 나눗셈 38~40쪽

01 (1) x^2+3xy (2) $2a^2-4ab$ (3) $-3x^2-15x$
(4) $5y^2-10y$ (5) $-8a^2+12ab$ (6) $6x^2-2xy$
(7) $-2x^2-3xy$ (8) $2a^2-5ab-3a$

02 (1) $3x+7$ (2) $3a-b^2$ (3) $-6y+2$ (4) $8x^2y^3-4xy+x^3$

03 (1) $9b-\frac{3b}{a}$ (2) $3x+\frac{3}{2}y$ (3) $10-6a^2b^2$
(4) $12xy-9x+6y$

04 (1) $-x^2+x$ (2) $7a^2-a$ (3) $-2x^2+4xy-4y^2$
(4) $2x^2+xy-3x-4y$

05 (1) b^2+4a+5 (2) $12y^2+2y+9$
(3) $4xy+2y-1$ (4) $2a+2b+10$

06 (1) $x^2+4xy-3y$ (2) $4x^2+11xy$
(3) $-2a$ (4) $10x^2-5xy$

07 (1) 1 (2) -8 (3) -4 (4) 5

08 (1) -20 (2) -216 (3) -9 (4) 25

09 (1) $y-1$ (2) $7y-4$ (3) $3y+6$ (4) $4y+1$

10 (1) $-2a-3b$ (2) $9a+10b$ (3) $a+5b$ (4) $28a+14b$

01 (1) $x(x+3y)=x\times x+x\times 3y=x^2+3xy$

(2) $2a(a-2b)=2a\times a+2a\times(-2b)=2a^2-4ab$

(3) $3x(-x-5)=3x\times(-x)+3x\times(-5)=-3x^2-15x$

(4) $(y-2)\times 5y=y\times 5y-2\times 5y=5y^2-10y$

(5) $-4a(2a-3b)=-4a\times 2a-4a\times(-3b)$
$=-8a^2+12ab$

(6) $\left(x-\frac{1}{3}y\right)\times 6x=x\times 6x-\frac{1}{3}y\times 6x=6x^2-2xy$

(7) $(10x+15y)\times\left(-\frac{1}{5}x\right)$
$=10x\times\left(-\frac{1}{5}x\right)+15y\times\left(-\frac{1}{5}x\right)$
$=-2x^2-3xy$

(8) $\frac{1}{3}a(6a-15b-9)$
$=\frac{1}{3}a\times 6a+\frac{1}{3}a\times(-15b)+\frac{1}{3}a\times(-9)$
$=2a^2-5ab-3a$

02 (1) $(6xy+14y)\div 2y=\frac{6xy+14y}{2y}=\frac{6xy}{2y}+\frac{14y}{2y}$
$=3x+7$

(2) $(15ab-5b^3)\div 5b=\frac{15ab-5b^3}{5b}=\frac{15ab}{5b}-\frac{5b^3}{5b}$
$=3a-b^2$

(3) $(18xy-6x)\div(-3x)=\frac{18xy-6x}{-3x}=\frac{18xy}{-3x}-\frac{6x}{-3x}$
$=-6y+2$

(4) $(-16x^4y^5+8x^3y^3-2x^5y^2)\div(-2x^2y^2)$
$=\frac{-16x^4y^5+8x^3y^3-2x^5y^2}{-2x^2y^2}$
$=\frac{-16x^4y^5}{-2x^2y^2}+\frac{8x^3y^3}{-2x^2y^2}-\frac{2x^5y^2}{-2x^2y^2}$
$=8x^2y^3-4xy+x^3$

03 (1) $(3ab-b)\div\frac{a}{3}=(3ab-b)\times\frac{3}{a}$
$=3ab\times\frac{3}{a}-b\times\frac{3}{a}$
$=9b-\frac{3b}{a}$

(2) $(2x^2+xy)\div\frac{2}{3}x=(2x^2+xy)\times\frac{3}{2x}$
$=2x^2\times\frac{3}{2x}+xy\times\frac{3}{2x}$
$=3x+\frac{3}{2}y$

(3) $(5ab^2-3a^3b^4)\div\frac{1}{2}ab^2=(5ab^2-3a^3b^4)\times\frac{2}{ab^2}$
$=5ab^2\times\frac{2}{ab^2}-3a^3b^4\times\frac{2}{ab^2}$
$=10-6a^2b^2$

(4) $(16x^2y^2-12x^2y+8xy^2)\div\frac{4}{3}xy$
$=(16x^2y^2-12x^2y+8xy^2)\times\frac{3}{4xy}$
$=16x^2y^2\times\frac{3}{4xy}-12x^2y\times\frac{3}{4xy}+8xy^2\times\frac{3}{4xy}$
$=12xy-9x+6y$

04 (1) $5x^2-x-2x(3x-1)=5x^2-x-6x^2+2x$
$=-x^2+x$

(2) $3a(-a+1)+2a(5a-2)=-3a^2+3a+10a^2-4a$
$=7a^2-a$

(3) $2x(-x+y)-(2x-4y)\times(-y)$
$=-2x^2+2xy+2xy-4y^2$
$=-2x^2+4xy-4y^2$

(4) $\frac{1}{4}x(8x-4y-12)+2y(x-2)$
$=2x^2-xy-3x+2xy-4y$
$=2x^2+xy-3x-4y$

05 (1) $(2ab+3b)\div\frac{b}{2}+b^2-1$
$=(2ab+3b)\times\frac{2}{b}+b^2-1$

$=4a+6+b^2-1$

$=b^2+4a+5$

(2) $(27y^4+9y^2)\div\left(-\frac{3}{2}y\right)^2+2y+5$

$=(27y^4+9y^2)\times\frac{4}{9y^2}+2y+5$

$=12y^2+4+2y+5$

$=12y^2+2y+9$

(3) $(4xy+8x)\div 2x+(12xy^2-15y)\div 3y$

$=(4xy+8x)\times\frac{1}{2x}+(12xy^2-15y)\times\frac{1}{3y}$

$=2y+4+4xy-5$

$=4xy+2y-1$

(4) $(a^2+3a)\div\frac{a}{2}-(ab+2a)\div\left(-\frac{a}{2}\right)$

$=(a^2+3a)\times\frac{2}{a}-(ab+2a)\times\left(-\frac{2}{a}\right)$

$=2a+6+2b+4$

$=2a+2b+10$

06 (1) $x(x+3y)+(x^2y^2-3xy^2)\div xy$

$=x^2+3xy+\frac{x^2y^2-3xy^2}{xy}$

$=x^2+3xy+xy-3y$

$=x^2+4xy-3y$

(2) $(24x^2y+4xy^2)\div 4y-2x(x-5y)$

$=\frac{24x^2y+4xy^2}{4y}-2x^2+10xy$

$=6x^2+xy-2x^2+10xy$

$=4x^2+11xy$

(3) $(a^2+6a^2b)\div\frac{a}{2}-4a(3b+1)$

$=(a^2+6a^2b)\times\frac{2}{a}-12ab-4a$

$=2a+12ab-12ab-4a$

$=-2a$

(4) $(16x^3y-12x^2y^2)\div\frac{4}{3}xy+(x-2y)\times(-2x)$

$=(16x^3y-12x^2y^2)\times\frac{3}{4xy}-2x^2+4xy$

$=12x^2-9xy-2x^2+4xy$

$=10x^2-5xy$

07 (1) $3x-5=3\times2-5=6-5=1$

(2) $-5x+2=-5\times2+2=-10+2=-8$

(3) $-2x^2+3x-2=-2\times2^2+3\times2-2$

$=-8+6-2=-4$

(4) $3x^2-4x+1=3\times2^2-4\times2+1$

$=12-8+1=5$

08 (1) $3a-2(a+3b)=3a-2a-6b=a-6b$

$=(-2)-6\times3=-2-18$

$=-20$

(2) $\left(\frac{ab}{2}\right)^2\times4ab=\frac{a^2b^2}{4}\times4ab=a^3b^3$

$=(-2)^3\times3^3=-8\times27=-216$

(3) $\frac{3a^2b-ab^2}{ab}=3a-b=3\times(-2)-3=-9$

(4) $\frac{2a^2+4ab}{a}-\frac{12ab-9b^2}{3b}=2a+4b-4a+3b$

$=-2a+7b$

$=-2\times(-2)+7\times3$

$=4+21=25$

09 (1) $x-2y=(3y-1)-2y=y-1$

(2) $4x-5y=4(3y-1)-5y=12y-4-5y=7y-4$

(3) $-x+6y+5=-(3y-1)+6y+5$

$=-3y+1+6y+5=3y+6$

(4) $2x-2y+3=2(3y-1)-2y+3$

$=6y-2-2y+3=4y+1$

10 (1) $A-B=(a-2b)-(3a+b)$

$=a-2b-3a-b=-2a-3b$

(2) $-3A+4B=-3(a-2b)+4(3a+b)$

$=-3a+6b+12a+4b=9a+10b$

(3) $2A-(4A-B)=2A-4A+B=-2A+B$

$=-2(a-2b)+(3a+b)$

$=-2a+4b+3a+b=a+5b$

(4) $A-2B-3(A-4B)=A-2B-3A+12B$

$=-2A+10B$

$=-2(a-2b)+10(3a+b)$

$=-2a+4b+30a+10b$

$=28a+14b$

힘수 만점 41쪽

01 -12 **02** ⑤ **03** ① **04** ① **05** ③

01 $-2x(2x+y)+\frac{1}{2}x(8y-4x)$

$=-4x^2-2xy+4xy-2x^2$

$=-6x^2+2xy$

따라서 각 항의 계수의 곱은 $-6\times2=-12$이다.

02 $(9ab-6a^2b-3ab^2)\div(-3ab)$

$=\frac{9ab-6a^2b-3ab^2}{-3ab}$

$=-3+2a+b$

03 $(x^3y^2-4x^2y^2)\div xy-(x-3)\times 2y$
$=\frac{x^3y^2-4x^2y^2}{xy}-2xy+6y$
$=x^2y-4xy-2xy+6y$
$=x^2y-6xy+6y$
따라서 xy의 계수는 -6이다.

04 $xy(x-y)-y(2xy+y^2)$
$=x^2y-xy^2-2xy^2-y^3$
$=x^2y-3xy^2-y^3$
$=2^2\times(-3)-3\times2\times(-3)^2-(-3)^3$
$=-12-54+27=-39$

05 $-4A+2B-(B-3A)=-4A+2B-B+3A$
$=-A+B$
$=-(2x-y)+(-x+3y)$
$=-2x+y-x+3y$
$=-3x+4y$

11강 중단원 연산 마무리 42~44쪽

01 (1) a^5b^{14} (2) x^{30} (3) x^{18} (4) $a^{40}b^{23}$
02 (1) 3 (2) 5 (3) 9 (4) 5
03 (1) y^2 (2) x^5 (3) $\frac{x^6}{y^8}$ (4) $\frac{9a^4}{b^6}$ **04** (1) 3 (2) 4 (3) 2 (4) 3
05 (1) $6x^5y^4$ (2) $-x^8y^7$ (3) $-8x^{12}y^{12}$ (4) $-36x^{10}y^{13}$
06 (1) $5x^3y^4$ (2) $10xy$ (3) $\frac{8}{3}a^4b$ (4) $72a^2b$
07 (1) $9x^4y$ (2) $12x^2y^5$ (3) $-\frac{a^9b^3}{3}$ (4) $-\frac{150x^2}{y^3}$
08 (1) $6a^4b^4$ (2) $-\frac{4}{5}x^8y^4$
09 (1) $3x+5y$ (2) $10a-13b-10$ (3) $4a-6b+10$
(4) $-22x+5y$ (5) $\frac{13}{12}x+\frac{5}{12}y$ (6) $\frac{4}{15}x+\frac{17}{15}y$
10 (1) $2a+8b$ (2) $a-b$ (3) $8x+8y$ (4) $13a-6b$
11 (1) $5a^2+a$ (2) $8a^2-4a-3$ (3) $8x^2-3$ (4) $5x^2-17x$
(5) $-\frac{5}{12}x^2-\frac{7}{12}x+\frac{11}{12}$
12 (1) $-a^2-4a+9$ (2) $-7x^2+7x+1$
13 (1) $-5xy-6y^2$ (2) $-8y+3$ (3) $6xy^3+5xy-1$
(4) $8a^2b^2-6$ (5) $9xy-6x-3y$
14 (1) $7x^2-3xy-4x$ (2) $3b^2+2a-8$ (3) $-20ab^2-2a$
(4) $4xy^2-7xy+6x$ **15** (1) 51 (2) 16
16 ③ **17** ③ **18** ⑤ **19** ①

01 (1) $a^2\times b^6\times a^3\times b^8=a^2\times a^3\times b^6\times b^8$
$=a^{2+3}\times b^{6+8}=a^5b^{14}$
(2) $\{(x^3)^2\}^5=x^{3\times2\times5}=x^{30}$
(3) $x^4\times(x^4)^2\times(x^2)^3=x^4\times x^8\times x^6=x^{18}$
(4) $\{(a^3)^4\}^3\times b^5\times(a^2)^2\times\{(b^3)^2\}^3$
$=a^{3\times4\times3}\times b^5\times a^{2\times2}\times b^{3\times2\times3}$
$=a^{36}\times b^5\times a^4\times b^{18}=a^{40}b^{23}$

02 (1) $a^{6+\square+2}=a^{11}$에서
$6+\square+2=11$ $\therefore \square=3$
(2) $a^{\square+3}b^6=a^8b^6$에서
$\square+3=8$ $\therefore \square=5$
(3) $x^{\square\times2}=x^{18}$에서
$\square\times2=18$ $\therefore \square=9$
(4) $b^{1+\square\times3}=b^{16}$에서
$1+\square\times3=16$ $\therefore \square=5$

03 (1) $y^5\div y^2\div y=y^{5-2}\div y=y^3\div y=y^{3-1}=y^2$
(2) $(x^4)^3\div x\div(x^3)^2=x^{12}\div x\div x^6=x^{12-1}\div x^6$
$=x^{11}\div x^6=x^{11-6}=x^5$
(3) $\left(\frac{x^3}{y^4}\right)^2=\frac{x^{3\times2}}{y^{4\times2}}=\frac{x^6}{y^8}$
(4) $\left(-\frac{3a^2}{b^3}\right)^2=(-3)^2\times\frac{a^{2\times2}}{b^{3\times2}}=\frac{9a^4}{b^6}$

04 (1) $b^{12-\square\times2}=b^6$에서 $12-\square\times2=6$
$\therefore \square=3$
(2) $\frac{1}{x^{10-\square\times2}}=\frac{1}{x^2}$에서 $10-\square\times2=2$
$\therefore \square=4$
(3) $(-1)^3x^{\square\times3}y^{6\times3}=-x^6y^{18}$에서 $\square\times3=6$
$\therefore \square=2$
(4) $\frac{a^{\square\times5}}{b^{4\times5}}=\frac{a^{15}}{b^{20}}$에서 $\square\times5=15$
$\therefore \square=3$

05 (1) $(-3x^3y)\times(-2x^2y^3)=6x^5y^4$
(2) $(-x^2y)^3\times(-xy^2)^2=(-x^6y^3)\times x^2y^4=-x^8y^7$
(3) $x^2y\times(-2x^2y)^3\times(-xy^2)^4=x^2y\times(-8x^6y^3)\times x^4y^8$
$=-8x^{12}y^{12}$
(4) $(-2xy^3)^2\times(-x^2y)^3\times(3xy^2)^2$
$=4x^2y^6\times(-x^6y^3)\times9x^2y^4=-36x^{10}y^{13}$

06 (1) $20x^5y^6\div(-2xy)^2=20x^5y^6\div4x^2y^2$
$=\frac{20x^5y^6}{4x^2y^2}=5x^3y^4$
(2) $(-25x^3y^5)\div\left(-\frac{5}{2}x^2y^4\right)=(-25x^3y^5)\times\left(-\frac{2}{5x^2y^4}\right)$
$=10xy$

(3) $\left(\frac{2}{3}a^2b\right)^3\div\left(-\frac{1}{3}ab\right)^2=\frac{8}{27}a^6b^3\div\frac{1}{9}a^2b^2$

$=\frac{8}{27}a^6b^3\times\frac{9}{a^2b^2}=\frac{8}{3}a^4b$

(4) $(4a^3b)^2\div\left(-\frac{1}{3}a\right)^2\div2a^2b=16a^6b^2\div\frac{1}{9}a^2\div2a^2b$

$=16a^6b^2\times\frac{9}{a^2}\times\frac{1}{2a^2b}$

$=72a^2b$

07 (1) $12x^5y^2\div4x^2y\times3x=12x^5y^2\times\frac{1}{4x^2y}\times3x$

$=9x^4y$

(2) $6xy\div\frac{1}{2}x^3\times x^4y^4=6xy\times\frac{2}{x^3}\times x^4y^4$

$=12x^2y^5$

(3) $\frac{1}{6}ab\times(-a^3b^2)^5\div\frac{1}{2}a^7b^8=\frac{1}{6}ab\times(-a^{15}b^{10})\times\frac{2}{a^7b^8}$

$=-\frac{a^9b^3}{3}$

(4) $\left(-\frac{5}{3}x^2\right)^2\div\left(\frac{1}{3}xy^2\right)^3\times(-2xy^3)$

$=\frac{25}{9}x^4\div\frac{1}{27}x^3y^6\times(-2xy^3)$

$=\frac{25}{9}x^4\times\frac{27}{x^3y^6}\times(-2xy^3)$

$=-\frac{150x^2}{y^3}$

08 (1) $(-a^2b)^2\times\square\div6a^7b^4=ab^2$에서

$a^4b^2\times\square\times\frac{1}{6a^7b^4}=ab^2$

$\square\times\frac{1}{6a^3b^2}=ab^2$

$\therefore\ \square=ab^2\times6a^3b^2=6a^4b^4$

(2) $(x^3y)^2\div\square\times(-2xy^2)^3=10xy^4$

$x^6y^2\times\frac{1}{\square}\times(-8x^3y^6)=10xy^4$

$\frac{1}{\square}\times(-8x^9y^8)=10xy^4$

$\therefore\ \square=\frac{-8x^9y^8}{10xy^4}=-\frac{4}{5}x^8y^4$

09 (1) $(5x+8y)+(-2x-3y)$

$=5x+8y-2x-3y$

$=5x-2x+8y-3y$

$=3x+5y$

(2) $3(2a+b-2)+4(a-4b-1)$

$=6a+3b-6+4a-16b-4$

$=6a+4a+3b-16b-6-4$

$=10a-13b-10$

(3) $(a-5b+8)-(-3a+b-2)$

$=a-5b+8+3a-b+2$

$=a+3a-5b-b+8+2$

$=4a-6b+10$

(4) $-3(4x-3y)-2(5x+2y)$

$=-12x+9y-10x-4y$

$=-12x-10x+9y-4y$

$=-22x+5y$

(5) $\frac{x+2y}{3}+\frac{3x-y}{4}=\frac{4(x+2y)+3(3x-y)}{12}$

$=\frac{4x+8y+9x-3y}{12}$

$=\frac{13x+5y}{12}$

$=\frac{13}{12}x+\frac{5}{12}y$

(6) $\frac{1}{5}(3x-y)+\frac{1}{3}(-x+4y)=\frac{3(3x-y)+5(-x+4y)}{15}$

$=\frac{9x-3y-5x+20y}{15}$

$=\frac{4x+17y}{15}$

$=\frac{4}{15}x+\frac{17}{15}y$

10 (1) $10b-\{3a-(5a-2b)\}$

$=10b-(3a-5a+2b)$

$=10b-(-2a+2b)$

$=10b+2a-2b$

$=2a+8b$

(2) $6a-2b-\{8a-2b-(3a-b)\}$

$=6a-2b-(8a-2b-3a+b)$

$=6a-2b-(5a-b)$

$=6a-2b-5a+b$

$=a-b$

(3) $7x-[-2x-y-\{4y-(x-3y)\}]$

$=7x-\{-2x-y-(4y-x+3y)\}$

$=7x-\{-2x-y-(7y-x)\}$

$=7x-(-2x-y-7y+x)$

$=7x-(-x-8y)$

$=7x+x+8y$

$=8x+8y$

(4) $5a-2b+[6a-2b-\{a-(3a-2b)\}]$

$=5a-2b+\{6a-2b-(a-3a+2b)\}$

$=5a-2b+\{6a-2b-(-2a+2b)\}$

$=5a-2b+(6a-2b+2a-2b)$

$=5a-2b+(8a-4b)$

$=5a-2b+8a-4b$

$=13a-6b$

11 (1) $(4a^2-2a)+(a^2+3a)=4a^2-2a+a^2+3a$

$=5a^2+a$

(2) $2(a^2-5a+3)+3(2a^2+2a-3)$
$=2a^2-10a+6+6a^2+6a-9$
$=8a^2-4a-3$

(3) $(7x^2+3)-(-x^2+6)$
$=7x^2+3+x^2-6$
$=8x^2-3$

(4) $4x^2-[2x-\{5(-x^2-3x)+6x^2\}]$
$=4x^2-\{2x-(-5x^2-15x+6x^2)\}$
$=4x^2-\{2x-(x^2-15x)\}$
$=4x^2-(2x-x^2+15x)$
$=4x^2-(-x^2+17x)$
$=4x^2+x^2-17x$
$=5x^2-17x$

(5) $\frac{x^2-x-3}{4}-\frac{2x^2+x-5}{3}$
$=\frac{3(x^2-x-3)-4(2x^2+x-5)}{12}$
$=\frac{3x^2-3x-9-8x^2-4x+20}{12}$
$=\frac{-5x^2-7x+11}{12}$
$=-\frac{5}{12}x^2-\frac{7}{12}x+\frac{11}{12}$

12 (1) $\square+(3a^2-2)=2a^2-4a+7$에서
$\square=(2a^2-4a+7)-(3a^2-2)$
$=2a^2-4a+7-3a^2+2$
$=-a^2-4a+9$

(2) $(-3x^2+5x+1)-\square=4x^2-2x$에서
$\square=(-3x^2+5x+1)-(4x^2-2x)$
$=-3x^2+5x+1-4x^2+2x$
$=-7x^2+7x+1$

13 (1) $(10x+12y)\times\left(-\frac{1}{2}y\right)$
$=10x\times\left(-\frac{1}{2}y\right)+12y\times\left(-\frac{1}{2}y\right)$
$=-5xy-6y^2$

(2) $(24xy-9x)\div(-3x)=\frac{24xy-9x}{-3x}$
$=\frac{24xy}{-3x}-\frac{9x}{-3x}$
$=-8y+3$

(3) $(-12x^3y^5-10x^3y^3+2x^2y^2)\div(-2x^2y^2)$
$=\frac{-12x^3y^5-10x^3y^3+2x^2y^2}{-2x^2y^2}$
$=\frac{-12x^3y^5}{-2x^2y^2}-\frac{10x^3y^3}{-2x^2y^2}+\frac{2x^2y^2}{-2x^2y^2}$
$=6xy^3+5xy-1$

(4) $(4a^3b^4-3ab^2)\div\frac{1}{2}ab^2=(4a^3b^4-3ab^2)\times\frac{2}{ab^2}$
$=4a^3b^4\times\frac{2}{ab^2}-3ab^2\times\frac{2}{ab^2}$
$=8a^2b^2-6$

(5) $(12x^2y^2-8x^2y-4xy^2)\div\frac{4}{3}xy$
$=(12x^2y^2-8x^2y-4xy^2)\times\frac{3}{4xy}$
$=12x^2y^2\times\frac{3}{4xy}-8x^2y\times\frac{3}{4xy}-4xy^2\times\frac{3}{4xy}$
$=9xy-6x-3y$

14 (1) $\frac{x}{3}(9x-3y-12)+2x(2x-y)$
$=3x^2-xy-4x+4x^2-2xy$
$=7x^2-3xy-4x$

(2) $(a^2-a)\div\frac{a}{2}-(ab^2-2a)\div\left(-\frac{a}{3}\right)$
$=(a^2-a)\times\frac{2}{a}-(ab^2-2a)\times\left(-\frac{3}{a}\right)$
$=2a-2+3b^2-6$
$=3b^2+2a-8$

(3) $(a^2-6a^2b^2)\div\frac{a}{2}-4a(2b^2+1)$
$=(a^2-6a^2b^2)\times\frac{2}{a}-4a(2b^2+1)$
$=2a-12ab^2-8ab^2-4a$
$=-20ab^2-2a$

(4) $(8x^2y-4x^2y^2)\div\frac{4}{3}xy+(2x-2xy)\times(-2y)$
$=(8x^2y-4x^2y^2)\times\frac{3}{4xy}+(2x-2xy)\times(-2y)$
$=6x-3xy-4xy+4xy^2$
$=4xy^2-7xy+6x$

15 (1) $(12a^3b-ab^2)\div ab=\frac{12a^3b-ab^2}{ab}=12a^2-b$
$=12\times2^2-(-3)$
$=48+3=51$

(2) $(ab-2a^2)\div\left(-\frac{1}{5}a\right)-(15ab-9b^2)\div3b$
$=(ab-2a^2)\times\left(-\frac{5}{a}\right)-\frac{15ab-9b^2}{3b}$
$=-5b+10a-5a+3b$
$=5a-2b$
$=5\times2-2\times(-3)$
$=16$

16 ① $\frac{1}{a^{\square-5}}=\frac{1}{a^2}$에서
$\square-5=2$　　$\therefore\ \square=7$
② $x^{\square}\div x^3=1$에서 $\square=3$

③ $b^{\square-4}=b^4$에서

$\square-4=4 \quad \therefore \square=8$

④ $\dfrac{a^{21}}{b^{\square\times3}}=\dfrac{a^{21}}{b^{15}}$에서

$\square\times3=15 \quad \therefore \square=5$

⑤ $(-1)^{\square}\times\dfrac{x^{3\times\square}}{y^{4\times\square}}=\dfrac{x^{18}}{y^{24}}$에서

$3\times\square=18 \quad \therefore \square=6$

따라서 $\square$ 안에 들어갈 수가 가장 큰 것은 ③이다.

17 $(-3x^3y)^A\div2x^By\times4x^7y^2$

$=(-3)^Ax^{3A}y^A\times\dfrac{1}{2x^By}\times4x^7y^2$

$=(-3)^A\times\dfrac{1}{2}\times4\times\dfrac{x^{3A}y^A\times x^7y^2}{x^By}$

$=(-3)^A\times2\times x^{3A+7-B}y^{A+2-1}$

$=Cx^2y^3$

$A+2-1=3$이므로 $A=2$

$3A+7-B=2$이므로 $B=11$

$(-3)^A\times2=C$이므로 $C=18$

$\therefore A+B+C=2+11+18=31$

18 어떤 식을 A라 하면

$A-(4x^2+3x+2)=6x^2-2x+5$

$\therefore A=(6x^2-2x+5)+(4x^2+3x+2)$

$=6x^2-2x+5+4x^2+3x+2$

$=10x^2+x+7$

따라서 바르게 계산한 식은

$(10x^2+x+7)+(4x^2+3x+2)$

$=10x^2+x+7+4x^2+3x+2$

$=14x^2+4x+9$

19 $2(A+3B)-(4A-B)=2A+6B-4A+B$

$=-2A+7B$

$=-2(4a+b)+7(3a-2b)$

$=-8a-2b+21a-14b$

$=13a-16b$

Ⅱ 부등식과 방정식

힘수 점검 47쪽

1. (1) $>$ (2) $<$ (3) $>$ (4) $>$

2. (1) $x>2$ (2) $x\le-1$ (3) $1<x\le4$ (4) $-2\le x<3$

3. (1) $500x$원 (2) $10a+b$ (3) $70x$ km

4. (1) × (2) × (3) ○ (4) ×

5. (1) $x=4$ (2) $x=-3$ (3) $x=-7$ (4) $x=5$

6. (1) $2(x-4)=x$, $x=8$ (2) $2(6+x)=20$, $x=4$

12강 부등식과 그 성질 48~49쪽

01 (1) × (2) ○ (3) × (4) ○ (5) ○

02 (1) $x>4$ (2) $x\le0$ (3) $x\le9$ (4) $x+7\ge10$ (5) $2x+9>7$ (6) $3x-1>20$

03 (1) × (2) × (3) ○ (4) ○

04 (1) -2 (2) -2, -1 (3) -2, -1, 0 (4) -2, -1, 0, 1

05 (1) $>$ (2) $>$ (3) $>$ (4) $<$

06 (1) $\le$ (2) $\le$ (3) $\ge$ (4) $\ge$

07 (1) $\le$ (2) $<$ (3) $\ge$ (4) $>$ (5) $>$

08 (1) $3x-1<5$ (2) $4x+2\ge6$ (3) $-2x+3>9$ (4) $-\dfrac{x}{3}-4\ge-2$ (5) $5-\dfrac{x}{2}<2$

03 (1) $x=2$를 주어진 부등식에 대입하면

$2-3>1$ (거짓)

(2) $x=-1$을 주어진 부등식에 대입하면

$-2\times(-1)-4=-2$, $-1+5=4$에서 $-2\ge4$ (거짓)

(3) $x=2$를 주어진 부등식에 대입하면

$6-3\times2=0$, $1+2\times2=5$에서 $0<5$ (참)

(4) $x=3$을 주어진 부등식에 대입하면

$2(3-3)=0$, $5\times3-8=7$에서 $0\le7$ (참)

04 (1) $x+2<1$의 x에 -2, -1, 0, 1, 2를 차례대로 대입하면

$x=-2$일 때, $-2+2<1$ (참)

$x=-1$일 때, $-1+2<1$ (거짓)

$x=0$일 때, $0+2<1$ (거짓)

$x=1$일 때, $1+2<1$ (거짓)

$x=2$일 때, $2+2<1$ (거짓)

따라서 주어진 부등식의 해는 -2이다.

(2) $2x+9\le7$의 x에 -2, -1, 0, 1, 2를 차례대로 대입하면

$x=-2$일 때, $2\times(-2)+9\le7$ (참)

$x=-1$일 때, $2\times(-1)+9\le7$ (참)

$x=0$일 때, $2\times0+9\le7$ (거짓)

$x=1$일 때, $2\times1+9\le7$ (거짓)

$x=2$일 때, $2\times2+9\le7$ (거짓)

따라서 주어진 부등식의 해는 -2, -1이다.

(3) $4-3x\ge2$의 x에 -2, -1, 0, 1, 2를 차례대로 대입하면

$x=-2$일 때, $4-3\times(-2)\ge2$ (참)

$x=-1$일 때, $4-3\times(-1)\ge2$ (참)

$x=0$일 때, $4-3\times0\ge2$ (참)

$x=1$일 때, $4-3\times1\ge2$ (거짓)

$x=2$일 때, $4-3\times2\ge2$ (거짓)

따라서 주어진 부등식의 해는 -2, -1, 0이다.

(4) $5-2x>4x-2$의 x에 -2, -1, 0, 1, 2를 차례대로 대입하면

$x=-2$일 때, $5-2\times(-2)=9$, $4\times(-2)-2=-10$에서 $9>-10$ (참)

$x=-1$일 때, $5-2\times(-1)=7$, $4\times(-1)-2=-6$에서 $7>-6$ (참)

$x=0$일 때, $5-2\times0=5$, $4\times0-2=-2$에서 $5>-2$ (참)

$x=1$일 때, $5-2\times1=3$, $4\times1-2=2$에서 $3>2$ (참)

$x=2$일 때, $5-2\times2=1$, $4\times2-2=6$에서 $1>6$ (거짓)

따라서 주어진 부등식의 해는 -2, -1, 0, 1이다.

06 (1) $a\le b$의 양변에서 -7을 빼면

$a-(-7)\le b-(-7)$

(2) $a\le b$의 양변에 2를 곱하면 $2a\le2b$

또 $2a\le2b$의 양변에서 9를 빼면 $2a-9\le2b-9$

(3) $a\le b$의 양변에 -3을 곱하면 $-3a\ge-3b$

또 $-3a\ge-3b$의 양변에 10을 더하면 $10-3a\ge10-3b$

(4) $a\le b$의 양변에 $-\frac{2}{3}$를 곱하면 $-\frac{2}{3}a\ge-\frac{2}{3}b$

또 $-\frac{2}{3}a\ge-\frac{2}{3}b$의 양변에서 5를 빼면

$-\frac{2}{3}a-5\ge-\frac{2}{3}b-5$

07 (1) $a+3\le b+3$의 양변에서 3을 빼면 $a\le b$

(2) $-a-2>-b-2$의 양변에 2를 더하면 $-a>-b$

또 $-a>-b$의 양변에 -1을 곱하면 $a<b$

(3) $4a-3\ge4b-3$의 양변에 3을 더하면 $4a\ge4b$

또 $4a\ge4b$의 양변을 4로 나누면 $a\ge b$

(4) $-\frac{a}{3}-1<-\frac{b}{3}-1$의 양변에 1을 더하면

$-\frac{a}{3}<-\frac{b}{3}$

또 $-\frac{a}{3}<-\frac{b}{3}$의 양변에 -3을 곱하면 $a>b$

(5) $\frac{a-5}{2}>\frac{b-5}{2}$의 양변에 2를 곱하면 $a-5>b-5$

또 $a-5>b-5$의 양변에 5를 더하면 $a>b$

08 (1) $x<2$의 양변에 3을 곱하면 $3x<6$

또 $3x<6$의 양변에서 1을 빼면 $3x-1<5$

(2) $x\ge1$의 양변에 4를 곱하면 $4x\ge4$

또 $4x\ge4$의 양변에 2를 더하면 $4x+2\ge6$

(3) $x<-3$의 양변에 -2를 곱하면 $-2x>6$

또 $-2x>6$의 양변에 3을 더하면 $-2x+3>9$

(4) $x\le-6$의 양변을 -3으로 나누면 $-\frac{x}{3}\ge2$

또 $-\frac{x}{3}\ge2$의 양변에서 4를 빼면 $-\frac{x}{3}-4\ge-2$

(5) $x>6$의 양변을 -2로 나누면 $-\frac{x}{2}<-3$

또 $-\frac{x}{2}<-3$의 양변에 5를 더하면 $5-\frac{x}{2}<2$

힘수 만점 50쪽

01 ②, ③ **02** ③ **03** ⑤ **04** ④, ⑤ **05** ②

01 ②, ③ 부등호가 없으므로 부등식이 아니다.

02 ③ $x-10\le12$

03 ① $x=2$를 주어진 부등식에 대입하면

$2+2>3$ (참)

② $x=1$을 주어진 부등식에 대입하면

$4\times1-3<5$ (참)

③ $x=-1$을 주어진 부등식에 대입하면

$1-2\times(-1)\le7$ (참)

④ $x=1$을 주어진 부등식에 대입하면

$1+4\ge-2\times1$ (참)

⑤ $x=3$을 주어진 부등식에 대입하면

$4-3\times3>2\times3-6$ (거짓)

04 $-3x+1\le7$의 x에 -5, -4, -3, -2, -1을 차례대로 대입해 보자.

① $x=-5$를 대입하면 $-3\times(-5)+1\le7$ (거짓)

② $x=-4$를 대입하면 $-3\times(-4)+1\le7$ (거짓)

③ $x=-3$을 대입하면 $-3\times(-3)+1\le7$ (거짓)

④ $x=-2$를 대입하면 $-3\times(-2)+1\le7$ (참)

⑤ $x=-1$을 대입하면 $-3\times(-1)+1\le7$ (참)

05 ② $a<b$의 양변에 -1을 곱하면 $-a>-b$

또 $-a>-b$의 양변에 2를 더하면 $2-a>2-b$

13강+ 일차부등식과 그 풀이 51~52쪽

01 (1) $x>3+2$ (2) $2x\le 7-3$ (3) $-2x<5-1$
(4) $4x-x\ge 9$ (5) $-2x\ge -4-6$ (6) $3x+x>13+1$
(7) $2x-4x<-9+3$ (8) $-3x+5x\le 10+4$
02 (1)○ (2)○ (3)○ (4)× (5)× (6)○ (7)× (8)○
03 (1) $x>7$ (2) $x\ge -5$ (3) $x\le 2$ (4) $x<-1$
(5) $x\ge 5$ (6) $x<1$
04 풀이 참조
05 (1) $x\le 3$, 풀이 참조 (2) $x>1$, 풀이 참조
(3) $x\le 1$, 풀이 참조 (4) $x<-4$, 풀이 참조
(5) $x<2$, 풀이 참조 (6) $x\ge 2$, 풀이 참조

02 (1) $x<2x+1$에서 $-x-1<0$
(2) $3x-1\ge 8$에서 $3x-9\ge 0$
(3) $5-x<7+x$에서 $-2x-2<0$
(4) $-2x-2>5-2x$에서 $-7>0$
(5) $10\le 8+5$에서 $-3\le 0$
(6) $x^2-6\ge x^2+2x$에서 $-2x-6\ge 0$
(7) $4x\le 4(x-2)$에서 $8\le 0$
(8) $x^2+2<3x+x^2$에서 $-3x+2<0$

03 (1) $x-5>2$에서 $x>7$
(2) $4-x\le 9$에서 $-x\le 5$ $\therefore x\ge -5$
(3) $3x-1\le 5$에서 $3x\le 6$ $\therefore x\le 2$
(4) $7<5-2x$에서 $2x<-2$ $\therefore x<-1$
(5) $x+2\le 2x-3$에서 $-x\le -5$ $\therefore x\ge 5$
(6) $5-4x>3-2x$에서 $-2x>-2$ $\therefore x<1$

04 (1)
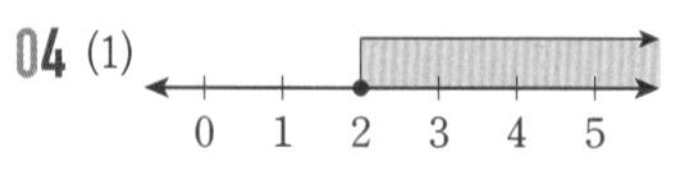

(2)
−4 −3 −2 −1 0 1

(3)
−3 −2 −1 0 1 2

(4)
−5 −4 −3 −2 −1 0

(5)
5 6 7 8 9 10

05 (1) $3x-1\le 8$에서 $3x\le 9$ $\therefore x\le 3$
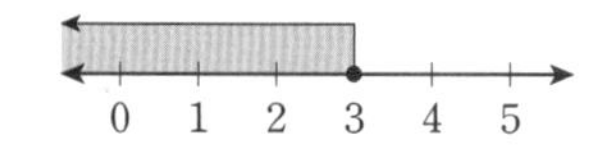

(2) $5x-3>2x$에서 $3x>3$ $\therefore x>1$
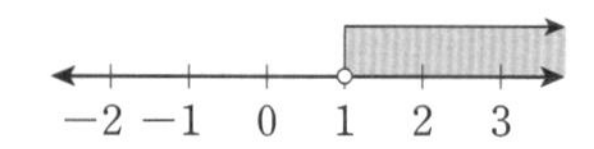

(3) $x+2\ge 4x-1$에서 $-3x\ge -3$ $\therefore x\le 1$
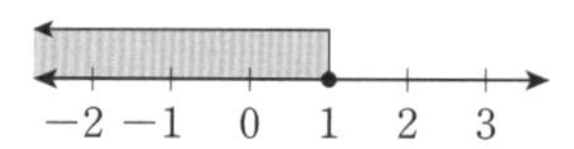

(4) $3x-1>5x+7$에서 $-2x>8$ $\therefore x<-4$
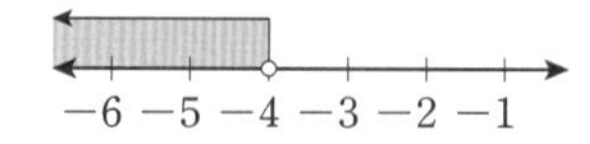

(5) $-x+4>2x-2$에서 $-3x>-6$ $\therefore x<2$
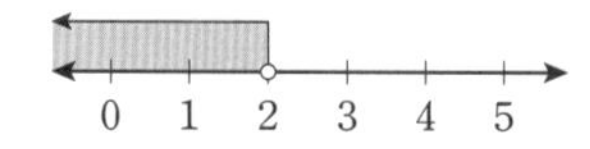

(6) $2x+8\le 5x+2$에서 $-3x\le -6$ $\therefore x\ge 2$
0 1 2 3 4 5

힘수 만점 53쪽

01 ②, ⑤ **02** ② **03** ③ **04** ②

01 ① $\frac{x}{2}\ge -4$에서 $\frac{x}{2}+4\ge 0$
② $x-1\le x+5$에서 $-6\le 0$
③ $3-x^2<x-x^2$에서 $-x+3<0$
④ $x^2+4>x(x-2)$에서 $2x+4>0$
⑤ $12-6>2$에서 $4>0$
따라서 일차부등식이 아닌 것은 ②, ⑤이다.

02 ① $x-2x\ge -1$에서 $-x\ge -1$ $\therefore x\le 1$
② $3-5x\le -2x$에서 $-3x\le -3$ $\therefore x\ge 1$
③ $-x+1\ge 2x-2$에서 $-3x\ge -3$ $\therefore x\le 1$
④ $2x-1\ge x-2$에서 $x\ge -1$
⑤ $-x+2\le -3x+4$에서 $2x\le 2$ $\therefore x\le 1$

03 $x-5\le -4x+10$에서
$5x\le 15$ $\therefore x\le 3$
따라서 일차부등식을 만족하는 자연수는 1, 2, 3으로 3개이다.

04 $9x-4\le 6x+8$에서
$3x\le 12$ $\therefore x\le 4$
해를 수직선 위에 나타내면
② 4

14강 복잡한 일차부등식의 풀이 54~56쪽

01 (1) $x<-1$ (2) $x\ge-1$ (3) $x\le7$ (4) $x<2$ (5) $x\ge-4$

02 (1) $x<-14$ (2) $x<3$ (3) $x\le4$ (4) $x\le-4$ (5) $x>-4$ (6) $x\le-5$

03 (1) $x>4$ (2) $x\le6$ (3) $x\le-1$ (4) $x<4$ (5) $x>2$

04 (1) $x\ge4$ (2) $x\ge-6$ (3) $x>8$ (4) $x>-6$ (5) $x>3$ (6) $x\le3$

05 (1) $x\ge2$ (2) $x\le16$ (3) $x<2$ (4) $x<-5$ (5) $x<10$

06 (1) $x>-12$ (2) $x\ge3$ (3) $x<5$ (4) $x>2$ (5) $x>5$ (6) $x\le3$

07 (1) $x>-1$ (2) $x\le\frac{2}{a}$ (3) $x<3$ (4) $x\ge-\frac{2}{a}$

08 (1) $x\ge-4$ (2) $x>\frac{3}{a}$ (3) $x>-2$ (4) $x\ge-\frac{1}{a}$

09 6, $>$, 6, 6, 2 **10** -8, $<$, -8, -8, -4

01 (1) $2(2+x)<-2-4x$에서 $4+2x<-2-4x$

$6x<-6$ $\therefore x<-1$

(2) $7-2x\ge3(2-x)$에서 $7-2x\ge6-3x$

$\therefore x\ge-1$

(3) $3(x-4)\le2x-5$에서 $3x-12\le2x-5$

$\therefore x\le7$

(4) $10-4x>2(x-1)$에서 $10-4x>2x-2$

$-6x>-12$ $\therefore x<2$

(5) $2(x-3)\le3x-2$에서 $2x-6\le3x-2$

$-x\le4$ $\therefore x\ge-4$

02 (1) $2(x-4)>3(x+2)$에서 $2x-8>3x+6$

$-x>14$ $\therefore x<-14$

(2) $3(x-2)<-(x-6)$에서 $3x-6<-x+6$

$4x<12$ $\therefore x<3$

(3) $2(x-5)\le5-(x+3)$에서 $2x-10\le5-x-3$

$3x\le12$ $\therefore x\le4$

(4) $5(2-4x)\ge-6(x-11)$에서 $10-20x\ge-6x+66$

$-14x\ge56$ $\therefore x\le-4$

(5) $3x+2(x-5)<6(x-1)$에서 $3x+2x-10<6x-6$

$-x<4$ $\therefore x>-4$

(6) $5(x+1)\le-3(2-x)+1$에서 $5x+5\le-6+3x+1$

$2x\le-10$ $\therefore x\le-5$

03 (1) $0.4x-1.2>0.2x-0.4$의 양변에 10을 곱하면

$4x-12>2x-4$

$2x>8$ $\therefore x>4$

(2) $0.5x-1\le0.3x+0.2$의 양변에 10을 곱하면

$5x-10\le3x+2$

$2x\le12$ $\therefore x\le6$

(3) $0.3x+0.8\ge0.5x+1$의 양변에 10을 곱하면

$3x+8\ge5x+10$

$-2x\ge2$ $\therefore x\le-1$

(4) $0.04x-0.03<0.13$의 양변에 100을 곱하면

$4x-3<13$, $4x<16$ $\therefore x<4$

(5) $0.05x-0.06>-0.03x+0.1$의 양변에 100을 곱하면

$5x-6>-3x+10$

$8x>16$ $\therefore x>2$

04 (1) $0.2x-1.7\ge0.3(1-x)$의 양변에 10을 곱하면

$2x-17\ge3(1-x)$

$2x-17\ge3-3x$, $5x\ge20$ $\therefore x\ge4$

(2) $0.3x-0.2\le0.5(x+2)$의 양변에 10을 곱하면

$3x-2\le5(x+2)$

$3x-2\le5x+10$, $-2x\le12$ $\therefore x\ge-6$

(3) $0.2x-7.1>-0.5(x+3)$의 양변에 10을 곱하면

$2x-71>-5(x+3)$

$2x-71>-5x-15$, $7x>56$ $\therefore x>8$

(4) $0.3(x+1)<1.5+0.5x$의 양변에 10을 곱하면

$3(x+1)<15+5x$

$3x+3<15+5x$, $-2x<12$ $\therefore x>-6$

(5) $0.2(x+4)<1.4(x-2)$의 양변에 10을 곱하면

$2(x+4)<14(x-2)$

$2x+8<14x-28$, $-12x<-36$ $\therefore x>3$

(6) $0.1(x-3)\le0.7(3-x)$의 양변에 10을 곱하면

$x-3\le7(3-x)$

$x-3\le21-7x$, $8x\le24$ $\therefore x\le3$

05 (1) $\frac{5}{2}x-2\ge3$의 양변에 2를 곱하면

$5x-4\ge6$

$5x\ge10$ $\therefore x\ge2$

(2) $\frac{x}{2}-\frac{x+2}{3}\le2$의 양변에 6을 곱하면

$3x-2(x+2)\le12$

$3x-2x-4\le12$ $\therefore x\le16$

(3) $\frac{x}{4}+\frac{2}{3}>x-\frac{5}{6}$의 양변에 12를 곱하면

$3x+8>12x-10$

$-9x>-18$ $\therefore x<2$

(4) $\frac{x}{5}-\frac{1}{2}>\frac{x}{2}+1$의 양변에 10을 곱하면

$2x-5>5x+10$

$-3x>15$ $\therefore x<-5$

(5) $\frac{x}{4}+1<\frac{x}{5}+\frac{3}{2}$의 양변에 20을 곱하면

$5x+20<4x+30$ $\therefore x<10$

06 (1) $\frac{x}{3}-1<\frac{1}{5}(2x-1)$의 양변에 15를 곱하면
$5x-15<3(2x-1)$
$5x-15<6x-3,\ -x<12 \quad \therefore x>-12$
(2) $\frac{x}{2}\le\frac{2}{3}(x-2)+\frac{5}{6}$의 양변에 6을 곱하면
$3x\le4(x-2)+5$
$3x\le4x-8+5,\ -x\le-3 \quad \therefore x\ge3$
(3) $\frac{2}{5}x+\frac{2}{3}>\frac{2}{3}(x-1)$의 양변에 15를 곱하면
$6x+10>10(x-1)$
$6x+10>10x-10,\ -4x>-20 \quad \therefore x<5$
(4) $-0.2x+0.7<\frac{x}{4}-\frac{1}{5}$의 양변에 20을 곱하면
$-4x+14<5x-4$
$-9x<-18 \quad \therefore x>2$
(5) $1+0.3(x-5)>\frac{x}{5}$의 양변에 10을 곱하면
$10+3(x-5)>2x$
$10+3x-15>2x \quad \therefore x>5$
(6) $\frac{3(x-1)}{2}\le0.5(x+3)$의 양변에 10을 곱하면
$15(x-1)\le5(x+3)$
$15x-15\le5x+15,\ 10x\le30 \quad \therefore x\le3$

07 (3) $a>0$이므로 $-a<0$
$-ax>-3a$에서 $x<3$
(4) $a>0$이므로 $-a<0$
$-ax-1\le1$에서 $-ax\le2 \quad \therefore x\ge-\frac{2}{a}$

08 (1) $a<0$이므로 $ax\le-4a$에서 $x\ge-4$
(2) $ax-2<1$에서 $ax<3$
$a<0$이므로 $x>\frac{3}{a}$
(3) $a<0$이므로 $-a>0$
$-ax>2a$에서 $x>-2$
(4) $a<0$이므로 $-a>0$
$-ax-1\ge0$에서 $-ax\ge1 \quad \therefore x\ge-\frac{1}{a}$

힘수 만점 57쪽

01 ② **02** ③ **03** ② **04** $x\le6$ **05** ①

01 $2(x+1)-3(x-1)<8$에서
$2x+2-3x+3<8$
$-x<3 \quad \therefore x>-3$

02 $0.12x\le0.6+0.07x$의 양변에 100을 곱하면
$12x\le60+7x$
$5x\le60 \quad \therefore x\le12$
따라서 주어진 부등식을 만족하는 자연수 x는
1, 2, 3, ⋯, 12로 12개이다.

03 $\frac{1}{2}x-\frac{4}{3}<-\frac{1}{6}x$의 양변에 6을 곱하면
$3x-8<-x$
$4x<8 \quad \therefore x<2$
따라서 주어진 부등식을 만족하는 가장 큰 정수는 1이다.

04 $0.2x-0.3\ge\frac{x}{4}-\frac{3}{5}$의 양변에 20을 곱하면
$4x-6\ge5x-12$
$-x\ge-6 \quad \therefore x\le6$

05 $2+ax\ge-3$에서 $ax\ge-5$
이 부등식의 해가 $x\le1$이므로 $a<0$
$ax\ge-5$의 양변을 a로 나누면 $x\le-\frac{5}{a}$
따라서 $-\frac{5}{a}=1$에서 $a=-5$

15강 일차부등식의 활용(1) 58~59쪽

01 (1) $2x-9>x+7$ (2) $x>16$ (3) 17
02 (1) 가장 작은 수: $x-1$, 가장 큰 수: $x+1$
(2) $(x-1)+x+(x+1)<57$ (3) $x<19$
(4) 17, 18, 19
03 (1) $800x+3600\le10000$ (2) $x\le8$ (3) 8송이
04 (1) $(20-x)$개 (2) $800x+500(20-x)\le14500$
(3) $x\le15$ (4) 15개
05 (1) $(x+6)$ cm (2) $2(x+x+6)\ge100$ (3) $x\ge22$
(4) 22 cm
06 (1) 2000, 3000, $2000+3000x$
(2) $10000+1000x<2000+3000x$ (3) $x>4$
(4) 5개월
07 (1) $1000x$, 1600 (2) $1200x>1000x+1600$
(3) $x>8$ (4) 9권

01 (2) $2x-9>x+7$에서 $x>16$
(3) 어떤 자연수 중 가장 작은 수는 17이다.

02 (3) $(x-1)+x+(x+1)<57$에서
$3x<57 \quad \therefore x<19$
(4) x의 값 중 가장 큰 자연수는 18이므로 구하는 세 자연수는
17, 18, 19이다.

03 (2) $800x+3600\le10000$에서
$800x\le6400 \quad \therefore x\le8$
(3) 장미는 최대 8송이 살 수 있다.

04 (3) $800x+500(20-x)\le 14500$에서

$800x+10000-500x\le 14500$

$300x\le 4500$ $\therefore x\le 15$

(4) 살 수 있는 우유는 최대 15개이다.

05 (3) $2(x+x+6)\ge 100$에서

$2(2x+6)\ge 100$

$2x+6\ge 50$, $2x\ge 44$

$\therefore x\ge 22$

(4) 세로의 길이는 최소 22 cm이다.

06 (3) $10000+1000x<2000+3000x$에서

$-2000x<-8000$ $\therefore x>4$

(4) 민성이의 예금액이 진서의 예금액보다 많아지는 5개월 후부터이다.

07 (3) $1200x>1000x+1600$에서

$200x>1600$ $\therefore x>8$

(4) 공책을 9권 이상 살 때 대형 할인점에서 사는 것이 유리하다.

힘수 만점 60쪽

01 ④ **02** ③ **03** ⑤ **04** 12 cm **05** 7개

01 어떤 자연수를 x라 하면

$3x+10\ge 4(x+1)$

$3x+10\ge 4x+4$, $-x\ge -6$ $\therefore x\le 6$

따라서 어떤 자연수 중 가장 큰 수는 6이다.

02 x개의 상자를 운반한다고 하면

$25x+75\le 500$

$25x\le 425$ $\therefore x\le 17$

따라서 한 번에 운반할 수 있는 상자는 최대 17개이다.

03 주스를 x개 산다고 하면 살 수 있는 아이스크림은 $(20-x)$개이므로

$700x+500(20-x)\le 13000$

$700x+10000-500x\le 13000$

$200x\le 3000$

$\therefore x\le 15$

따라서 살 수 있는 주스는 최대 15개이다.

04 밑변의 길이를 x cm라 하면

$\frac{1}{2}\times x\times 10\ge 60$

$5x\ge 60$ $\therefore x\ge 12$

따라서 밑변의 길이는 12 cm 이상이어야 한다.

05 문구 세트를 x개 산다고 하면

$7000x>6500x+3000$

$500x>3000$ $\therefore x>6$

따라서 문구 세트를 7개 이상 살 때 인터넷 쇼핑몰에서 사는 것이 유리하다.

16강+ 일차부등식의 활용(2) 61~62쪽

01 (1) $\frac{x}{2}$, $\frac{x}{4}$ (2) $\frac{x}{2}+\frac{x}{4}\le\frac{3}{2}$ (3) $x\le 2$ (4) 2 km

02 (1) $4000-x$, $\frac{4000-x}{60}$

(2) $\frac{x}{40}+\frac{4000-x}{60}\le 80$ (3) $x\le 1600$ (4) 1600 m

03 (1) $x+1$, 3, $\frac{x+1}{3}$ (2) $\frac{x}{2}+\frac{x+1}{3}\le 2$

(3) $x\le 2$ (4) 2 km

04 (1) $300+x$, $\frac{5}{100}(300+x)$

(2) $\frac{12}{100}\times 300\le\frac{5}{100}(300+x)$ (3) $x\ge 420$ (4) 420 g

05 (1) $400-x$, $\frac{5}{100}(400-x)$

(2) $\frac{3}{100}\times 400\ge\frac{5}{100}(400-x)$ (3) $x\ge 160$

(4) 160 g

06 (1) $\frac{20}{100}x$, $\frac{14}{100}(120+x)$

(2) $\frac{10}{100}\times 120+\frac{20}{100}x\ge\frac{14}{100}(120+x)$

(3) $x\ge 80$ (4) 80 g

01 (3) $\frac{x}{2}+\frac{x}{4}\le\frac{3}{2}$의 양변에 4를 곱하면

$2x+x\le 6$, $3x\le 6$ $\therefore x\le 2$

(4) 집에서 최대 2 km 떨어진 곳까지 갔다 올 수 있다.

02 (1) 걸어야 하는 총 거리는 4000 m이므로 분속 60 m로 걸은 거리는 $(4000-x)$ m이고, 이때 걸린 시간은 $\frac{4000-x}{60}$분이다.

(2) 1시간 20분은 80분이므로 부등식을 세우면

$\frac{x}{40}+\frac{4000-x}{60}\le 80$

(3) $\frac{x}{40}+\frac{4000-x}{60}\le 80$의 양변에 120을 곱하면

$3x+8000-2x\le 9600$ $\therefore x\le 1600$

(4) 분속 40 m로 걸은 거리는 최대 1600 m이다.

03 (2) 올라갈 때 걸린 시간은 $\frac{x}{2}$시간, 내려올 때 걸린 시간은 $\frac{x+1}{3}$시간이고 이를 합하여 2시간 이내이어야 하므로

$\frac{x}{2}+\frac{x+1}{3}\le 2$

(3) $\frac{x}{2}+\frac{x+1}{3}\le 2$의 양변에 6을 곱하면

$3x+2(x+1)\le 12$

$3x+2x+2\le 12,\ 5x\le 10 \qquad \therefore x\le 2$

(4) 최대 2 km까지 올라갈 수 있다.

04 (1) 물 x g을 더 넣은 후의 소금물의 양은 $(300+x)$ g이고 이때 소금의 양은 $\frac{5}{100}(300+x)$ g이다.

(3) $\frac{12}{100}\times 300\le \frac{5}{100}(300+x)$의 양변에 100을 곱하면

$3600\le 5(300+x),\ 3600\le 1500+5x$

$-5x\le -2100 \qquad \therefore x\ge 420$

(4) 물을 최소 420 g 더 넣어야 한다.

05 (1) 물 x g을 증발시킨 후의 소금물의 양은 $(400-x)$ g이고 이때 소금의 양은 $\frac{5}{100}(400-x)$ g이다.

(3) $\frac{3}{100}\times 400\ge \frac{5}{100}(400-x)$의 양변에 100을 곱하면

$1200\ge 5(400-x)$

$1200\ge 2000-5x,\ 5x\ge 800 \qquad \therefore x\ge 160$

(4) 물을 최소 160 g 이상 증발시켜야 한다.

06 (3) $\frac{10}{100}\times 120+\frac{20}{100}x\ge \frac{14}{100}(120+x)$의 양변에 100을 곱하면

$1200+20x\ge 14(120+x)$

$1200+20x\ge 1680+14x,\ 6x\ge 480 \qquad \therefore x\ge 80$

(4) 20 %의 소금물은 최소 80 g을 섞어야 한다.

힘수 만점 63쪽

01 ④ **02** 1 km **03** ③ **04** ④

01 x km까지 올라갔다 내려온다고 하면 올라가는 데 걸린 시간은 $\frac{x}{3}$시간, 내려오는 데 걸린 시간은 $\frac{x}{5}$시간이다. 2시간 40분은 $\frac{8}{3}$시간이므로 일차부등식을 세우면

$\frac{x}{3}+\frac{x}{5}\le \frac{8}{3}$

양변에 15를 곱하면

$5x+3x\le 40$

$8x\le 40 \qquad \therefore x\le 5$

따라서 최대 5 km까지 올라갔다 내려올 수 있다.

02 역에서 x km 떨어진 곳까지 간다고 하면

36분은 $\frac{36}{60}=\frac{3}{5}$(시간)이므로 일차부등식을 세우면

$\frac{x}{5}+\frac{3}{5}+\frac{x}{5}\le 1$

양변에 5를 곱하면

$x+3+x\le 5$

$2x\le 2 \qquad \therefore x\le 1$

따라서 역에서 1 km 떨어진 곳까지 다녀올 수 있다.

03 x g의 물을 더 넣는다고 하고 일차부등식을 세우면

$\frac{15}{100}\times 200\le \frac{12}{100}(200+x)$

양변에 100을 곱하면

$3000\le 12(200+x)$

$3000\le 2400+12x$

$-12x\le -600 \qquad \therefore x\ge 50$

따라서 최소 50 g의 물을 더 넣어야 한다.

04 14 %의 소금물의 양을 x g이라 하면 6 %의 소금물의 양은 $(500-x)$ g이므로 일차부등식을 세우면

$\frac{6}{100}(500-x)+\frac{14}{100}x\le \frac{12}{100}\times 500$

양변에 100을 곱하면

$6(500-x)+14x\le 6000$

$3000-6x+14x\le 6000$

$8x\le 3000 \qquad \therefore x\le 375$

따라서 14 %의 소금물은 최대 375 g까지 섞을 수 있다.

17강 중단원 연산 마무리 64~66쪽

01 (1) ○ (2) ○ (3) × (4) ○ **02** (1) ≤ (2) ≤ (3) ≥ (4) ≥ **03** (1) $2x-4\le -2$ (2) $-x+2<4$ (3) $\frac{x}{3}-5\le -6$ (4) $3-\frac{x}{4}>1$

04 (1) × (2) ○ (3) × (4) ○ **05** (1) $x\le 3$ (2) $x\ge 7$ (3) $x\le 4$ (4) $x<-3$ **06** (1) $x\le 3$, 풀이 참조 (2) $x>1$, 풀이 참조 (3) $x\le 1$, 풀이 참조 (4) $x<-4$, 풀이 참조

07 $x>-5$ (2) $x\ge 1$ (3) $x<1$ (4) $x\le -2$

08 (1) $x\ge -7$ (2) $x\ge 4$ (3) $x<1$ (4) $x<3$

09 (1) $x\ge 4$ (2) $x<-9$ (3) $x<4$ (4) $x\ge -3$

10 -8, <, -8, -8, -3 **11** 21, 22, 23

12 9개월 **13** 16자루 **14** 1.2 km **15** 175 g

16 ④, ⑤ **17** ② **18** 2 km

01 (1) $x=2$를 주어진 부등식에 대입하면

$2-5<2$ (참)

(2) $x=1$을 주어진 부등식에 대입하면

$-1+5=4,\ 3\times 1+2=5$에서 $4\le 5$ (참)

(3) $x=-1$을 주어진 부등식에 대입하면

$3\times(-1)-2=-5$, $-1+1=0$에서 $-5\geq 0$ (거짓)

(4) $x=2$를 주어진 부등식에 대입하면

$1-4\times 2=-7$, $5-2\times 2=1$에서 $-7<1$ (참)

02 (1) $a\leq b$의 양변에서 5를 빼면

$a-5\leq b-5$

(2) $a\leq b$의 양변에 3을 곱하면 $3a\leq 3b$

또 $3a\leq 3b$의 양변에서 9를 빼면 $3a-9\leq 3b-9$

(3) $a\leq b$의 양변에 -2를 곱하면 $-2a\geq -2b$

또 $-2a\geq -2b$의 양변에 3을 더하면 $3-2a\geq 3-2b$

(4) $a\leq b$의 양변에 $-\frac{1}{2}$을 곱하면 $-\frac{1}{2}a\geq -\frac{1}{2}b$

또 $-\frac{1}{2}a\geq -\frac{1}{2}b$의 양변에서 1을 빼면

$-\frac{1}{2}a-1\geq -\frac{1}{2}b-1$

03 (1) $x\leq 1$의 양변에 2를 곱하면 $2x\leq 2$

또 $2x\leq 2$의 양변에서 4를 빼면 $2x-4\leq -2$

(2) $x>-2$의 양변에 -1을 곱하면 $-x<2$

또 $-x<2$의 양변에 2를 더하면 $-x+2<4$

(3) $x\leq -3$의 양변을 3으로 나누면 $\frac{x}{3}\leq -1$

또 $\frac{x}{3}\leq -1$의 양변에서 5를 빼면 $\frac{x}{3}-5\leq -6$

(4) $x<8$의 양변을 -4로 나누면 $-\frac{x}{4}>-2$

또 $-\frac{x}{4}>-2$의 양변에 3을 더하면 $3-\frac{x}{4}>1$

04 (1) $3x<3x+1$에서 $-1<0$

(2) $5+2x<7-x$에서 $3x-2<0$

(3) $10+5\geq 9$에서 $6\geq 0$

(4) $4-x^2\geq x-x^2$에서 $-x+4\geq 0$

05 (1) $x+2\leq 5$에서 $x\leq 3$

(2) $8-x\leq 1$에서 $-x\leq -7$ $\quad\therefore x\geq 7$

(3) $2x-1\leq 7$에서 $2x\leq 8$ $\quad\therefore x\leq 4$

(4) $2x+11<2-x$에서 $3x<-9$ $\quad\therefore x<-3$

06 (1) $3x-5\leq 4$에서 $3x\leq 9$ $\quad\therefore x\leq 3$

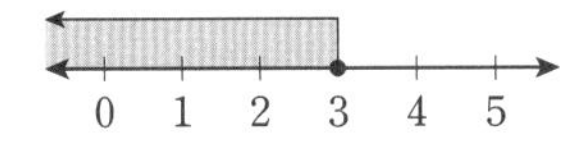

(2) $4x-3>x$에서 $3x>3$ $\quad\therefore x>1$

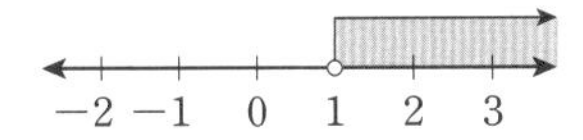

(3) $2x+1\geq 4x-1$에서 $-2x\geq -2$ $\quad\therefore x\leq 1$

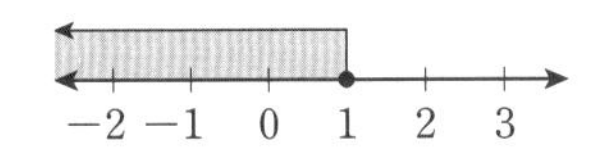

(4) $2x-5>5x+7$에서 $-3x>12$ $\quad\therefore x<-4$

−6 −5 −4 −3 −2 −1

07 (1) $x-4<3(x+2)$에서

$x-4<3x+6$, $-2x<10$ $\quad\therefore x>-5$

(2) $7(1-2x)\leq 1-8x$에서

$7-14x\leq 1-8x$, $-6x\leq -6$ $\quad\therefore x\geq 1$

(3) $3(1+x)<2(4-x)$에서

$3+3x<8-2x$, $5x<5$ $\quad\therefore x<1$

(4) $6(x+2)\leq 5-(1-2x)$에서

$6x+12\leq 5-1+2x$, $4x\leq -8$ $\quad\therefore x\leq -2$

08 (1) $0.5x+0.2\geq 0.3x-1.2$의 양변에 10을 곱하면

$5x+2\geq 3x-12$, $2x\geq -14$ $\quad\therefore x\geq -7$

(2) $0.01x-0.2\leq 0.21x-1$의 양변에 100을 곱하면

$x-20\leq 21x-100$, $-20x\leq -80$ $\quad\therefore x\geq 4$

(3) $0.8x+1<0.6(x+2)$의 양변에 10을 곱하면

$8x+10<6(x+2)$, $8x+10<6x+12$, $2x<2$

$\therefore x<1$

(4) $-(0.1x-0.6)>0.3(x-2)$의 양변에 10을 곱하면

$-x+6>3x-6$, $-4x>-12$ $\quad\therefore x<3$

09 (1) $\frac{5}{4}x-2\geq 3$의 양변에 4를 곱하면

$5x-8\geq 12$, $5x\geq 20$ $\quad\therefore x\geq 4$

(2) $\frac{x}{3}-\frac{1}{2}>\frac{x}{2}+1$의 양변에 6을 곱하면

$2x-3>3x+6$, $-x>9$ $\quad\therefore x<-9$

(3) $\frac{x}{2}-1<\frac{1}{5}(2x-3)$의 양변에 10을 곱하면

$5x-10<2(2x-3)$

$5x-10<4x-6$ $\quad\therefore x<4$

(4) $\frac{3(x-1)}{4}\leq 0.6(2x+1)$의 양변에 20을 곱하면

$15(x-1)\leq 12(2x+1)$

$15x-15\leq 24x+12$, $-9x\leq 27$ $\quad\therefore x\geq -3$

10 $ax+5<5x-3$에서

$(a-5)x<\boxed{-8}$

부등식의 부등호의 방향이 해 $x>1$과 다르므로

$a-5\boxed{<}0$

$\therefore x>\frac{\boxed{-8}}{a-5}$

따라서 $\frac{\boxed{-8}}{a-5}=1$이므로 $a=\boxed{-3}$

11 연속하는 세 자연수를 $x-1$, x, $x+1$이라 하면

$(x-1)+x+(x+1)<69$

$3x<69$ $\therefore x<23$

가장 큰 자연수 x는 22이므로 구하는 세 자연수는 21, 22, 23이다.

12 x개월 후부터 지민이의 예금액이 은수의 예금액보다 많아진다고 하면

$40000+3000x<24000+5000x$

$-2000x<-16000$

$\therefore x>8$

따라서 지민이의 예금액이 은수의 예금액보다 많아지는 것은 9개월 후부터이다.

13 볼펜을 x자루 산다고 하면

$500x>420x+1200$

$80x>1200$ $\therefore x>15$

따라서 할인점에서 볼펜을 16자루 이상 사야 집 근처 문구점에서 사는 것보다 유리하다.

14 올라간 거리를 x km라 하면

$\frac{x}{2}+\frac{x}{3}\le 1$

양변에 6을 곱하면

$3x+2x\le 6$

$5x\le 6$ $\therefore x\le 1.2$

따라서 올라갈 수 있는 최대 거리는 1.2 km이다.

15 더 넣는 물의 양을 x g이라 하면

$\frac{15}{100}\times 200\le \frac{8}{100}(200+x)$

양변에 100을 곱하면

$3000\le 8(200+x)$

$3000\le 1600+8x$

$-8x\le -1400$

$\therefore x\ge 175$

따라서 최소 175 g의 물을 더 넣어야 한다.

16 ① $a<b$의 양변에 2를 곱하면 $2a<2b$

② $a<b$의 양변에 -4를 곱하면 $-4a>-4b$

③ $a<b$의 양변에 3을 곱하면 $3a<3b$

$3a<3b$의 양변에서 2를 빼면 $3a-2<3b-2$

17 $0.7x-1.5\le \frac{x}{5}+\frac{3}{2}$의 양변에 10을 곱하면

$7x-15\le 2x+15$

$5x\le 30$ $\therefore x\le 6$

따라서 자연수 x의 개수는 6개이다.

18 역에서 x km 이내의 상점에 다녀온다고 하면 30분은 $\frac{1}{2}$시간, 1시간 30분은 $\frac{3}{2}$시간이므로

$\frac{x}{4}+\frac{1}{2}+\frac{x}{4}\le \frac{3}{2}$

양변에 4를 곱하면

$x+2+x\le 6$

$2x\le 4$ $\therefore x\le 2$

따라서 역에서 2 km 이내의 상점까지 다녀올 수 있다.

18강 연립방정식 67~68쪽

01 (1)○ (2)× (3)× (4)○ (5)○

02 (1) $5x+3y=30$ (2) $800x+500y=5000$
(3) $2x+4y=38$ (4) $4x+5y=90$

03 (1)○ (2)× (3)○ (4)○

04 (1) 2, $\frac{3}{2}$, 1, $\frac{1}{2}$, 0, 해 : $(1, 2)$, $(3, 1)$
(2) $8, 5, 2, -1, -4$, 해 : $(1, 8)$, $(2, 5)$, $(3, 2)$

05 (1) $(1, 2)$ (2) $(1, 7)$, $(2, 4)$, $(3, 1)$

06 (1)○ (2)× (3)× (4)○

07 (1) $4, 3, 2, 1$ / $5, 3, 1$ / $x=2$, $y=3$
(2) $7, 4, 1$ / $11, 8, 5, 2$ / $x=2$, $y=4$

08 (1) $x=3$, $y=2$ (2) $x=4$, $y=5$

01 (2) $2x-y=3x-y$ ⇨ $-x=0$

(4) $2x+3y=x-y+2$ ⇨ $x+4y-2=0$

(5) $3x+y^2=y^2-6y$ ⇨ $3x+6y=0$

03 (1) $x=1$, $y=5$를 $2x+3y=17$에 대입하면

$2\times 1+3\times 5=17$

따라서 $(1, 5)$는 주어진 방정식의 해이다.

(2) $x=3$, $y=4$를 $2x+3y=17$에 대입하면

$2\times 3+3\times 4\ne 17$

따라서 $(3, 4)$는 주어진 방정식의 해가 아니다.

(3) $x=4$, $y=3$을 $2x+3y=17$에 대입하면

$2\times 4+3\times 3=17$

따라서 $(4, 3)$은 주어진 방정식의 해이다.

(4) $x=7$, $y=1$을 $2x+3y=17$에 대입하면

$2\times 7+3\times 1=17$

따라서 $(7, 1)$은 주어진 방정식의 해이다.

04 (1)

x	1	2	3	4	5
y	2	$\frac{3}{2}$	1	$\frac{1}{2}$	0

x, y가 자연수이므로 구하는 해는 $(1, 2)$, $(3, 1)$이다.

(2)

x	1	2	3	4	5
y	8	5	2	-1	-4

x, y가 자연수이므로 구하는 해는
$(1, 8)$, $(2, 5)$, $(3, 2)$이다.

05 (1) x가 자연수이므로 $2x+3y=8$의 x에 1, 2, 3, …을 차례대로 대입하여 y의 값을 구하면

x	1	2	3	4	5	…
y	2	$\frac{4}{3}$	$\frac{2}{3}$	0	$-\frac{2}{3}$	…

y도 자연수이므로 구하는 해는 $(1, 2)$이다.

(2) x가 자연수이므로 $3x+y-10=0$의 x에 1, 2, 3, …을 차례대로 대입하여 y의 값을 구하면

x	1	2	3	4	…
y	7	4	1	-2	…

y도 자연수이므로 구하는 해는 $(1, 7)$, $(2, 4)$, $(3, 1)$이다.

07 (1) $x+y=5$의 해는

x	1	2	3	4
y	4	3	2	1

$2x+y=7$의 해는

x	1	2	3
y	5	3	1

따라서 구하는 연립방정식의 해는 $x=2$, $y=3$이다.

(2) $3x+y=10$의 해는

x	1	2	3
y	7	4	1

$x+3y=14$의 해는

x	11	8	5	2
y	1	2	3	4

따라서 구하는 연립방정식의 해는 $x=2$, $y=4$이다.

08 (1) $x-y=1$의 해는

x	2	3	4	5	…
y	1	2	3	4	…

$2x+y=8$의 해는

x	1	2	3
y	6	4	2

따라서 구하는 연립방정식의 해는 $x=3$, $y=2$이다.

(2) $2x-y=3$의 해는

x	2	3	4	5	…
y	1	3	5	7	…

$3x+2y=22$의 해는

x	2	4	6
y	8	5	2

따라서 구하는 연립방정식의 해는 $x=4$, $y=5$이다.

힘수 만점

69쪽

01 ②, ④ **02** ② **03** ①, ③ **04** ③

01 ① 미지수가 1개인 일차방정식이다.
③ x^2이 2차이므로 일차방정식이 아니다.
④ $x-3y-1=0$이므로 미지수가 2개인 일차방정식이다.
⑤ 일차식이다.

02 x가 자연수이므로 $3x+2y=15$의 x에 1, 2, 3, …을 차례대로 대입하여 y의 값을 구하면

x	1	2	3	4	5	…
y	6	$\frac{9}{2}$	3	$\frac{3}{2}$	0	…

y도 자연수이므로 구하는 해는 $(1, 6)$, $(3, 3)$으로 2개이다.

03 $x=2$, $y=1$을 각각의 연립방정식에 대입하면

① $\begin{cases} 2+1=3 \\ 2-1=1 \end{cases}$ ② $\begin{cases} 2+2\times1=4 \\ 3\times2+1\neq9 \end{cases}$

③ $\begin{cases} 2\times2+3\times1=7 \\ 2\times2-1=3 \end{cases}$ ④ $\begin{cases} 2+1\neq9 \\ 2\times2-1\neq0 \end{cases}$

⑤ $\begin{cases} 3\times2+5\times1\neq10 \\ 2\times2+5\times1=9 \end{cases}$

따라서 $(2, 1)$을 해로 갖는 것은 ①, ③이다.

04 $x+4y=14$의 해는

x	2	6	10
y	3	2	1

$3x-y=3$의 해는

x	2	3	4	…
y	3	6	9	…

따라서 구하는 연립방정식의 해는 $x=2$, $y=3$이다.

19강+ 연립방정식의 풀이 70~71쪽

01 (1) 3, 1, 1, 3 (2) −2, 2, 2, 5 (3) 6, 10, −1, −1, 1
02 (1) $x=-4$, $y=5$ (2) $x=-1$, $y=-2$
(3) $x=6$, $y=3$ (4) $x=-2$, $y=-1$
03 (1) 3, 3, 3, −4 (2) 1, 1, 1, −4 (3) 3, 3, 3, −2
04 (1) $x=0$, $y=-2$ (2) $x=1$, $y=-2$
(3) $x=8$, $y=-1$ (4) $x=7$, $y=10$

02 (1) ㉠을 ㉡에 대입하면
$2x+3(-x+1)=7$
$2x-3x+3=7$, $-x=4$ $\quad\therefore x=-4$
$x=-4$를 ㉠에 대입하면
$y=-(-4)+1=5$
(2) ㉠을 ㉡에 대입하면
$(2y+3)+y=-3$
$2y+3+y=-3$, $3y=-6$ $\quad\therefore y=-2$
$y=-2$를 ㉠에 대입하면
$x=2\times(-2)+3=-1$
(3) ㉠에서 x를 y의 식으로 나타내면
$x=5y-9$ …… ㉢
㉢을 ㉡에 대입하면
$3(5y-9)-4y=6$
$15y-27-4y=6$, $11y=33$ $\quad\therefore y=3$
$y=3$을 ㉢에 대입하면
$x=5\times3-9=6$
(4) ㉡에서 y를 x의 식으로 나타내면
$y=-5x-11$ …… ㉢
㉢을 ㉠에 대입하면
$2x-3(-5x-11)=-1$
$2x+15x+33=-1$
$17x=-34$ $\quad\therefore x=-2$
$x=-2$를 ㉢에 대입하면
$y=-5\times(-2)-11=-1$

04 (1) ㉠−㉡을 하면
$2y=-4$ $\quad\therefore y=-2$
$y=-2$를 ㉠에 대입하면
$3x-2\times(-2)=4$ $\quad\therefore x=0$
(2) ㉠+㉡을 하면
$4x=4$ $\quad\therefore x=1$
$x=1$을 ㉡에 대입하면
$1-2y=5$
$-2y=4$ $\quad\therefore y=-2$
(3) ㉠−㉡×2를 하면

$$\begin{array}{rl} & 2x+5y=11 \\ -\,) & 2x+6y=10 \\ \hline & -y=1 \end{array} \qquad \therefore y=-1$$

$y=-1$을 ㉡에 대입하면
$x+3\times(-1)=5$ $\quad\therefore x=8$
(4) ㉠×3−㉡×2를 하면

$$\begin{array}{rl} & 9x-6y=3 \\ -\,) & 10x-6y=10 \\ \hline & -x\quad=-7 \end{array} \qquad \therefore x=7$$

$x=7$을 ㉠에 대입하면
$3\times7-2y=1$
$-2y=-20$ $\quad\therefore y=10$

힘수 만점 72쪽

01 ④ **02** ① **03** ② **04** ①

01 $\begin{cases} x=-2y-3 & \cdots\cdots ㉠ \\ 2x-3y=8 & \cdots\cdots ㉡ \end{cases}$
㉠을 ㉡에 대입하면
$2(-2y-3)-3y=8$
$-4y-6-3y=8$, $-7y=14$ $\quad\therefore y=-2$
$y=-2$를 ㉠에 대입하면
$x=-2\times(-2)-3=1$

02 $\begin{cases} y=2x-3 & \cdots\cdots ㉠ \\ 3x+2y=8 & \cdots\cdots ㉡ \end{cases}$
㉠을 ㉡에 대입하면
$3x+2(2x-3)=8$
$3x+4x-6=8$, $7x=14$ $\quad\therefore x=2$
$x=2$를 ㉠에 대입하면
$y=2\times2-3=1$
따라서 $a=2$, $b=1$이므로 $a+b=2+1=3$

03 y의 계수의 절댓값이 같아지도록 ㉠×3, ㉡×4를 하고 y의 계수의 부호가 서로 다르므로 두 식을 더하는 ㉠×3+㉡×4를 하면 된다.

04 $\begin{cases} 3x+4y=2 & \cdots\cdots ㉠ \\ 5x+6y=2 & \cdots\cdots ㉡ \end{cases}$
㉠×5−㉡×3을 하면
$2y=4$ $\quad\therefore y=2$

$y=2$를 ㉠에 대입하면

$3x+4\times2=2$

$3x=-6 \quad \therefore x=-2$

$\therefore x-y=-2-2=-4$

20강+ 복잡한 연립방정식의 풀이 73~75쪽

01 (1) 3, $x=1$, $y=1$ (2) 2, $x=3$, $y=4$
(3) 7, 2, $x=6$, $y=1$

02 (1) $x=1$, $y=-2$ (2) $x=-6$, $y=10$
(3) $x=3$, $y=3$ (4) $x=5$, $y=2$
(5) $x=-3$, $y=1$ (6) $x=-6$, $y=-9$

03 (1) 2, 12, $x=5$, $y=2$
(2) 7, 8, 8, $x=3$, $y=1$
(3) 10, 7, 2, $x=-1$, $y=1$

04 (1) $x=3$, $y=4$ (2) $x=4$, $y=-3$ (3) $x=1$, $y=1$
(4) $x=6$, $y=1$ (5) $x=1$, $y=-1$ (6) $x=4$, $y=3$

05 (1) 3, 2, $x=-12$, $y=-5$
(2) 2, 6, 3, $x=-3$, $y=4$
(3) 2, 3, 21, $x=6$, $y=5$

06 (1) $x=3$, $y=2$ (2) $x=2$, $y=6$
(3) $x=8$, $y=5$ (4) $x=2$, $y=1$

07 (1) $x=1$, $y=7$ (2) $x=3$, $y=-2$

01 (1) 주어진 연립방정식에서

$\begin{cases} 2x-2+y=1 \\ 2x-3y=-1 \end{cases}$

즉, $\begin{cases} 2x+y=3 & \cdots\cdots ㉠ \\ 2x-3y=-1 & \cdots\cdots ㉡ \end{cases}$

㉠$-$㉡을 하면

$4y=4 \quad \therefore y=1$

$y=1$을 ㉠에 대입하면

$2x+1=3$, $2x=2 \quad \therefore x=1$

(2) 주어진 연립방정식에서

$\begin{cases} 3x-3y+y=1 \\ x+3y=15 \end{cases}$

즉, $\begin{cases} 3x-2y=1 & \cdots\cdots ㉠ \\ x+3y=15 & \cdots\cdots ㉡ \end{cases}$

㉠$-$㉡$\times3$을 하면

$-11y=-44 \quad \therefore y=4$

$y=4$를 ㉡에 대입하면

$x+3\times4=15 \quad \therefore x=3$

(3) 주어진 연립방정식에서

$\begin{cases} 2x-6y-y=5 \\ 3x-x-5y=7 \end{cases}$

즉, $\begin{cases} 2x-7y=5 & \cdots\cdots ㉠ \\ 2x-5y=7 & \cdots\cdots ㉡ \end{cases}$

㉠$-$㉡을 하면

$-2y=-2 \quad \therefore y=1$

$y=1$을 ㉠에 대입하면

$2x-7\times1=5$, $2x=12 \quad \therefore x=6$

02 (1) ㉠을 정리하면 $2x-6-3y=2$

$2x-3y=8 \quad \cdots\cdots ㉢$

㉡$\times3+$㉢을 하면

$11x=11 \quad \therefore x=1$

$x=1$을 ㉡에 대입하면

$3\times1+y=1 \quad \therefore y=-2$

(2) ㉠을 정리하면 $3x-3y+5y=2$

$3x+2y=2 \quad \cdots\cdots ㉢$

㉡을 정리하면 $7x-6x+2y=14$

$x+2y=14 \quad \cdots\cdots ㉣$

㉢$-$㉣을 하면

$2x=-12 \quad \therefore x=-6$

$x=-6$을 ㉣에 대입하면

$-6+2y=14$, $2y=20 \quad \therefore y=10$

(3) ㉠을 정리하면 $2x-4y+y=-3$

$2x-3y=-3 \quad \cdots\cdots ㉢$

㉡을 정리하면 $2x+9x-9y=6$

$11x-9y=6 \quad \cdots\cdots ㉣$

㉢$\times3-$㉣을 하면

$-5x=-15 \quad \therefore x=3$

$x=3$을 ㉢에 대입하면

$2\times3-3y=-3$

$-3y=-9 \quad \therefore y=3$

(4) ㉠을 정리하면 $4x-3x-3y=-1$

$x-3y=-1 \quad \cdots\cdots ㉢$

㉡을 정리하면 $3x+4x-4y=27$

$7x-4y=27 \quad \cdots\cdots ㉣$

㉢$\times7-$㉣을 하면 $-17y=-34 \quad \therefore y=2$

$y=2$를 ㉢에 대입하면

$x-3\times2=-1 \quad \therefore x=5$

(5) ㉠을 정리하면 $5x-4x-4y=-7$

$x-4y=-7 \quad \cdots\cdots ㉢$

㉡을 정리하면

$3x+3y-y=-7$

$3x+2y=-7 \quad \cdots\cdots ㉣$

㉢+㉣×2를 하면

$7x=-21 \quad \therefore x=-3$

$x=-3$을 ㉢에 대입하면

$-3-4y=-7,\ -4y=-4 \quad \therefore y=1$

(6) ㉠를 정리하면

$7x-7y+3y=-6$

$7x-4y=-6 \quad \cdots\cdots$ ㉢

㉡을 정리하면

$3x-2x-2y=12$

$x-2y=12 \quad \cdots\cdots$ ㉣

㉢−㉣×2를 하면

$5x=-30 \quad \therefore x=-6$

$x=-6$을 ㉣에 대입하면

$-6-2y=12,\ -2y=18 \quad \therefore y=-9$

03 (1) $\begin{cases} 0.2x+0.1y=1.2 \\ x-2y=1 \end{cases} \Rightarrow \begin{cases} 2x+y=12 & \cdots\cdots ㉠ \\ x-2y=1 & \cdots\cdots ㉡ \end{cases}$

㉠×2+㉡을 하면

$5x=25 \quad \therefore x=5$

$x=5$를 ㉡에 대입하면

$5-2y=1,\ -2y=-4 \quad \therefore y=2$

(2) $\begin{cases} 0.5x-0.7y=0.8 \\ 0.3x-0.8y=0.1 \end{cases} \Rightarrow \begin{cases} 5x-7y=8 & \cdots\cdots ㉠ \\ 3x-8y=1 & \cdots\cdots ㉡ \end{cases}$

㉠×3−㉡×5를 하면

$19y=19 \quad \therefore y=1$

$y=1$을 ㉡에 대입하면

$3x-8\times1=1,\ 3x=9 \quad \therefore x=3$

(3) $\begin{cases} 0.7x+y=0.3 \\ 0.5x+0.7y=0.2 \end{cases} \Rightarrow \begin{cases} 7x+10y=3 & \cdots\cdots ㉠ \\ 5x+7y=2 & \cdots\cdots ㉡ \end{cases}$

㉠×5−㉡×7을 하면 $y=1$

$y=1$을 ㉡에 대입하면

$5x+7\times1=2,\ 5x=-5 \quad \therefore x=-1$

04 (1) ㉠×10을 하면 $3x+2y=17 \quad \cdots\cdots$ ㉢

㉡×10을 하면 $x-2y=-5 \quad \cdots\cdots$ ㉣

㉢+㉣을 하면 $4x=12 \quad \therefore x=3$

$x=3$을 ㉣에 대입하면

$3-2y=-5,\ -2y=-8 \quad \therefore y=4$

(2) ㉠×10을 하면 $2x+y=5 \quad \cdots\cdots$ ㉢

㉡×10을 하면 $x-2y=10 \quad \cdots\cdots$ ㉣

㉢×2+㉣을 하면

$5x=20 \quad \therefore x=4$

$x=4$를 ㉢에 대입하면

$2\times4+y=5 \quad \therefore y=-3$

(3) ㉠×10을 하면 $x+2y=3 \quad \cdots\cdots$ ㉢

㉡×10을 하면 $2x-3y=-1 \quad \cdots\cdots$ ㉣

㉢×2−㉣을 하면

$7y=7 \quad \therefore y=1$

$y=1$을 ㉢에 대입하면

$x+2\times1=3 \quad \therefore x=1$

(4) ㉠×10을 하면 $5x-30y=0$에서

$x-6y=0 \quad \cdots\cdots$ ㉢

㉡×100을 하면 $25x-50y=100$에서

$x-2y=4 \quad \cdots\cdots$ ㉣

㉢−㉣을 하면 $-4y=-4 \quad \therefore y=1$

$y=1$을 ㉢에 대입하면 $x-6\times1=0 \quad \therefore x=6$

(5) ㉠×100을 하면 $15x+5y=10$에서

$3x+y=2 \quad \cdots\cdots$ ㉢

㉡×10을 하면 $6x-4y=10$에서

$3x-2y=5 \quad \cdots\cdots$ ㉣

㉢−㉣을 하면 $3y=-3 \quad \therefore y=-1$

$y=-1$을 ㉢에 대입하면

$3x-1=2,\ 3x=3 \quad \therefore x=1$

(6) ㉠×10을 하면 $4x+3y=25 \quad \cdots\cdots$ ㉢

㉡×100을 하면 $7x-4y=16 \quad \cdots\cdots$ ㉣

㉢×4+㉣×3을 하면

$37x=148 \quad \therefore x=4$

$x=4$를 ㉢에 대입하면

$4\times4+3y=25$

$3y=9 \quad \therefore y=3$

05 (1) $\begin{cases} \frac{1}{3}x-y=1 \\ y=\frac{1}{2}x+1 \end{cases} \Rightarrow \begin{cases} x-3y=3 & \cdots\cdots ㉠ \\ 2y=x+2 & \cdots\cdots ㉡ \end{cases}$

㉠에서 $x=3y+3$을 ㉡에 대입하면

$2y=3y+3+2$

$-y=5 \quad \therefore y=-5$

$y=-5$를 ㉠에 대입하면

$x-3\times(-5)=3 \quad \therefore x=-12$

(2) $\begin{cases} \frac{x}{3}+\frac{y}{2}=1 \\ \frac{x}{3}+\frac{y}{5}=-\frac{1}{5} \end{cases} \Rightarrow \begin{cases} 2x+3y=6 & \cdots\cdots ㉠ \\ 5x+3y=-3 & \cdots\cdots ㉡ \end{cases}$

㉠−㉡을 하면

$-3x=9 \quad \therefore x=-3$

$x=-3$을 ㉠에 대입하면

$2\times(-3)+3y=6,\ 3y=12 \quad \therefore y=4$

(3) $\begin{cases} \frac{x}{2}+\frac{y}{5}=4 \\ \frac{x}{3}+y=7 \end{cases} \Rightarrow \begin{cases} 5x+2y=40 & \cdots\cdots ㉠ \\ x+3y=21 & \cdots\cdots ㉡ \end{cases}$

㉠$-$㉡$\times 5$를 하면

$-13y=-65$ $\therefore y=5$

$y=5$를 ㉡에 대입하면

$x+3\times 5=21$ $\therefore x=6$

06 (1) ㉠$\times 6$을 하면 $2x+3y=12$ …… ㉢

㉡$\times 12$를 하면 $8x-3y=18$ …… ㉣

㉢$+$㉣을 하면 $10x=30$ $\therefore x=3$

$x=3$을 ㉢에 대입하면

$2\times 3+3y=12$, $3y=6$ $\therefore y=2$

(2) ㉠$\times 6$을 하면 $3x+2y=18$ …… ㉢

㉡$\times 10$을 하면 $5x-2y=-2$ …… ㉣

㉢$+$㉣을 하면

$8x=16$ $\therefore x=2$

$x=2$를 ㉢에 대입하면

$3\times 2+2y=18$

$2y=12$ $\therefore y=6$

(3) ㉠$\times 2$를 하면 $x-2y=-2$ …… ㉢

㉡$\times 6$을 하면 $2x-3y=1$ …… ㉣

㉢$\times 2-$㉣을 하면

$-y=-5$ $\therefore y=5$

$y=5$를 ㉢에 대입하면

$x-2\times 5=-2$ $\therefore x=8$

(4) ㉠$\times 3$을 하면 $x-3y=-1$ …… ㉢

㉡$\times 20$을 하면 $5x-12y=-2$ …… ㉣

㉢$\times 4-$㉣을 하면

$-x=-2$ $\therefore x=2$

$x=2$를 ㉢에 대입하면

$2-3y=-1$, $-3y=-3$ $\therefore y=1$

07 (1) ㉠$\times 6$을 하면 $3(x+5)=2(y+2)$

$3x+15=2y+4$

$3x-2y=-11$ …… ㉢

㉡을 정리하면 $3x-12+2y+2=7$

$3x+2y=17$ …… ㉣

㉢$+$㉣을 하면

$6x=6$ $\therefore x=1$

$x=1$을 ㉢에 대입하면

$3\times 1-2y=-11$

$-2y=-14$ $\therefore y=7$

(2) ㉠$\times 6$을 하면 $3x+2y=5$ …… ㉢

㉡$\times 10$을 하면 $3(x-y)-2y=19$

$3x-3y-2y=19$

$3x-5y=19$ …… ㉣

㉢$-$㉣을 하면

$7y=-14$ $\therefore y=-2$

$y=-2$를 ㉢에 대입하면

$3x+2\times(-2)=5$

$3x=9$ $\therefore x=3$

힘수 만점 76쪽

01 ⑤ **02** ③ **03** 1 **04** ②

01 $\begin{cases} x-2(y-x)=8 \\ 5(x-2)-3y=3 \end{cases}$에서 $\begin{cases} 3x-2y=8 & \cdots\cdots ㉠ \\ 5x-3y=13 & \cdots\cdots ㉡ \end{cases}$

㉠$\times 3-$㉡$\times 2$를 하면

$-x=-2$ $\therefore x=2$

$x=2$를 ㉠에 대입하면

$3\times 2-2y=8$

$-2y=2$ $\therefore y=-1$

$\therefore x-y=2-(-1)=3$

02 $\begin{cases} -\frac{1}{3}x+\frac{1}{2}y=\frac{1}{6} & \cdots\cdots ㉠ \\ \frac{1}{5}x+\frac{3}{10}y=\frac{1}{2} & \cdots\cdots ㉡ \end{cases}$에서

㉠$\times 6$을 하면 $-2x+3y=1$ …… ㉢

㉡$\times 10$을 하면 $2x+3y=5$ …… ㉣

㉢$+$㉣을 하면

$6y=6$ $\therefore y=1$

$y=1$을 ㉢에 대입하면

$-2x+3\times 1=1$

$-2x=-2$ $\therefore x=1$

03 $\begin{cases} 0.5x+0.3y=-0.7 & \cdots\cdots ㉠ \\ \frac{1}{4}x-\frac{1}{6}y=-\frac{2}{3} & \cdots\cdots ㉡ \end{cases}$에서

㉠$\times 10$을 하면 $5x+3y=-7$ …… ㉢

㉡$\times 12$를 하면 $3x-2y=-8$ …… ㉣

㉢$\times 2+$㉣$\times 3$을 하면

$19x=-38$ $\therefore x=-2$

$x=-2$를 ㉣에 대입하면

$3\times(-2)-2y=-8$

$-2y=-2$ $\therefore y=1$

따라서 $2x+5y=2\times(-2)+5\times 1=1$이므로

$a=1$

04 $\begin{cases} 0.3(x+1)=0.5y-2.2 & \cdots\cdots ㉠ \\ y=\frac{x}{5}+3 & \cdots\cdots ㉡ \end{cases}$에서

㉠$\times 10$을 하면 $3(x+1)=5y-22$

$3x+3=5y-22$

$3x-5y=-25$ ······ ㉢

㉡$\times 5$를 하면 $5y=x+15$ ······ ㉣

㉣을 ㉢에 대입하면

$3x-(x+15)=-25$

$3x-x-15=-25$, $2x=-10$ $\therefore x=-5$

$x=-5$를 ㉣에 대입하면

$5y=-5+15$

$5y=10$ $\therefore y=2$

따라서 $a=-5$, $b=2$이므로

$a+10b=-5+10\times 2=15$

21강 + 여러 가지 방정식의 풀이 77~78쪽

01 (1) $3x+4y$, $6x-2y$, $x=2$, $y=1$
(2) $4x-5y-1$, $3x-y-2$, $x=3$, $y=1$
(3) $4x-2y$, $3x+2y$, $x=8$, $y=2$

02 (1) $x=5$, $y=3$ (2) $x=-1$, $y=1$
(3) $x=-1$, $y=-1$ (4) $x=3$, $y=-5$
(5) $x=-20$, $y=-5$ (6) $x=1$, $y=4$

03 (1) 해가 무수히 많다. (2) 해가 없다. (3) 해가 없다.
(4) 해가 무수히 많다. (5) 해가 없다.

04 (1) 2 (2) -5 (3) -7 (4) -16

05 (1) 2 (2) -6 (3) $a\neq 6$ (4) $a\neq -4$

01 (1) $\begin{cases} A=C \\ B=C \end{cases}$ ⇨ $\begin{cases} 3x+4y=10 & \cdots\cdots ㉠ \\ 6x-2y=10 & \cdots\cdots ㉡ \end{cases}$에서

㉠$\times 2-$㉡을 하면

$10y=10$ $\therefore y=1$

$y=1$을 ㉠에 대입하면

$3x+4\times 1=10$

$3x=6$ $\therefore x=2$

(2) $\begin{cases} A=B \\ A=C \end{cases}$ ⇨ $\begin{cases} 2x=4x-5y-1 \\ 2x=3x-y-2 \end{cases}$를 정리하면

$\begin{cases} 2x-5y=1 & \cdots\cdots ㉠ \\ x-y=2 & \cdots\cdots ㉡ \end{cases}$

㉠$-$㉡$\times 2$를 하면

$-3y=-3$ $\therefore y=1$

$y=1$을 ㉡에 대입하면

$x-1=2$ $\therefore x=3$

(3) $\begin{cases} A=B \\ B=C \end{cases}$ ⇨ $\begin{cases} x+20=4x-2y \\ 4x-2y=3x+2y \end{cases}$를 정리하면

$\begin{cases} 3x-2y=20 & \cdots\cdots ㉠ \\ x-4y=0 & \cdots\cdots ㉡ \end{cases}$

㉠$-$㉡$\times 3$을 하면

$10y=20$ $\therefore y=2$

$y=2$를 ㉡에 대입하면

$x-4\times 2=0$ $\therefore x=8$

02 (1) 주어진 방정식에서

$\begin{cases} 3x+2y=21 & \cdots\cdots ㉠ \\ -3x+12y=21 & \cdots\cdots ㉡ \end{cases}$

㉠$+$㉡을 하면

$14y=42$ $\therefore y=3$

$y=3$을 ㉠에 대입하면

$3x+2\times 3=21$

$3x=15$ $\therefore x=5$

(2) 주어진 방정식에서

$\begin{cases} 4x+y-1=-4y \\ -5x-9=-4y \end{cases}$

이를 정리하면 $\begin{cases} 4x+5y=1 & \cdots\cdots ㉠ \\ -5x+4y=9 & \cdots\cdots ㉡ \end{cases}$

㉠$\times 5+$㉡$\times 4$를 하면

$41y=41$ $\therefore y=1$

$y=1$을 ㉠에 대입하면

$4x+5\times 1=1$, $4x=-4$ $\therefore x=-1$

(3) 주어진 방정식에서

$\begin{cases} 2x-3y=-8x+7y \\ -8x+7y=x-y+1 \end{cases}$

이를 정리하면 $\begin{cases} 10x-10y=0 & \cdots\cdots ㉠ \\ 9x-8y=-1 & \cdots\cdots ㉡ \end{cases}$

㉠$\times 4-$㉡$\times 5$를 하면

$-5x=5$ $\therefore x=-1$

$x=-1$을 ㉠에 대입하면

$10\times(-1)-10y=0$

$-10y=10$ $\therefore y=-1$

(4) 주어진 방정식에서

$\begin{cases} 4x+3y-1=-3x-y \\ -3x-y=2x+y-5 \end{cases}$

이를 정리하면 $\begin{cases} 7x+4y=1 & \cdots\cdots ㉠ \\ 5x+2y=5 & \cdots\cdots ㉡ \end{cases}$

㉠$-$㉡$\times 2$를 하면

$-3x=-9$ $\therefore x=3$

$x=3$을 ㉡에 대입하면

$5\times 3+2y=5$

$2y=-10$ $\therefore y=-5$

(5) 주어진 방정식에서

$\begin{cases} 5x=4(x+y) \\ 5x=3x+10(y+1) \end{cases}$

이를 정리하면 $\begin{cases} x-4y=0 & \cdots\cdots ㉠ \\ x-5y=5 & \cdots\cdots ㉡ \end{cases}$

㉠−㉡을 하면

$y=-5$

$y=-5$를 ㉠에 대입하면

$x-4\times(-5)=0 \qquad \therefore x=-20$

(6) 주어진 방정식에서

$\begin{cases} \dfrac{2x+y}{6}=1 \\ \dfrac{x+2y}{9}=1 \end{cases}$

이를 정리하면 $\begin{cases} 2x+y=6 & \cdots\cdots ㉠ \\ x+2y=9 & \cdots\cdots ㉡ \end{cases}$

㉠×2−㉡을 하면

$3x=3 \qquad \therefore x=1$

$x=1$을 ㉠에 대입하면

$2\times1+y=6 \qquad \therefore y=4$

03 (1) ㉠×2를 하면 $4x+6y=8$ ⋯⋯ ㉢

㉡과 ㉢의 x의 계수, y의 계수, 상수항이 각각 같으므로 해가 무수히 많다.

(2) ㉠×2를 하면 $2x-2y=4$ ⋯⋯ ㉢

㉡과 ㉢의 x의 계수, y의 계수는 각각 같고, 상수항은 다르므로 해가 없다.

(3) ㉠×3을 하면 $3x-9y=6$ ⋯⋯ ㉢

㉡과 ㉢의 x의 계수, y의 계수는 각각 같고, 상수항은 다르므로 해가 없다.

(4) ㉠×(-2)를 하면 $-2x+6y=-8$ ⋯⋯ ㉢

㉡과 ㉢의 x의 계수, y의 계수, 상수항이 각각 같으므로 해가 무수히 많다.

(5) ㉡×2를 하면 $2y=x+1$

정리하면 $x-2y=-1$ ⋯⋯ ㉢

㉠과 ㉢의 x의 계수, y의 계수는 각각 같고, 상수항은 다르므로 해가 없다.

04 (1) $\begin{cases} x+ay=4 \\ 2x+4y=8 \end{cases}$, 즉 $\begin{cases} 2x+2ay=8 \\ 2x+4y=8 \end{cases}$ 의 해가 무수히 많으므로

$2a=4 \qquad \therefore a=2$

(2) $\begin{cases} x-y=-2 \\ 5x+ay=-10 \end{cases}$, 즉 $\begin{cases} 5x-5y=-10 \\ 5x+ay=-10 \end{cases}$ 의 해가 무수히 많으므로 $a=-5$

(3) $\begin{cases} x+4y=a \\ -2x-8y=14 \end{cases}$, 즉 $\begin{cases} -2x-8y=-2a \\ -2x-8y=14 \end{cases}$ 의 해가 무수히 많으므로

$-2a=14 \qquad \therefore a=-7$

(4) $\begin{cases} 4x-3y=2 \\ ax+12y=-8 \end{cases}$, 즉 $\begin{cases} -16x+12y=-8 \\ ax+12y=-8 \end{cases}$ 의 해가 무수히 많으므로 $a=-16$

05 (1) $\begin{cases} x+2y=3 \\ ax+4y=1 \end{cases}$, 즉 $\begin{cases} 2x+4y=6 \\ ax+4y=1 \end{cases}$ 의 해가 없으므로

$a=2$

(2) $\begin{cases} 2x+ay=16 \\ x-3y=5 \end{cases}$, 즉 $\begin{cases} 2x+ay=16 \\ 2x-6y=10 \end{cases}$ 의 해가 없으므로

$a=-6$

(3) $\begin{cases} 3x-y=3 \\ 6x-2y=a \end{cases}$, 즉 $\begin{cases} 6x-2y=6 \\ 6x-2y=a \end{cases}$ 의 해가 없으므로

$a\neq6$

(4) $\begin{cases} 6x-10y=a \\ 3x-5y=-2 \end{cases}$, 즉 $\begin{cases} 6x-10y=a \\ 6x-10y=-4 \end{cases}$ 의 해가 없으므로

$a\neq-4$

힘수 만점 79쪽

01 ① **02** ⑤ **03** ①, ⑤ **04** ④

01 주어진 방정식에서

$\begin{cases} x-3y-2=3x+y+2 \\ 3x+y+2=4x+2y+1 \end{cases}$

이를 정리하면

$\begin{cases} 2x+4y=-4 & \cdots\cdots ㉠ \\ x+y=1 & \cdots\cdots ㉡ \end{cases}$

㉠−㉡×2를 하면

$2y=-6 \qquad \therefore y=-3$

$y=-3$을 ㉡에 대입하면

$x-3=1 \qquad \therefore x=4$

$a=4$, $b=-3$이므로 $ab=-12$

02 ① $x=2$, $y=3$

② $\begin{cases} 2x+2y=4 \\ 2x+2y=4 \end{cases}$ 이므로 해가 무수히 많다.

③ $x=11$, $y=5$

④ $\begin{cases} 4x-2y=6 \\ 4x-2y=6 \end{cases}$ 이므로 해가 무수히 많다.

⑤ $\begin{cases} 2x+y=5 \\ 2x+y=4 \end{cases}$ 이므로 해가 없다.

03 ① $\begin{cases}4x+2y=6\\4x+2y=6\end{cases}$이므로 해가 무수히 많다.

② $\begin{cases}3x+6y=3\\3x+6y=5\end{cases}$이므로 해가 없다.

③ $x=1,\ y=3$

④ $\begin{cases}-3x+3y=-3\\-3x+3y=3\end{cases}$이므로 해가 없다.

⑤ $\begin{cases}x-4y=-16\\x-4y=-16\end{cases}$이므로 해가 무수히 많다.

04 $\begin{cases}x-y=2\\3x+ay=5\end{cases}$, 즉 $\begin{cases}3x-3y=6\\3x+ay=5\end{cases}$의 해가 없으므로 $a=-3$

22강+ 연립방정식의 활용(1) 80~82쪽

01 (1) $x+y,\ 2y+1$ (2) $\begin{cases}x+y=22\\x=2y+1\end{cases}$

(3) $x=15,\ y=7$ (4) 15, 7

02 (1) $x+y,\ 10y+x,\ 10x+y$

(2) $\begin{cases}x+y=7\\10y+x=10x+y-9\end{cases}$ (3) $x=4,\ y=3$ (4) 43

03 (1) $5x,\ 2y,\ 9300$ (2) $\begin{cases}3x+4y=8100\\5x+2y=9300\end{cases}$

(3) $x=1500,\ y=900$ (4) 사과: 1500원, 오렌지: 900원

04 (1) $\begin{cases}x=y+4\\2(x+y)=28\end{cases}$ (2) $x=9,\ y=5$

(3) 가로의 길이: 9 cm, 세로의 길이: 5 cm

05 (1) $4000y,\ 46000$ (2) $\begin{cases}x+y=10\\6000x+4000y=46000\end{cases}$

(3) $x=3,\ y=7$ (4) 어른: 3명, 청소년: 7명

06 (1) $500y,\ 4200$ (2) $\begin{cases}x+y=18\\100x+500y=4200\end{cases}$

(3) $x=12,\ y=6$ (4) 100원: 12개, 500원: 6개

07 (1) $x+y,\ y+10,\ x+10$

(2) $\begin{cases}x+y=56\\y+10=2(x+10)+4\end{cases}$ (3) $x=14,\ y=42$ (4) 14살

08 (1) $\frac{x+y}{2},\ y+12$ (2) $\begin{cases}\frac{x+y}{2}=80\\x=y+12\end{cases}$

(3) $x=86,\ y=74$ (4) 86점

09 (1) $2x,\ 9$ (2) $\begin{cases}3x-2y=4\\3y-2x=9\end{cases}$ (3) $x=6,\ y=7$ (4) 6회

10 (1) $2x,\ 4y,\ 46$ (2) $\begin{cases}x+y=16\\2x+4y=46\end{cases}$ (3) $x=9,\ y=7$

(4) 닭: 9마리, 토끼: 7마리

11 (1) $8y,\ 4y$ (2) $\begin{cases}2x+8y=1\\4x+4y=1\end{cases}$ (3) $x=\frac{1}{6},\ y=\frac{1}{12}$ (4) 6일

01 (3) $\begin{cases}x+y=22 & \cdots\cdots ㉠\\x=2y+1 & \cdots\cdots ㉡\end{cases}$

㉡을 ㉠에 대입하면

$2y+1+y=22$

$3y=21 \quad \therefore y=7$

$y=7$을 ㉡에 대입하면

$x=2\times7+1=15$

(4) 구하는 두 수는 15, 7이다.

02 (3) $\begin{cases}x+y=7\\10y+x=10x+y-9\end{cases}$를 정리하면

$\begin{cases}x+y=7 & \cdots\cdots ㉠\\x-y=1 & \cdots\cdots ㉡\end{cases}$

㉠+㉡을 하면

$2x=8 \quad \therefore x=4$

$x=4$를 ㉡에 대입하면

$4-y=1 \quad \therefore y=3$

(4) 처음 십의 자리의 숫자는 4, 일의 자리의 숫자는 3이므로 처음 수는 43이다.

03 (3) $\begin{cases}3x+4y=8100 & \cdots\cdots ㉠\\5x+2y=9300 & \cdots\cdots ㉡\end{cases}$

㉠−㉡×2를 하면

$-7x=-10500 \quad \therefore x=1500$

$x=1500$을 ㉠에 대입하면

$3\times1500+4y=8100$

$4y=3600 \quad \therefore y=900$

(4) 사과 한 개의 값은 1500원, 오렌지 한 개의 값은 900원이다.

04 (1) 가로의 길이는 세로의 길이보다 4 cm만큼 길므로 $x=y+4$

둘레의 길이는 28 cm이므로 $2(x+y)=28$

$\therefore \begin{cases}x=y+4\\2(x+y)=28\end{cases}$

(2) $\begin{cases}x=y+4\\2(x+y)=28\end{cases}$을 정리하면

$\begin{cases}x=y+4 & \cdots\cdots ㉠\\x+y=14 & \cdots\cdots ㉡\end{cases}$

㉠을 ㉡에 대입하면

$y+4+y=14$

$2y=10 \quad \therefore y=5$

$y=5$를 ㉠에 대입하면

$x=5+4=9$

(4) 카드의 가로의 길이는 9 cm, 세로의 길이는 5 cm이다.

05 (3) $\begin{cases} x+y=10 \\ 6000x+4000y=46000 \end{cases}$ 을 정리하면

$\begin{cases} x+y=10 & \cdots\cdots ㉠ \\ 3x+2y=23 & \cdots\cdots ㉡ \end{cases}$

㉠×2−㉡을 하면

$-x=-3 \quad \therefore x=3$

$x=3$을 ㉠에 대입하면

$3+y=10 \quad \therefore y=7$

(4) 박물관에 입장한 어른은 3명, 청소년은 7명이다.

06 (3) $\begin{cases} x+y=18 \\ 100x+500y=4200 \end{cases}$ 을 정리하면

$\begin{cases} x+y=18 & \cdots\cdots ㉠ \\ x+5y=42 & \cdots\cdots ㉡ \end{cases}$

㉠−㉡을 하면

$-4y=-24 \quad \therefore y=6$

$y=6$을 ㉠에 대입하면

$x+6=18 \quad \therefore x=12$

(4) 100원짜리 동전은 12개, 500원짜리 동전은 6개이다.

07 (3) $\begin{cases} x+y=56 \\ y+10=2(x+10)+4 \end{cases}$ 를 정리하면

$\begin{cases} x+y=56 & \cdots\cdots ㉠ \\ 2x-y=-14 & \cdots\cdots ㉡ \end{cases}$

㉠+㉡을 하면

$3x=42 \quad \therefore x=14$

$x=14$를 ㉠에 대입하면

$14+y=56 \quad \therefore y=42$

(4) 현재 지우의 나이는 14살이다.

08 (3) $\begin{cases} \dfrac{x+y}{2}=80 \\ x=y+12 \end{cases}$ 를 정리하면

$\begin{cases} x+y=160 & \cdots\cdots ㉠ \\ x=y+12 & \cdots\cdots ㉡ \end{cases}$

㉡을 ㉠에 대입하면

$y+12+y=160$

$2y=148 \quad \therefore y=74$

$y=74$를 ㉡에 대입하면

$x=74+12=86$

(4) 수학 성적은 86점이다.

09 (3) $\begin{cases} 3x-2y=4 & \cdots\cdots ㉠ \\ 3y-2x=9 & \cdots\cdots ㉡ \end{cases}$

㉠×2+㉡×3을 하면

$5y=35 \quad \therefore y=7$

$y=7$을 ㉠에 대입하면

$3x-2\times7=4,\ 3x=18 \quad \therefore x=6$

(4) 강우가 이긴 횟수는 6회이다.

10 (3) $\begin{cases} x+y=16 \\ 2x+4y=46 \end{cases}$ 에서 $\begin{cases} x+y=16 & \cdots\cdots ㉠ \\ x+2y=23 & \cdots\cdots ㉡ \end{cases}$

㉠−㉡을 하면

$-y=-7 \quad \therefore y=7$

$y=7$을 ㉠에 대입하면

$x+7=16 \quad \therefore x=9$

(4) 닭은 9마리, 토끼는 7마리이다.

11 (3) $\begin{cases} 2x+8y=1 & \cdots\cdots ㉠ \\ 4x+4y=1 & \cdots\cdots ㉡ \end{cases}$

㉠×2−㉡을 하면

$12y=1 \quad \therefore y=\dfrac{1}{12}$

$y=\dfrac{1}{12}$을 ㉡에 대입하면

$4x+4\times\dfrac{1}{12}=1$

$4x=\dfrac{2}{3} \quad \therefore x=\dfrac{1}{6}$

(4) 지원이가 하루에 할 수 있는 일의 양이 $\dfrac{1}{6}$이므로 이 일을 혼자서 하면 6일이 걸린다.

힘수 만점 83쪽

01 ④ **02** 과자: 9개, 아이스크림: 6개
03 가로의 길이: 17 cm, 세로의 길이: 11 cm
04 ③ **05** 2점 슛: 7개, 3점 슛: 4개

01 큰 수를 x, 작은 수를 y라 하면

$\begin{cases} x+y=29 & \cdots\cdots ㉠ \\ x-y=5 & \cdots\cdots ㉡ \end{cases}$

㉠+㉡을 하면

$2x=34 \quad \therefore x=17$

$x=17$을 ㉠에 대입하면

$17+y=29 \quad \therefore y=12$

따라서 두 수 중 큰 수는 17이다.

02 과자를 x개, 아이스크림을 y개 샀다고 하면

$\begin{cases} x+y=15 \\ 1200x+800y=15600 \end{cases}$

이를 정리하면

$\begin{cases} x+y=15 & \cdots\cdots ㉠ \\ 3x+2y=39 & \cdots\cdots ㉡ \end{cases}$

㉠×2−㉡을 하면

$-x=-9$ ∴ $x=9$

$x=9$를 ㉠에 대입하면

$9+y=15$ ∴ $y=6$

따라서 하연이가 산 과자는 9개, 아이스크림은 6개이다.

03 가로의 길이를 x cm, 세로의 길이를 y cm라 하면

$\begin{cases} x=y+6 \\ 2(x+y)=56 \end{cases}$

이를 정리하면

$\begin{cases} x=y+6 & \cdots\cdots ㉠ \\ x+y=28 & \cdots\cdots ㉡ \end{cases}$

㉠을 ㉡에 대입하면

$y+6+y=28$

$2y=22$ ∴ $y=11$

$y=11$을 ㉠에 대입하면

$x=11+6=17$

따라서 가로의 길이는 17 cm, 세로의 길이는 11 cm이다.

04 현재 현희의 나이를 x살, 현희 아버지의 나이를 y살이라 하면

$\begin{cases} x+y=54 \\ y+10=2(x+10)+2 \end{cases}$

이를 정리하면

$\begin{cases} x+y=54 & \cdots\cdots ㉠ \\ 2x-y=-12 & \cdots\cdots ㉡ \end{cases}$

㉠+㉡을 하면

$3x=42$ ∴ $x=14$

$x=14$를 ㉠에 대입하면

$14+y=54$ ∴ $y=40$

따라서 현재 현희의 나이는 14살이다.

05 2점 슛의 개수를 x개, 3점 슛의 개수를 y개라 하면

$\begin{cases} x+y=11 & \cdots\cdots ㉠ \\ 2x+3y=26 & \cdots\cdots ㉡ \end{cases}$

㉠×2−㉡을 하면

$-y=-4$ ∴ $y=4$

$y=4$를 ㉠에 대입하면

$x+4=11$ ∴ $x=7$

따라서 은호가 넣은 2점 슛의 개수는 7개, 3점 슛의 개수는 4개이다.

23강+ 연립방정식의 활용(2) 84~86쪽

01 (1) 4, 6, $\frac{y}{6}$ (2) $\begin{cases} x+y=4 \\ \frac{x}{3}+\frac{y}{6}=1 \end{cases}$ (3) $x=2$, $y=2$

(4) 걸어간 거리: 2 km, 뛰어간 거리: 2 km

02 (1) $\begin{cases} x+y=3 \\ \frac{x}{4}+\frac{y}{10}=\frac{9}{20} \end{cases}$ (2) $x=1$, $y=2$

(3) 걸어간 거리: 1 km, 뛰어간 거리: 2 km

03 (1) y, x, x, y (2) $\begin{cases} y=x+1 \\ \frac{x}{2}+\frac{y}{4}=\frac{13}{4} \end{cases}$ (3) $x=4$, $y=5$

(4) 올라갈 때: 4 km, 내려올 때: 5 km

04 (1) x, y, x, 300 (2) $\begin{cases} x=y+5 \\ 200x=300y \end{cases}$

(3) $x=15$, $y=10$ (4) 우진: 15분, 범준: 10분

05 (1) $\begin{cases} x=y+20 \\ 60x=90y \end{cases}$ (2) $x=60$, $y=40$ (3) 40분

06 (1) y, $\frac{15}{100}y$, $\frac{12}{100}\times500$

(2) $\begin{cases} x+y=500 \\ \frac{10}{100}x+\frac{15}{100}y=\frac{12}{100}\times500 \end{cases}$

(3) $x=300$, $y=200$

(4) 10 %의 소금물: 300 g, 15 %의 소금물: 200 g

07 (1) $\begin{cases} x+y=300 \\ \frac{3}{100}x+\frac{9}{100}y=\frac{5}{100}\times300 \end{cases}$

(2) $x=200$, $y=100$

(3) 3 %의 소금물: 200 g, 9 %의 소금물: 100 g

08 (1) $\frac{y}{100}\times200$, $\frac{y}{100}\times100$, $\frac{15}{100}\times300$

(2) $\begin{cases} \frac{x}{100}\times100+\frac{y}{100}\times200=\frac{20}{100}\times300 \\ \frac{x}{100}\times200+\frac{y}{100}\times100=\frac{15}{100}\times300 \end{cases}$

(3) $x=10$, $y=25$ (4) 소금물 A: 10 %, 소금물 B: 25 %

09 (1) $\begin{cases} \frac{x}{100}\times100+\frac{y}{100}\times200=\frac{6}{100}\times300 \\ \frac{x}{100}\times200+\frac{y}{100}\times100=\frac{9}{100}\times300 \end{cases}$

(2) $x=12$, $y=3$ (3) 소금물 A: 12 %, 소금물 B: 3 %

01 (3) $\begin{cases} x+y=4 & \cdots\cdots ㉠ \\ \frac{x}{3}+\frac{y}{6}=1 & \cdots\cdots ㉡ \end{cases}$

㉡×6을 하면 $2x+y=6$ ⋯⋯ ㉢

㉠−㉢을 하면 $-x=-2$ ∴ $x=2$

$x=2$를 ㉠에 대입하면

$2+y=4$ ∴ $y=2$

(4) 걸어간 거리와 뛰어간 거리는 각각 2 km이다.

02 (1) 27분은 $\frac{27}{60}=\frac{9}{20}$(시간)이므로

$$\begin{cases} x+y=3 \\ \frac{x}{4}+\frac{y}{10}=\frac{9}{20} \end{cases}$$

(2) $\begin{cases} x+y=3 & \cdots\cdots ㉠ \\ \frac{x}{4}+\frac{y}{10}=\frac{9}{20} & \cdots\cdots ㉡ \end{cases}$

㉡×20을 하면 $5x+2y=9$ ······ ㉢

㉠×2−㉢을 하면

$-3x=-3$ $\quad\therefore x=1$

$x=1$을 ㉠에 대입하면

$1+y=3$ $\quad\therefore y=2$

(3) 걸어간 거리는 1 km, 뛰어간 거리는 2 km이다.

03 (3) $\begin{cases} y=x+1 & \cdots\cdots ㉠ \\ \frac{x}{2}+\frac{y}{4}=\frac{13}{4} & \cdots\cdots ㉡ \end{cases}$

㉡×4를 하면

$2x+y=13$ ······ ㉢

㉠을 ㉢에 대입하면

$2x+x+1=13$

$3x=12$ $\quad\therefore x=4$

$x=4$를 ㉠에 대입하면

$y=4+1=5$

(4) 올라갈 때 걸은 거리는 4 km, 내려올 때 걸은 거리는 5 km이다.

04 (3) $\begin{cases} x=y+5 \\ 200x=300y \end{cases}$에서 $\begin{cases} x=y+5 & \cdots\cdots ㉠ \\ 2x=3y & \cdots\cdots ㉡ \end{cases}$

㉠을 ㉡에 대입하면

$2(y+5)=3y$

$2y+10=3y$ $\quad\therefore y=10$

$y=10$을 ㉠에 대입하면

$x=10+5=15$

(4) 두 사람이 만날 때까지 뛴 시간은 우진이는 15분, 범준이는 10분이다.

05 (1) 두 사람이 만날 때까지 누나가 동생보다 20분 더 걸었으므로 $x=y+20$

두 사람이 만날 때까지 걸은 거리는 같으므로

$60x=90y$

$\therefore \begin{cases} x=y+20 \\ 60x=90y \end{cases}$

(2) $\begin{cases} x=y+20 \\ 60x=90y \end{cases}$에서 $\begin{cases} x=y+20 & \cdots\cdots ㉠ \\ 2x=3y & \cdots\cdots ㉡ \end{cases}$

㉠을 ㉡에 대입하면

$2(y+20)=3y$

$2y+40=3y$ $\quad\therefore y=40$

$y=40$을 ㉠에 대입하면

$x=40+20=60$

(3) 누나와 동생이 만나는 것은 동생이 출발한지 40분 후이다.

06 (3) $\begin{cases} x+y=500 & \cdots\cdots ㉠ \\ \frac{10}{100}x+\frac{15}{100}y=\frac{12}{100}\times 500 & \cdots\cdots ㉡ \end{cases}$

㉡×100을 하면

$10x+15y=6000$ ······ ㉢

㉠×10−㉢을 하면 $-5y=-1000$

$\therefore y=200$

$y=200$을 ㉠에 대입하면

$x+200=500$ $\quad\therefore x=300$

(4) 10 %의 소금물의 양은 300 g, 15 %의 소금물의 양은 200 g이다.

07 (1) 3 %의 소금물과 9 %의 소금물을 합하여 5 %의 소금물 300 g이 되므로

$x+y=300$

두 소금물을 섞어도 소금의 양은 변하지 않으므로

$\frac{3}{100}x+\frac{9}{100}y=\frac{5}{100}\times 300$

$\therefore \begin{cases} x+y=300 \\ \frac{3}{100}x+\frac{9}{100}y=\frac{5}{100}\times 300 \end{cases}$

(2) $\begin{cases} x+y=300 & \cdots\cdots ㉠ \\ \frac{3}{100}x+\frac{9}{100}y=\frac{5}{100}\times 300 & \cdots\cdots ㉡ \end{cases}$

㉡×100을 하면

$3x+9y=1500$ ······ ㉢

㉠×3−㉢을 하면 $-6y=-600$ $\quad\therefore y=100$

$y=100$을 ㉠에 대입하면 $x+100=300$ $\quad\therefore x=200$

(3) 3 %의 소금물은 200 g이고 9 %의 소금물은 100 g이다.

08 (3) $\begin{cases} \frac{x}{100}\times 100+\frac{y}{100}\times 200=\frac{20}{100}\times 300 \\ \frac{x}{100}\times 200+\frac{y}{100}\times 100=\frac{15}{100}\times 300 \end{cases}$

이를 각각 정리하면

$\begin{cases} x+2y=60 & \cdots\cdots ㉠ \\ 2x+y=45 & \cdots\cdots ㉡ \end{cases}$

㉠×2−㉡을 하면 $3y=75$ $\quad\therefore y=25$

$y=25$를 ㉠에 대입하면

$x+2\times 25=60$ $\quad\therefore x=10$

(4) 따라서 소금물 A의 농도는 10 %, 소금물 B의 농도는 25 %이다.

09 (2) $\begin{cases} \frac{x}{100}\times100+\frac{y}{100}\times200=\frac{6}{100}\times300 \\ \frac{x}{100}\times200+\frac{y}{100}\times100=\frac{9}{100}\times300 \end{cases}$

이를 각각 정리하면

$\begin{cases} x+2y=18 & \cdots\cdots ㉠ \\ 2x+y=27 & \cdots\cdots ㉡ \end{cases}$

㉠×2−㉡을 하면 $3y=9$ $\therefore y=3$

$y=3$을 ㉠에 대입하면

$x+2\times3=18$ $\therefore x=12$

(3) 소금물 A의 농도는 12 %, 소금물 B의 농도는 3 %이다.

힘수 만점 87쪽

01 자전거를 타고 간 거리: 4 km, 걸어간 거리: 3 km
02 ⑤ **03** ① **04** ⑤

01 자전거를 타고 간 거리를 x km, 걸어간 거리를 y km라 하면

$\begin{cases} x+y=7 & \cdots\cdots ㉠ \\ \frac{x}{8}+\frac{y}{3}=\frac{3}{2} & \cdots\cdots ㉡ \end{cases}$

㉡×24를 하면 $3x+8y=36$ ⋯⋯ ㉢

㉠×3−㉢을 하면

$-5y=-15$ $\therefore y=3$

$y=3$을 ㉠에 대입하면

$x+3=7$ $\therefore x=4$

따라서 수아가 자전거를 타고 간 거리는 4 km이고 걸어간 거리는 3 km이다.

02 올라갈 때 걸은 거리를 x km, 내려올 때 걸은 거리를 y km라 하면

$\begin{cases} y=x+4 & \cdots\cdots ㉠ \\ \frac{x}{3}+\frac{y}{4}=\frac{9}{2} & \cdots\cdots ㉡ \end{cases}$

㉡×12를 하면 $4x+3y=54$ ⋯⋯ ㉢

㉠을 ㉢에 대입하면

$4x+3(x+4)=54$

$4x+3x+12=54$, $7x=42$ $\therefore x=6$

$x=6$을 ㉠에 대입하면 $y=6+4=10$

따라서 올라갈 때 걸은 거리는 6 km, 내려올 때 걸은 거리는 10 km이다.

03 12 %의 소금물 x g과 9 %의 소금물 y g을 섞는다고 하면

$\begin{cases} x+y=600 \\ \frac{12}{100}x+\frac{9}{100}y=\frac{10}{100}\times600 \end{cases}$

이를 정리하면

$\begin{cases} x+y=600 & \cdots\cdots ㉠ \\ 4x+3y=2000 & \cdots\cdots ㉡ \end{cases}$

㉠×3−㉡을 하면 $-x=-200$ $\therefore x=200$

$x=200$을 ㉠에 대입하면

$200+y=600$ $\therefore y=400$

따라서 12 %의 소금물을 200 g 섞어야 한다.

04 소금물 A의 농도를 x %, 소금물 B의 농도를 y %라 하면

$\begin{cases} \frac{x}{100}\times100+\frac{y}{100}\times100=\frac{10}{100}\times200 \\ \frac{x}{100}\times100+\frac{y}{100}\times300=\frac{9}{100}\times400 \end{cases}$

이를 각각 정리하면

$\begin{cases} x+y=20 & \cdots\cdots ㉠ \\ x+3y=36 & \cdots\cdots ㉡ \end{cases}$

㉠−㉡을 하면

$-2y=-16$ $\therefore y=8$

$y=8$을 ㉠에 대입하면

$x+8=20$ $\therefore x=12$

따라서 소금물 A의 농도는 12 %이다.

24강 중단원 연산 마무리 88~90쪽

01 (1) ○ (2) × (3) × (4) ○ **02** (1) ○ (2) ×
03 (1) 6, 5, 4, 3, 2, 1 (2) 12, 9, 6, 3 (3) $x=3$, $y=4$
04 (1) $x=1$, $y=7$ (2) $x=-1$, $y=-1$ (3) $x=4$, $y=3$ (4) $x=2$, $y=5$
05 (1) $x=5$, $y=1$ (2) $x=-1$, $y=2$ (3) $x=1$, $y=2$ (4) $x=-1$, $y=2$
06 (1) $x=1$, $y=5$ (2) $x=-7$, $y=1$
07 (1) $x=5$, $y=1$ (2) $x=2$, $y=3$ (3) $x=-2$, $y=1$
08 (1) $x=2$, $y=4$ (2) $x=2$, $y=-2$
09 (1) 해가 없다. (2) 해가 무수히 많다.
10 (1) 6 (2) 3 **11** (1) 3 (2) $a\neq-4$ **12** 38 **13** 24일
14 걸어간 거리: 1 km, 뛰어간 거리: 2 km
15 4 %의 소금물: 200 g, 9 %의 소금물: 300 g
16 −4 **17** 0 **18** 20살

01 (1) $x=3$, $y=1$을 $2x-5y=1$에 대입하면

$2\times3-5\times1=1$

따라서 $(3, 1)$은 주어진 방정식의 해이다.

(2) $x=5$, $y=2$를 $2x-5y=1$에 대입하면

$2\times5-5\times2\neq1$

따라서 $(5, 2)$는 주어진 방정식의 해가 아니다.

(3) $x=7$, $y=3$을 $2x-5y=1$에 대입하면

$2\times7-5\times3\neq1$

따라서 $(7, 3)$은 주어진 방정식의 해가 아니다.

(4) $x=8$, $y=3$을 $2x-5y=1$에 대입하면

$2\times8-5\times3=1$

따라서 $(8, 3)$은 주어진 방정식의 해이다.

02 (1) $x=2$, $y=3$을 주어진 연립방정식에 대입하면

$2+3=5$, $2\times2+3=7$

따라서 $(2, 3)$은 주어진 연립방정식의 해이다.

(2) $x=1$, $y=2$를 주어진 연립방정식에 대입하면

$2\times1+2=4$, $-1+3\times2\neq2$

따라서 $(1, 2)$는 주어진 연립방정식의 해가 아니다.

03 (1) $x+y=7$

x	1	2	3	4	5	6
y	6	5	4	3	2	1

(2) $x+3y=15$

x	12	9	6	3
y	1	2	3	4

(3) 연립방정식의 해는 $x=3$, $y=4$이다.

04 (1) ㉠을 ㉡에 대입하면

$3x+4x+3=10$

$7x=7$ $\quad\therefore x=1$

$x=1$을 ㉠에 대입하면

$y=4\times1+3=7$

(2) ㉠을 ㉡에 대입하면

$4(-3y-4)-2y=-2$

$-12y-16-2y=-2$

$-14y=14$ $\quad\therefore y=-1$

$y=-1$을 ㉠에 대입하면

$x=-3\times(-1)-4=-1$

(3) ㉠을 ㉡에 대입하면

$3y-1+5y=23$

$8y=24$ $\quad\therefore y=3$

$y=3$을 ㉠에 대입하면

$2x=3\times3-1=8$ $\quad\therefore x=4$

(4) ㉠에서 x를 y의 식으로 나타내면

$x=y-3$ …… ㉢

㉢을 ㉡에 대입하면

$2(y-3)+y=9$

$2y-6+y=9$, $3y=15$ $\quad\therefore y=5$

$y=5$를 ㉢에 대입하면 $x=5-3=2$

05 (1) ㉠－㉡을 하면

$-6y=-6$ $\quad\therefore y=1$

$y=1$을 ㉠에 대입하면

$2x-5=5$, $2x=10$ $\quad\therefore x=5$

(2) ㉠＋㉡을 하면

$6x=-6$ $\quad\therefore x=-1$

$x=-1$을 ㉡에 대입하면

$-1-2y=-5$, $-2y=-4$ $\quad\therefore y=2$

(3) ㉠×5－㉡을 하면

$-x=-1$ $\quad\therefore x=1$

$x=1$을 ㉠에 대입하면

$1-y=-1$, $-y=-2$ $\quad\therefore y=2$

(4) ㉠×2－㉡×3을 하면

$17y=34$ $\quad\therefore y=2$

$y=2$를 ㉡에 대입하면

$2x-6=-8$, $2x=-2$ $\quad\therefore x=-1$

06 (1) ㉠을 정리하면 $4x-2y=-6$ …… ㉢

㉡을 정리하면 $-x+y=4$ …… ㉣

㉢＋㉣×2를 하면 $2x=2$ $\quad\therefore x=1$

$x=1$을 ㉣에 대입하면 $-1+y=4$ $\quad\therefore y=5$

(2) ㉠을 정리하면 $-2x+5y=19$ …… ㉢

㉡을 정리하면 $3x+7y=-14$ …… ㉣

㉢×3＋㉣×2를 하면

$29y=29$ $\quad\therefore y=1$

$y=1$을 ㉢에 대입하면

$-2x+5=19$, $-2x=14$ $\quad\therefore x=-7$

07 (1) ㉠×100을 하면 $3x-12y=3$이므로

$x-4y=1$ …… ㉢

㉡×10을 하면 $7x-8y=27$ …… ㉣

㉢×7－㉣을 하면 $-20y=-20$ $\quad\therefore y=1$

$y=1$을 ㉢에 대입하면 $x-4=1$ $\quad\therefore x=5$

(2) ㉠×10을 하면 $3x+2y=12$ …… ㉢

㉡×6을 하면 $4x-3y=-1$ …… ㉣

㉢×3＋㉣×2를 하면

$17x=34$ $\quad\therefore x=2$

$x=2$를 ㉢에 대입하면

$6+2y=12$, $2y=6$ $\quad\therefore y=3$

(3) ㉠×6을 하면 $3x+2y=-4$ …… ㉢

㉡×10을 하면 $5x-4y=-14$ …… ㉣

㉢×2＋㉣을 하면

$11x=-22$ $\quad\therefore x=-2$

$x=-2$를 ㉢에 대입하면

$-6+2y=-4$, $2y=2$ $\quad\therefore y=1$

08 (1) 주어진 방정식에서

$\begin{cases} 5x+y=3x+2y \\ 3x+2y=2x+3y-2 \end{cases}$

이를 정리하면 $\begin{cases} 2x-y=0 & \cdots\cdots ㉠ \\ x-y=-2 & \cdots\cdots ㉡ \end{cases}$

㉠−㉡을 하면 $x=2$

$x=2$를 ㉠에 대입하면

$4-y=0 \quad \therefore y=4$

(2) 주어진 방정식에서

$\begin{cases} \dfrac{2x+y}{4}=\dfrac{x-y-1}{6} \\ \dfrac{2x+y}{4}=\dfrac{5x+3y-3}{2} \end{cases}$

이를 정리하면 $\begin{cases} 4x+5y=-2 & \cdots\cdots ㉠ \\ 8x+5y=6 & \cdots\cdots ㉡ \end{cases}$

㉠−㉡을 하면

$-4x=-8 \quad \therefore x=2$

$x=2$를 ㉠에 대입하면

$8+5y=-2,\ 5y=-10 \quad \therefore y=-2$

09 (1) ㉠×3을 하면 $3x+3y=9$ $\cdots\cdots$ ㉢

㉡과 ㉢의 x의 계수, y의 계수는 각각 같고, 상수항은 다르므로 해가 없다.

(2) ㉠×(-2)를 하면 $-2x+6y=-8$ $\cdots\cdots$ ㉢

㉡과 ㉢의 x의 계수, y의 계수, 상수항이 각각 같으므로 해가 무수히 많다.

10 (1) $\begin{cases} 4x-3y=2 \\ -8x+ay=-4 \end{cases}$, 즉 $\begin{cases} -8x+6y=-4 \\ -8x+ay=-4 \end{cases}$의 해가 무수히 많으므로 $a=6$

(2) $\begin{cases} ax+2y=4 \\ 9x+6y=12 \end{cases}$, 즉 $\begin{cases} 3ax+6y=12 \\ 9x+6y=12 \end{cases}$의 해가 무수히 많으므로 $3a=9 \quad \therefore a=3$

11 (1) $\begin{cases} x+2y=4 \\ ax+6y=-1 \end{cases}$, 즉 $\begin{cases} 3x+6y=12 \\ ax+6y=-1 \end{cases}$의 해가 없으므로 $a=3$

(2) $\begin{cases} 6x-10y=a \\ 9x-15y=-6 \end{cases}$, 즉 $\begin{cases} 9x-15y=\dfrac{3}{2}a \\ 9x-15y=-6 \end{cases}$의 해가 없으므로

$\dfrac{3}{2}a\neq-6 \quad \therefore a\neq-4$

12 처음 수의 십의 자리의 숫자를 x, 일의 자리의 숫자를 y라 하면

$\begin{cases} x+y=11 \\ 10y+x=10x+y+45 \end{cases}$

이를 정리하면

$\begin{cases} x+y=11 & \cdots\cdots ㉠ \\ x-y=-5 & \cdots\cdots ㉡ \end{cases}$

㉠+㉡을 하면

$2x=6 \quad \therefore x=3$

$x=3$을 ㉠에 대입하면

$3+y=11 \quad \therefore y=8$

따라서 처음 수는 38이다.

13 전체 일의 양을 1이라 하고 도훈이가 하루에 할 수 있는 일의 양을 x, 소정이가 하루에 할 수 있는 일의 양을 y라 하면

$\begin{cases} 8x+8y=1 & \cdots\cdots ㉠ \\ 4x+10y=1 & \cdots\cdots ㉡ \end{cases}$

㉠−㉡×2를 하면

$-12y=-1 \quad \therefore y=\dfrac{1}{12}$

$y=\dfrac{1}{12}$을 ㉠에 대입하면

$8x+\dfrac{8}{12}=1,\ 8x=\dfrac{1}{3} \quad \therefore x=\dfrac{1}{24}$

따라서 도훈이가 하루에 할 수 있는 일의 양은 $\dfrac{1}{24}$이므로 이 일을 도훈이가 혼자 한다면 24일이 걸린다.

14 걸어간 거리를 x km, 뛰어간 거리를 y km라 하면 27분은 $\dfrac{27}{60}=\dfrac{9}{20}$시간이므로

$\begin{cases} x+y=3 & \cdots\cdots ㉠ \\ \dfrac{x}{5}+\dfrac{y}{8}=\dfrac{9}{20} & \cdots\cdots ㉡ \end{cases}$

㉡×40을 하면

$8x+5y=18$ $\cdots\cdots$ ㉢

㉠×5−㉢을 하면 $-3x=-3 \quad \therefore x=1$

$x=1$을 ㉠에 대입하면

$1+y=3 \quad \therefore y=2$

따라서 걸어간 거리는 1 km, 뛰어간 거리는 2 km이다.

15 4 %의 소금물 x g과 9 %의 소금물 y g을 섞는다고 하면

$\begin{cases} x+y=500 \\ \dfrac{4}{100}x+\dfrac{9}{100}y=\dfrac{7}{100}\times500 \end{cases}$

이를 정리하면

$\begin{cases} x+y=500 & \cdots\cdots ㉠ \\ 4x+9y=3500 & \cdots\cdots ㉡ \end{cases}$

㉠×4−㉡을 하면 $-5y=-1500 \quad \therefore y=300$

$y=300$을 ㉠에 대입하면

$x+300=500 \quad \therefore x=200$

따라서 4 %의 소금물은 200 g, 9 %의 소금물은 300 g을 섞어야 한다.

16 $x=-3$, $y=2$를 $3x+ay+5=0$에 대입하면

$-9+2a+5=0$

$2a=4$ $\therefore a=2$

따라서 $x=1$을 $3x+2y+5=0$에 대입하면

$3+2y+5=0$

$2y=-8$ $\therefore y=-4$

17 $\begin{cases} 0.6x+0.5y=2.8 & \cdots\cdots ㉠ \\ \frac{1}{3}x+\frac{1}{2}y=2 & \cdots\cdots ㉡ \end{cases}$ 에서

㉠×10을 하면 $6x+5y=28$ ······ ㉢

㉡×6을 하면 $2x+3y=12$ ······ ㉣

㉢−㉣×3을 하면

$-4y=-8$ $\therefore y=2$

$y=2$를 ㉣에 대입하면

$2x+3\times2=12$, $2x=6$ $\therefore x=3$

따라서 $2x-3y=2\times3-3\times2=0$이므로

$a=0$

18 현재 재원이의 나이를 x살, 삼촌의 나이를 y살이라 하면

$\begin{cases} x+y=52 \\ y+5=2(x+5)+2 \end{cases}$

이를 정리하면

$\begin{cases} x+y=52 & \cdots\cdots ㉠ \\ 2x-y=-7 & \cdots\cdots ㉡ \end{cases}$

㉠+㉡을 하면

$3x=45$ $\therefore x=15$

$x=15$를 ㉠에 대입하면

$15+y=52$ $\therefore y=37$

따라서 5년 후의 재원이의 나이는 20살이다.

Ⅲ 일차함수

힘수 점검 (93쪽)

1. (1) 제1사분면 (2) 제3사분면 (3) 제2사분면 (4) 제4사분면

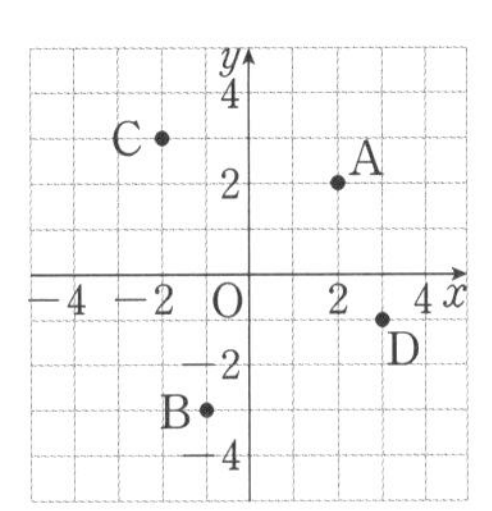

2. (1)

x	1	2	3	4	…
y	1000	2000	3000	4000	…

(2) $y=1000x$

3.

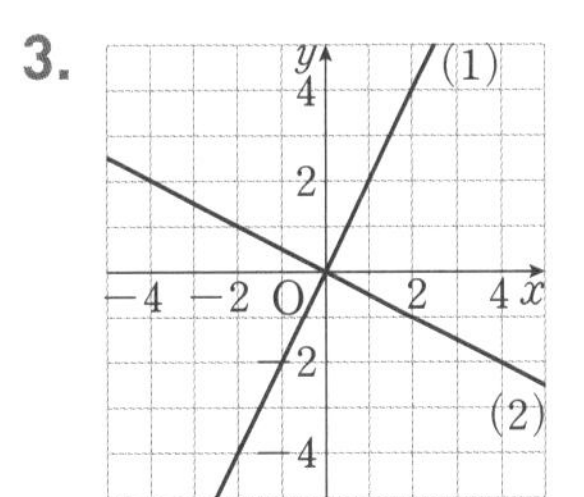

4. (1) $x=-1$, $y=1$ (2) $x=1$, $y=3$

25강 함수의 뜻 (94~96쪽)

01 (1) ○, 10, 20, 30, 40 (2) ×, 1/1, 2/1, 3/1, 2, 4
(3) ○, 500, 1000, 1500, 2000
(4) ×, 없다./없다./2/2, 3

02 (1) ○ (2) ○ (3) ○ (4) × (5) ○ (6) ○ (7) ○ (8) ×

03 (1) 3 (2) 0 (3) −6 (4) 9

04 (1) 12 (2) −8 (3) 6 (4) −4

05 (1) 3 (2) −2 (3) 5 (4) −4

06 (1) 0 (2) 3 (3) −3 (4) 2

07 (1) 3 (2) −2 (3) $-\frac{5}{4}$ (4) $\frac{1}{6}$

08 (1) 6 (2) −4 (3) 9 (4) −15

09 (1) 6 (2) −2 (3) 10 (4) −8

10 (1) 4 (2) −15 (3) 2 (4) −3

02 (1) 정수 x의 값이 변함에 따라 그 절댓값 y는 하나씩 정해지므로 y는 x의 함수이다.

(2) $y=3x$이고 x의 값이 변함에 따라 y의 값이 하나씩 정해지므로 y는 x에 대한 함수이다.

(3) $y=\frac{50}{x}$이고 x의 값이 변함에 따라 y의 값이 하나씩 정해지

므로 y는 x에 대한 함수이다.

(4) x의 값이 1일 때, y의 값은 1, 2, 3, …으로 하나로 정해지지 않으므로 y는 x에 대한 함수가 아니다.

(5) 자연수 x의 값이 변함에 따라 그 약수의 개수 y는 하나씩 정해지므로 y는 x에 대한 함수이다.

(6) $y=10000-x$이고 x의 값이 변함에 따라 y의 값이 하나씩 정해지므로 y는 x에 대한 함수이다.

(7) $y=4x$이고 x의 값이 변함에 따라 y의 값이 하나씩 정해지므로 y는 x에 대한 함수이다.

(8) x의 값이 1일 때, y의 값은 없으므로 y는 x에 대한 함수가 아니다.

03 (1) $f(1)=3\times1=3$
(2) $f(0)=3\times0=0$
(3) $f(-2)=3\times(-2)=-6$
(4) $f(3)=3\times3=9$

04 (1) $f(2)=\frac{24}{2}=12$
(2) $f(-3)=\frac{24}{-3}=-8$
(3) $f(4)=\frac{24}{4}=6$
(4) $f(-6)=\frac{24}{-6}=-4$

05 (1) $f(2)=2+1=3$
(2) $f(-3)=(-3)+1=-2$
(3) $f(4)=4+1=5$
(4) $f(-5)=(-5)+1=-4$

06 (1) $f(2)=2-2=0$
(2) $f(2)=\frac{6}{2}=3$
(3) $f(2)=-2\times2+1=-3$
(4) $f(2)=-\frac{1}{2}\times2+3=2$

07 (1) $f(a)=4\times a=12 \quad \therefore a=3$
(2) $f(a)=4\times a=-8 \quad \therefore a=-2$
(3) $f(a)=4\times a=-5 \quad \therefore a=-\frac{5}{4}$
(4) $f(a)=4\times a=\frac{2}{3} \quad \therefore a=\frac{1}{6}$

08 (1) $f(a)=\frac{12}{a}=2 \quad \therefore a=6$
(2) $f(a)=\frac{12}{a}=-3 \quad \therefore a=-4$
(3) $f(a)=\frac{12}{a}=\frac{4}{3} \quad \therefore a=9$
(4) $f(a)=\frac{12}{a}=-\frac{4}{5} \quad \therefore a=-15$

09 (1) $f(1)=a\times1=6 \quad \therefore a=6$
(2) $f(-2)=a\times(-2)=4 \quad \therefore a=-2$
(3) $f\left(\frac{1}{2}\right)=a\times\frac{1}{2}=5 \quad \therefore a=10$
(4) $f\left(-\frac{3}{4}\right)=a\times\left(-\frac{3}{4}\right)=6 \quad \therefore a=-8$

10 (1) $f(2)=\frac{a}{2}=2$
$\therefore a=4$
(2) $f(-3)=\frac{a}{-3}=5$
$\therefore a=-15$
(3) $f\left(\frac{1}{4}\right)=a\div\frac{1}{4}=a\times4=8$
$\therefore a=2$
(4) $f\left(-\frac{1}{3}\right)=a\div\left(-\frac{1}{3}\right)=a\times(-3)=9$
$\therefore a=-3$

함수 만점 97쪽

01 ① **02** −6 **03** ② **04** 4

01 ① x의 값이 1일 때, y의 값은 없으므로 y는 x에 대한 함수가 아니다.
② 자연수 x의 값이 변함에 따라 x와 12의 최대공약수 y는 하나씩 정해지므로 y는 x의 함수이다.
③ 자연수 x의 값이 변함에 따라 x를 5로 나눈 나머지 y는 하나씩 정해지므로 y는 x의 함수이다.
④ $y=\frac{x}{4}$이고 x의 값이 변함에 따라 y의 값이 하나씩 정해지므로 y는 x에 대한 함수이다.
⑤ $y=50-x$이고 x의 값이 변함에 따라 y의 값이 하나씩 정해지므로 y는 x에 대한 함수이다.

02 $f(-2)=-3\times(-2)=6$
$f(4)=-3\times4=-12$
$\therefore f(-2)+f(4)=6+(-12)=-6$

03 ① $f(1)=2\times1-3=-1$
② $f(2)=2\times2-3=1$
③ $f(-3)=2\times(-3)-3=-9$
④ $f(-2)=2\times(-2)-3=-7$
⑤ $f(-1)=2\times(-1)-3=-5$

04 $f(a)+f(2a)=2\times a+2\times2a$
$=2a+4a=6a=24$
$\therefore a=4$

26강+ 일차함수와 그 그래프 98~100쪽

01 (1) ○ (2) ○ (3) × (4) ○ (5) × (6) ×
02 (1) $y=800x$, ○ (2) $y=24-x$, ○ (3) $y=x^2$, ×
(4) $y=200-15x$, ○
03 (1) 5 (2) -13 (3) 1 (4) 0
04 (1) 2 (2) -2 (3) 6 (4) -3
05 풀이 참조 **06** (1) -2 (2) 5 (3) $\frac{1}{4}$ (4) $-\frac{2}{3}$
07 (1) 1 (2) $\frac{1}{2}$ (3) $-\frac{2}{5}$ (4) -3
08 (1) $y=2x+3$ (2) $y=-\frac{1}{3}x+5$ (3) $y=-5x-2$
(4) $y=\frac{3}{5}x-\frac{1}{2}$ **09** (1) -1 (2) 3
10 (1) -4, -2, 풀이 참조 (2) 5, -1, 풀이 참조

03 (1) $f(2)=3\times2-1=5$
(2) $f(-4)=3\times(-4)-1=-13$
(3) $f\left(\frac{2}{3}\right)=3\times\frac{2}{3}-1=1$
(4) $f\left(-\frac{1}{3}\right)=3\times\left(-\frac{1}{3}\right)-1=-2$
$f(1)=3\times1-1=2$
$\therefore f\left(-\frac{1}{3}\right)+f(1)=0$

04 (1) $f(a)=a+4=6$ $\therefore a=2$
(2) $f(a)=-4a-2=6$ $\therefore a=-2$
(3) $f(a)=\frac{1}{2}\times a+3=6$ $\therefore a=6$
(4) $f(a)=-\frac{2}{3}\times a+4=6$ $\therefore a=-3$

05 (1)

x	⋯	-2	-1	0	1	2	⋯
$y=x$	⋯	-2	-1	0	1	2	⋯
$y=x+2$	⋯	0	1	2	3	4	⋯

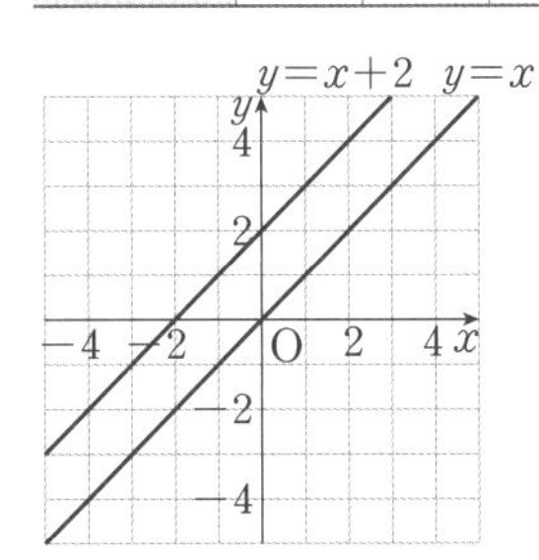

(2)

x	⋯	-2	-1	0	1	2	⋯
$y=-2x$	⋯	4	2	0	-2	-4	⋯
$y=-2x+1$	⋯	5	3	1	-1	-3	⋯

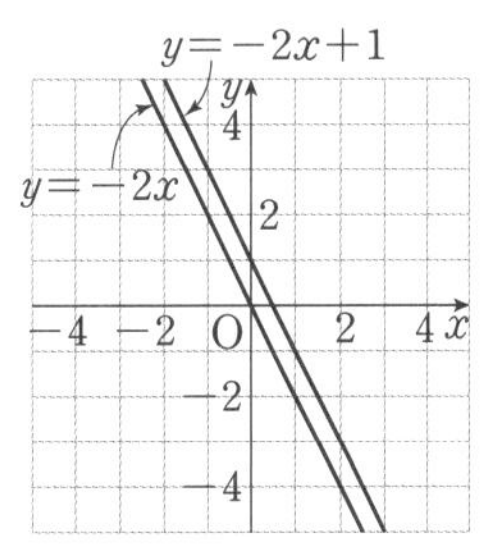

(3)

x	⋯	-2	-1	0	1	2	⋯
$y=-x$	⋯	2	1	0	-1	-2	⋯
$y=-x-2$	⋯	0	-1	-2	-3	-4	⋯

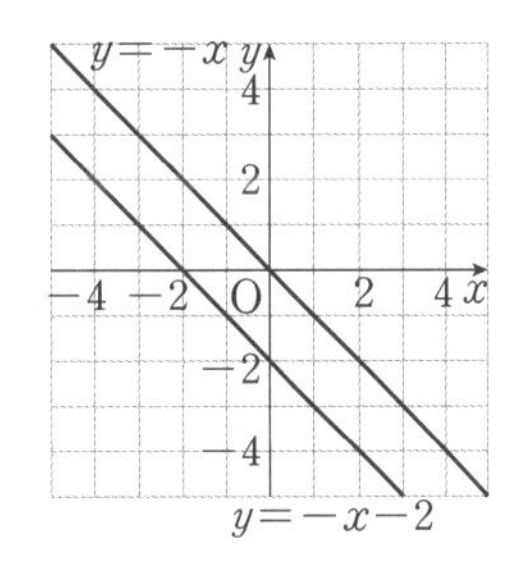

09 (1) $y=2x+3$에 $x=a$, $y=1$을 대입하면
$1=2a+3$ $\therefore a=-1$
(2) $y=-3x+a$에 $x=2$, $y=-3$을 대입하면
$-3=-3\times2+a$ $\therefore a=3$

10 (1) $y=\frac{1}{2}x-3$
⇨ $(-2, -4)$, $(2, -2)$

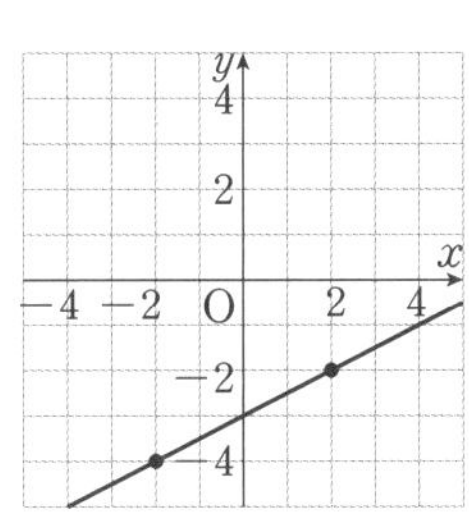

(2) $y=-3x+2$
⇨ $(-1, 5)$, $(1, -1)$

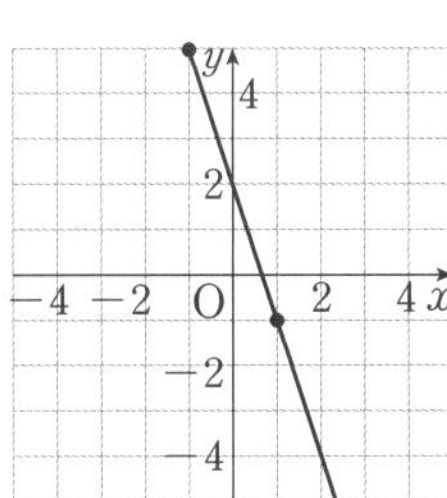

힘수 만점 101쪽

01 ①, ④ **02** -3 **03** ②, ③ **04** $a=-2$, $b=6$
05 -5

01 ① $y=2x$ ② $y=4$ ③ $y=\frac{1}{x}$
④ $y=\frac{x}{3}$ ⑤ $x+1=0$
따라서 일차함수인 것은 ①, ④이다.

02 $f(2)=2a+5=-1$, $2a=-6$ $\quad\therefore a=-3$

03 $y=4x$의 그래프를 y축의 방향으로 -1만큼 평행이동하면 ② $y=4x-1$의 그래프와 포개어지고, y축의 방향으로 -4만큼 평행이동하면 ③ $y=4x-4$의 그래프와 포개어진다.

04 일차함수 $y=-2x$의 그래프를 y축의 방향으로 6만큼 평행이동하면 $y=-2x+6$ $\quad\therefore a=-2,\ b=6$

05 $y=2x$의 그래프를 y축의 방향으로 a만큼 평행이동한 그래프의 식은 $y=2x+a$

$y=2x+a$에 $x=1$, $y=-3$을 대입하면

$-3=2\times1+a$ $\quad\therefore a=-5$

27강+ 일차함수의 그래프의 절편 102~104쪽

01 (1) 3, -1 (2) -2, -2 (3) 3, 2 (4) 1, -2

02 (1) -3, 3 (2) 3, 6 (3) 2, -8 (4) 3, 15

(5) $\frac{2}{5}$, -2 (6) $-\frac{5}{3}$, -5 (7) 6, 3 (8) 6, -4

03 풀이 참조

04 (1) 2, -2, 풀이 참조 (2) -1, 2, 풀이 참조

(3) 2, 4, 풀이 참조 (4) 1, -3, 풀이 참조

(5) -4, -2, 풀이 참조 (6) 2, -3, 풀이 참조

(7) -3, -1, 풀이 참조 (8) 4, 3, 풀이 참조

02 (1) $y=0$일 때 $0=x+3$ $\quad\therefore x=-3$

$x=0$일 때 $y=3$

따라서 x절편은 -3, y절편은 3이다.

(2) $y=0$일 때 $0=-2x+6$ $\quad\therefore x=3$

$x=0$일 때 $y=6$

따라서 x절편은 3, y절편은 6이다.

(3) $y=0$일 때 $0=4x-8$ $\quad\therefore x=2$

$x=0$일 때 $y=-8$

따라서 x절편은 2, y절편은 -8이다.

(4) $y=0$일 때 $0=-5x+15$ $\quad\therefore x=3$

$x=0$일 때 $y=15$

따라서 x절편은 3, y절편은 15이다.

(5) $y=0$일 때 $0=5x-2$ $\quad\therefore x=\frac{2}{5}$

$x=0$일 때 $y=-2$

따라서 x절편은 $\frac{2}{5}$, y절편은 -2이다.

(6) $y=0$일 때 $0=-3x-5$ $\quad\therefore x=-\frac{5}{3}$

$x=0$일 때 $y=-5$

따라서 x절편은 $-\frac{5}{3}$, y절편은 -5이다.

(7) $y=0$일 때 $0=-\frac{1}{2}x+3$ $\quad\therefore x=6$

$x=0$일 때 $y=3$

따라서 x절편은 6, y절편은 3이다.

(8) $y=0$일 때 $0=\frac{2}{3}x-4$ $\quad\therefore x=6$

$x=0$일 때 $y=-4$

따라서 x절편은 6, y절편은 -4이다.

03 (1)

(2)

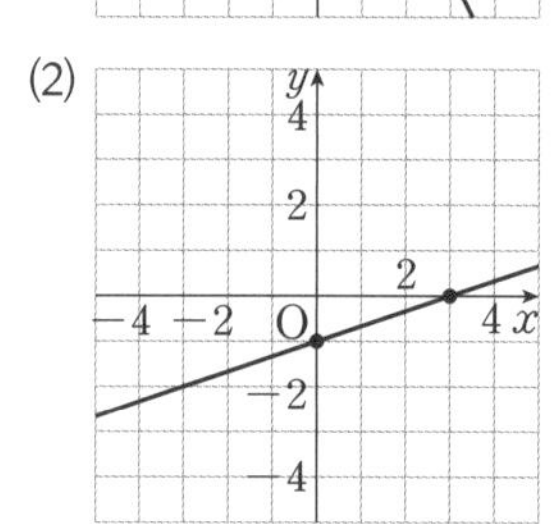

(3)

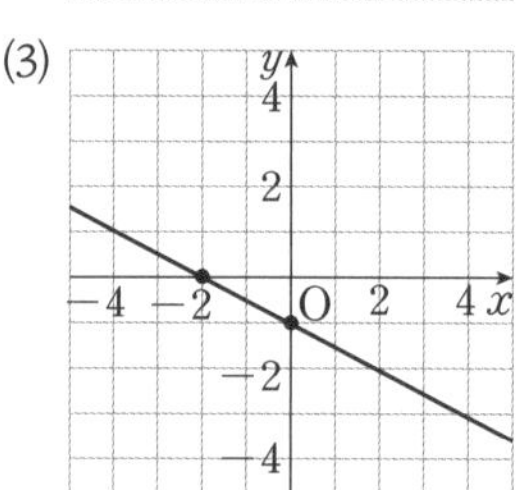

(4)

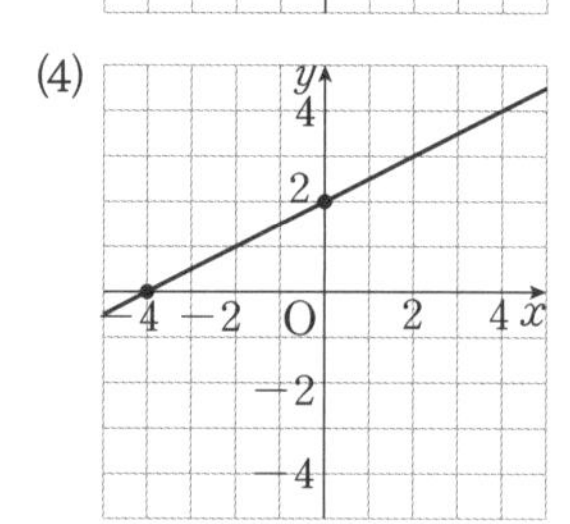

04 (1) $y=0$일 때 $0=x-2$ $\quad\therefore x=2$

$x=0$일 때 $y=-2$

따라서 x절편은 2, y절편은 -2이다.

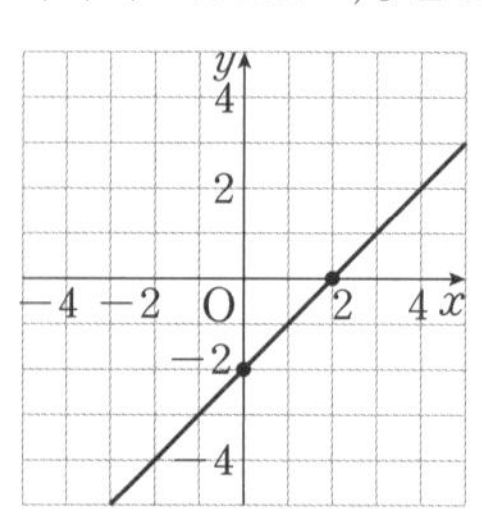

(2) $y=0$일 때 $0=2x+2$ $\quad\therefore x=-1$

$x=0$일 때 $y=2$

따라서 x절편은 -1, y절편은 2이다.

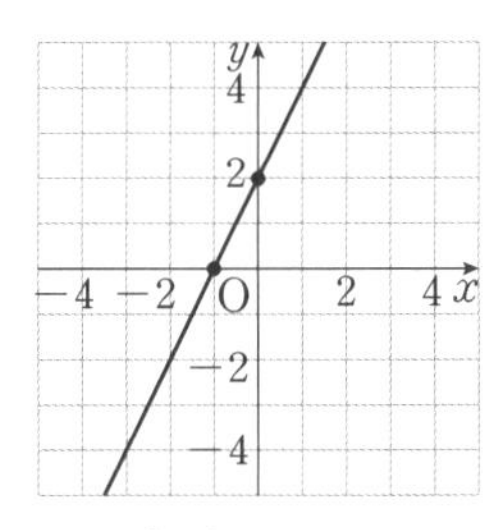

(3) $y=0$일 때 $0=-2x+4$ $\quad\therefore x=2$

$x=0$일 때 $y=4$

따라서 x절편은 2, y절편은 4이다.

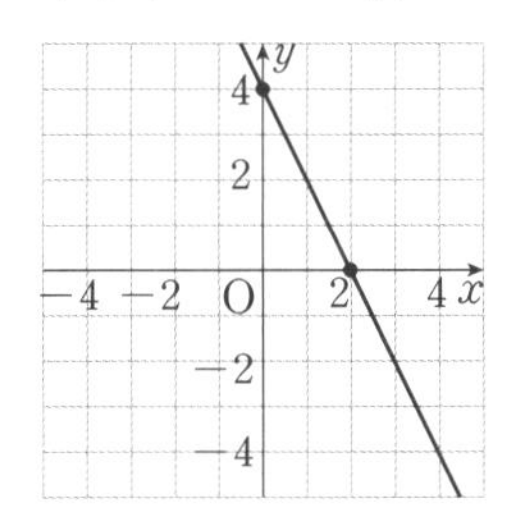

(4) $y=0$일 때 $0=3x-3$ $\quad\therefore x=1$

$x=0$일 때 $y=-3$

따라서 x절편은 1, y절편은 -3이다.

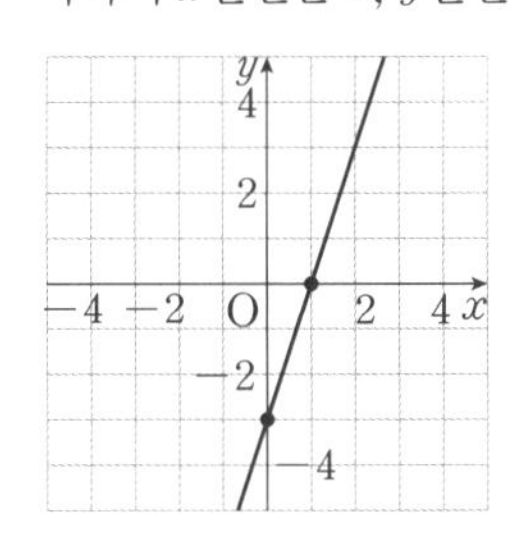

(5) $y=0$일 때 $0=-\frac{1}{2}x-2$ $\quad\therefore x=-4$

$x=0$일 때 $y=-2$

따라서 x절편은 -4, y절편은 -2이다.

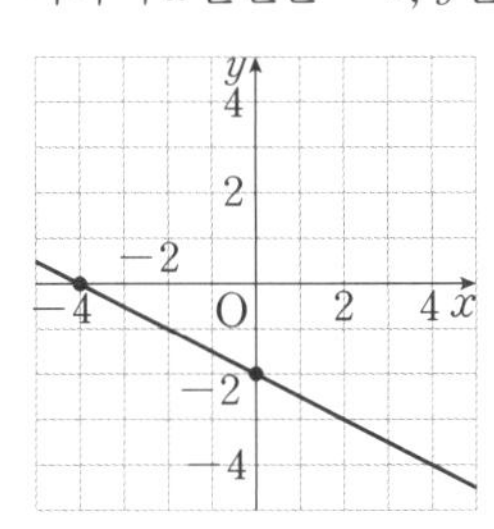

(6) $y=0$일 때 $0=\frac{3}{2}x-3$ $\quad\therefore x=2$

$x=0$일 때 $y=-3$

따라서 x절편은 2, y절편은 -3이다.

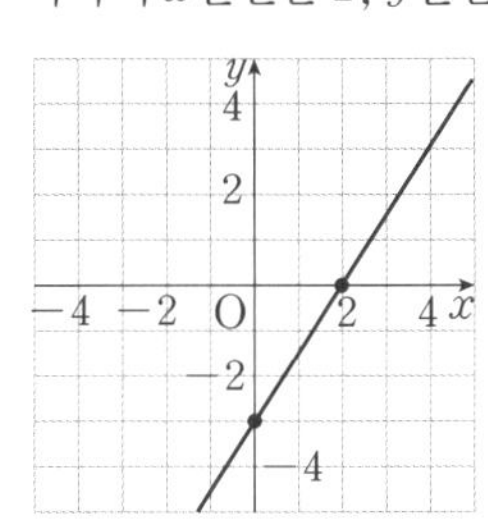

(7) $y=0$일 때 $0=-\frac{1}{3}x-1$ $\quad\therefore x=-3$

$x=0$일 때 $y=-1$

따라서 x절편은 -3, y절편은 -1이다.

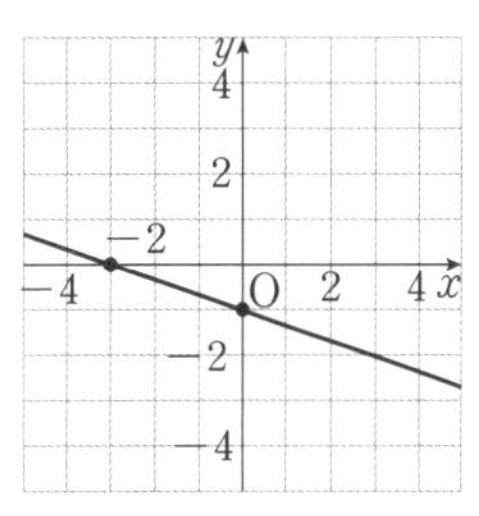

(8) $y=0$일 때 $0=-\frac{3}{4}x+3$ $\quad\therefore x=4$

$x=0$일 때 $y=3$

따라서 x절편은 4, y절편은 3이다.

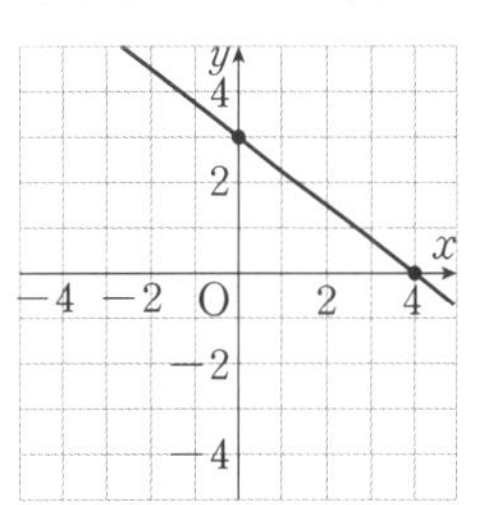

힘수 만점 105쪽

01 (1) x절편: -2, y절편: 2 (2) x절편: 1, y절편: 2 (3) x절편: -3, y절편: -2 **02** ⑤ **03** -2 **04** ③

01 (1) x절편은 -2, y절편은 2이다.

(2) x절편은 1, y절편은 2이다.

(3) x절편은 -3, y절편은 -2이다.

02 ① $y=0$일 때 $0=-2x-4$ $\quad\therefore x=-2$

따라서 x절편은 -2이다.

② $y=0$일 때 $0=\frac{1}{2}x+1$ $\quad\therefore x=-2$

따라서 x절편은 -2이다.

③ $y=0$일 때 $0=3x+6$ $\quad\therefore x=-2$

따라서 x절편은 -2이다.

④ $y=0$일 때 $0=-\frac{1}{3}x-\frac{2}{3}$ $\quad\therefore x=-2$

따라서 x절편은 -2이다.

⑤ $y=0$일 때 $0=-\frac{1}{2}x+2$ $\quad\therefore x=4$

따라서 x절편은 4이다.

그러므로 x절편이 나머지 넷과 다른 하나는 ⑤이다.

03 일차함수 $y=-x+b$의 그래프가 점 $(-2, 0)$을 지나므로

$0=-(-2)+b$ $\quad\therefore b=-2$

따라서 일차함수의 식은 $y=-x-2$이므로 그래프의 y절편은 -2이다.

04 $y=0$일 때 $0=\frac{2}{3}x-4$ $\quad\therefore x=6$

$x=0$일 때 $y=-4$

따라서 주어진 일차함수의 그래프는 x절편은 6, y절편은 -4인 직선이므로 ③이다.

28강+ 일차함수의 그래프의 기울기 106~108쪽

01 (1) -8, -5, -2, 1, 4/3/3
(2) 5, 4, 3, 2, 1/1/-1

02 (1) 2 (2) -1, -1 (3) -2, -2 (4) 2

03 (1) -1 (2) 3 (3) $\frac{2}{3}$ (4) $-\frac{1}{4}$

04 (1) 1 (2) 2 (3) -4 (4) -3

05 (1) $\frac{5}{3}$ (2) -1 (3) $\frac{5}{2}$ (4) -2 (5) $\frac{7}{4}$ (6) 2

06 1, 1, 3, 풀이 참조

07 (1) 1, 2, 풀이 참조 (2) 2, -3, 풀이 참조
(3) -3, -1, 풀이 참조 (4) $\frac{1}{2}$, -2, 풀이 참조

04 (1) 기울기가 1이므로

$\frac{(y\text{의 값의 증가량})}{1}=1$

$\therefore (y\text{의 값의 증가량})=1$

(2) 기울기가 $\frac{1}{3}$이므로

$\frac{(y\text{의 값의 증가량})}{6}=\frac{1}{3}$

$\therefore (y\text{의 값의 증가량})=2$

(3) 기울기가 -2이므로

$\frac{(y\text{의 값의 증가량})}{2}=-2$

$\therefore (y\text{의 값의 증가량})=-4$

(4) 기울기가 $-\frac{3}{4}$이므로

$\frac{(y\text{의 값의 증가량})}{4}=-\frac{3}{4}$

$\therefore (y\text{의 값의 증가량})=-3$

05 (1) $(\text{기울기})=\frac{8-3}{2-(-1)}=\frac{5}{3}$

(2) $(\text{기울기})=\frac{0-3}{5-2}=-1$

(3) $(\text{기울기})=\frac{1-(-4)}{3-1}=\frac{5}{2}$

(4) $(\text{기울기})=\frac{(-6)-(-4)}{3-2}=-2$

(5) $(\text{기울기})=\frac{1-(-6)}{(-1)-(-5)}=\frac{7}{4}$

(6) $(\text{기울기})=\frac{9-(-1)}{1-(-4)}=2$

06 ❶ y절편이 1이므로 점 (0, 1)을 찍는다.

❷ 기울기가 2이므로 점 (0, 1)에서 x의 값이 1만큼 증가하고 y의 값이 2만큼 증가한 점 (1, 3)을 찍는다.

❸ 두 점을 직선으로 연결한다.

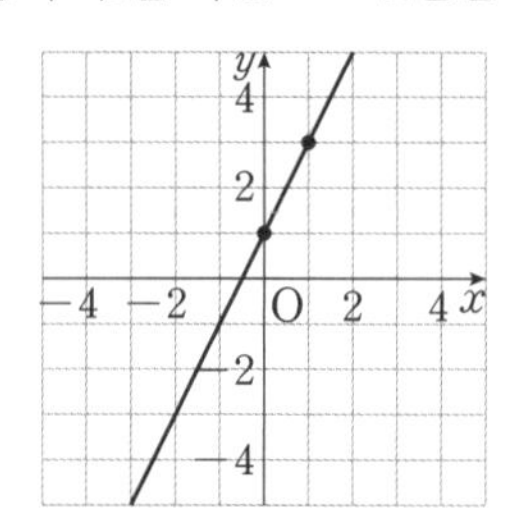

07 (1) 기울기는 1, y절편은 2이므로 그래프는 점 (0, 2)에서 x의 값이 1만큼 증가하고 y의 값이 1만큼 증가한 점 (1, 3)을 지난다. 따라서 그래프는 아래 그림과 같다.

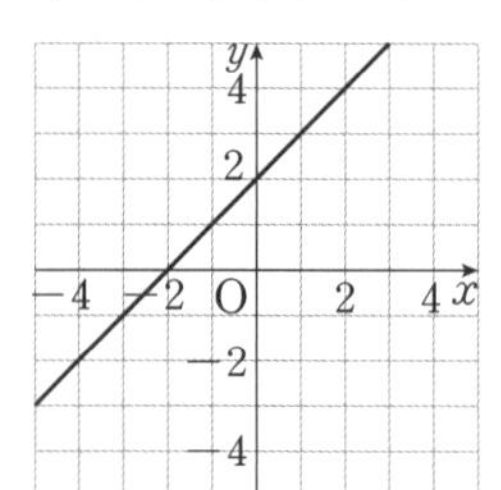

(2) 기울기는 2, y절편은 -3이므로 그래프는 점 (0, -3)에서 x의 값이 1만큼 증가하고 y의 값이 2만큼 증가한 점 (1, -1)을 지난다. 따라서 그래프는 아래 그림과 같다.

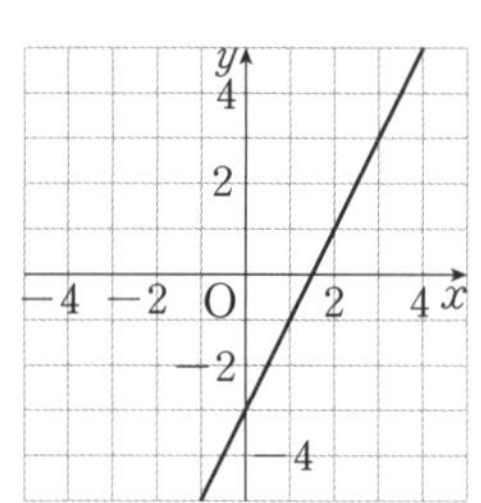

(3) 기울기는 -3, y절편은 -1이므로 그래프는 점 (0, -1)에서 x의 값이 1만큼 증가하고 y의 값이 3만큼 감소한 점 (1, -4)를 지난다. 따라서 그래프는 아래 그림과 같다.

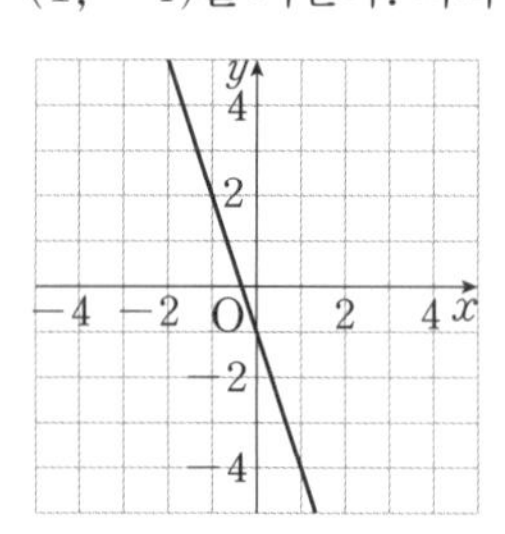

(4) 기울기는 $\frac{1}{2}$, y절편은 -2이므로 그래프는 점 (0, -2)에서 x의 값이 2만큼 증가하고 y의 값이 1만큼 증가한 점

$(2,\ -1)$을 지난다. 따라서 그래프는 아래 그림과 같다.

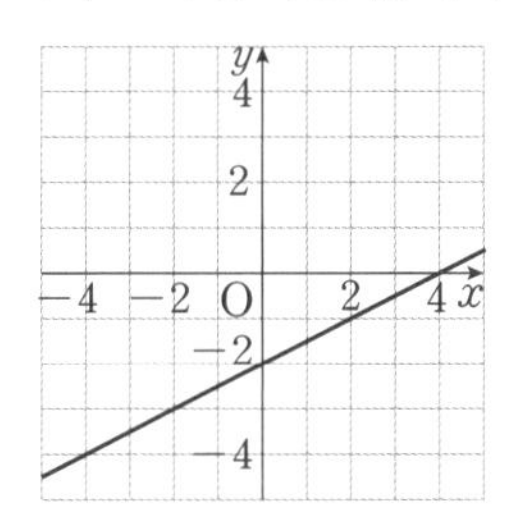

힘수 만점 109쪽

01 ② **02** ④ **03** ② **04** ①

01 $a=\dfrac{(y\text{의 값의 증가량})}{(x\text{의 값의 증가량})}=\dfrac{-2}{3}=-\dfrac{2}{3}$

02 $(\text{기울기})=\dfrac{(y\text{의 값의 증가량})}{(x\text{의 값의 증가량})}=\dfrac{-2}{6}=-\dfrac{1}{3}$

이므로 그래프의 기울기가 $-\dfrac{1}{3}$인 것은 ④이다.

03 $(\text{기울기})=\dfrac{6-(-2)}{-3-1}=-2$

04 $(\text{기울기})=\dfrac{(y\text{의 값의 증가량})}{(x\text{의 값의 증가량})}=\dfrac{-4-8}{k-(-12)}$

$=-\dfrac{12}{k+12}$

$-\dfrac{12}{k+12}=-2$이므로 $k+12=6$ $\therefore k=-6$

29강+ 일차함수의 그래프의 성질 110~112쪽

01 (1) 3 (2) -2 (3) $\dfrac{2}{3}$ (4) 위 (5) 증가 (6) 2

02 (1) -2 (2) -1 (3) $-\dfrac{1}{2}$ (4) 아래 (5) 감소 (6) 1

03 (1) ㄱ, ㄴ, ㄹ, ㅂ (2) ㄷ, ㅁ (3) ㄷ, ㅁ
(4) ㄷ, ㅂ (5) ㄴ, ㄹ, ㅁ (6) ㄱ

04 (1) $<$, $<$ (2) $>$, $<$ (3) $<$, $>$ (4) $>$, $>$

05 (1) $<$, $>$, $<$, $<$ (2) $>$, $<$, $>$, $>$

06 (1) $>$, $<$ (2) $<$, $<$

07 (1) 평 (2) 일 (3) 일 (4) 평

08 (1) ㄱ과 ㄷ, ㄴ과 ㅁ (2) ㄹ과 ㅂ (3) ㅁ (4) ㄷ

09 (1) $\dfrac{2}{5}$ (2) -4 (3) -8

10 (1) $a=2,\ b=-5$ (2) $a=-2,\ b=-2$
(3) $a=-27,\ b=3$

03 (1) 기울기가 양수인 직선이므로 ㄱ, ㄴ, ㄹ, ㅂ이다.
(2) 기울기가 음수인 직선이므로 ㄷ, ㅁ이다.
(3) 기울기가 음수인 직선이므로 ㄷ, ㅁ이다.
(4) y절편이 양수인 직선은 ㄷ, ㅂ이다.
(5) y절편이 음수인 직선이므로 ㄴ, ㄹ, ㅁ이다.
(6) y절편이 0인 직선이므로 ㄱ이다.

06 (1) 주어진 그래프가 오른쪽 아래로 향하는 직선이므로
$(\text{기울기})=ab<0$
y축과 음의 부분에서 만나므로
$(y\text{절편})=b<0$
$ab<0$에서 a와 b의 부호는 다르므로 $a>0$
(2) 주어진 그래프가 오른쪽 위로 향하는 직선이므로
$(\text{기울기})=-a>0$ $\therefore a<0$
y축과 양의 부분에서 만나므로
$(y\text{절편})=ab>0$
a와 b의 부호는 같으므로 $b<0$

08 (1) 기울기가 같고 y절편이 다른 두 그래프는 서로 평행하므로 그 그래프가 서로 평행한 것은 ㄱ과 ㄷ, ㄴ과 ㅁ이다.
(2) 기울기와 y절편이 각각 같은 두 그래프는 일치하므로 그 그래프가 일치하는 것은 ㄹ과 ㅂ이다.
(3) 주어진 그래프의 기울기는 $\dfrac{-2}{2}=-1$이고 y절편이 2이므로 기울기가 -1이고 y절편은 2가 아닌 그래프를 고르면 ㅁ이다.
(4) 주어진 그래프의 기울기는 $\dfrac{6}{2}=3$이고 y절편이 -6이므로 기울기가 3이고 y절편이 -6인 그래프를 고르면 ㄷ이다.

09 (1) 두 일차함수의 그래프의 기울기가 같아야 하므로
$a=\dfrac{2}{5}$
(2) 두 일차함수의 그래프의 기울기가 같아야 하므로
$-3a=12$ $\therefore a=-4$
(3) 두 일차함수의 그래프의 기울기가 같아야 하므로
$-\dfrac{a}{2}=4$ $\therefore a=-8$

10 (1) 두 일차함수의 그래프의 기울기와 y절편이 각각 같아야 하므로
$a=2,\ b=-5$
(2) 두 일차함수의 그래프의 기울기와 y절편이 각각 같아야 하므로
$-2a=4$에서 $a=-2$, $-8=4b$에서 $b=-2$
(3) 두 일차함수의 그래프의 기울기와 y절편이 각각 같아야 하므로
$\dfrac{a}{3}=-9$에서 $a=-27$, $12=4b$에서 $b=3$

함수 만점 113쪽

01 ①, ⑤ **02** ④ **03** ② **04** -13

01 ① $y=-\frac{1}{2}x+4$에 $y=0$을 대입하면

$0=-\frac{1}{2}x+4$, $\frac{1}{2}x=4$

$\therefore x=8$

따라서 x절편은 8이다.

② y절편이 양수이므로 y축의 양의 부분과 만난다.

③ 기울기가 음수이므로 오른쪽 아래를 향하는 직선이다.

④ 기울기가 음수이므로 x의 값이 증가할 때 y의 값은 감소한다.

⑤ 일차함수의 그래프는 아래 그림과 같으므로 제3사분면을 지나지 않는다.

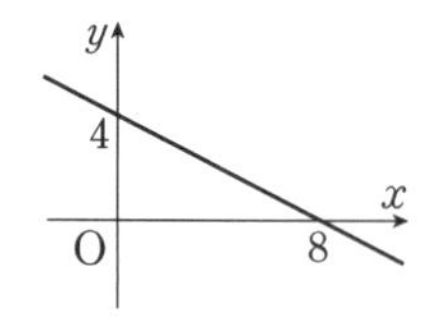

02 주어진 그래프가 오른쪽 아래로 향하는 직선이므로

(기울기)$=a<0$

y축과 음의 부분에서 만나므로

$-b<0$

$\therefore b>0$

03 일차함수 $y=\frac{2}{3}x-1$의 그래프와 평행한 그래프는 기울기가 $\frac{2}{3}$이고 y절편은 -1이 아닌 그래프이므로 ②이다.

04 두 일차함수의 그래프가 일치하려면 두 일차함수의 그래프의 기울기와 y절편이 각각 같아야 하므로

$-2a=10$에서

$a=-5$

$16=-2b$에서

$b=-8$

$\therefore a+b=-13$

30강 일차함수의 식 구하기 114~117쪽

01 (1) $y=2x+3$ (2) $y=-3x+2$ (3) $y=\frac{1}{2}x-4$ (4) $y=-\frac{2}{3}x-\frac{1}{2}$

02 (1) $y=-x+2$ (2) $y=5x-\frac{3}{4}$ (3) $y=-\frac{1}{4}x-1$ (4) $y=\frac{6}{5}x+3$

03 (1) $y=-4x+3$ (2) $y=\frac{1}{2}x-\frac{1}{3}$ (3) $y=-\frac{3}{5}x+2$ (4) $y=2x-8$ (5) $y=-\frac{1}{3}x+4$ (6) $y=-\frac{3}{2}x-3$

04 (1) $y=-3x+8$ (2) $y=2x+8$ (3) $y=\frac{1}{2}x-9$ (4) $y=-\frac{2}{3}x-9$ (5) $y=-x+7$ (6) $y=\frac{2}{5}x+10$

05 (1) $y=-4x+3$ (2) $y=\frac{1}{3}x-\frac{2}{3}$ (3) $y=\frac{3}{5}x-12$ (4) $y=5x+10$ (5) $y=2x-9$ (6) $y=\frac{1}{3}x-1$ (7) $y=\frac{3}{4}x+3$ (8) $y=-\frac{3}{2}x-1$

06 (1) $y=3x-5$ (2) $y=-2x+4$ (3) $y=-x-1$ (4) $y=2x+1$ (5) $y=\frac{1}{2}x+\frac{3}{2}$ (6) $y=\frac{1}{4}x+\frac{7}{4}$

07 (1) $y=\frac{5}{3}x-3$ (2) $y=x+1$ (3) $y=x+3$ (4) $y=-\frac{1}{2}x+2$ (5) $y=-\frac{3}{5}x-\frac{7}{5}$ (6) $y=3x+2$

08 (1) $y=-\frac{2}{3}x+2$ (2) $y=\frac{3}{4}x-3$ (3) $y=2x+2$ (4) $y=-\frac{3}{2}x-3$ (5) $y=2x-10$ (6) $y=-2x-4$

09 (1) $y=-2x+6$ (2) $y=-\frac{1}{4}x-1$ (3) $y=-\frac{4}{3}x-4$ (4) $y=\frac{2}{5}x-2$ (5) $y=\frac{3}{2}x+3$ (6) $y=3x-3$

03 (1) 기울기가 -4이고 y절편이 3이므로 구하는 일차함수의 식은 $y=-4x+3$

(2) 기울기가 $\frac{1}{2}$이고 y절편이 $-\frac{1}{3}$이므로 구하는 일차함수의 식은 $y=\frac{1}{2}x-\frac{1}{3}$

(3) 기울기가 $-\frac{3}{5}$이고 y절편이 2이므로 구하는 일차함수의 식은 $y=-\frac{3}{5}x+2$

(4) 기울기가 $\frac{4}{2}=2$이고 y절편이 -8이므로 구하는 일차함수의 식은 $y=2x-8$

(5) 기울기가 $\frac{-1}{3}=-\frac{1}{3}$이고 y절편이 4이므로 구하는 일차함수의 식은 $y=-\frac{1}{3}x+4$

(6) 기울기가 $\frac{-6}{4}=-\frac{3}{2}$이고 y절편이 -3이므로 구하는 일차함수의 식은 $y=-\frac{3}{2}x-3$

04 (1) 기울기가 -3이므로 구하는 일차함수의 식을 $y=-3x+b$라 하면 이 그래프가 점 $(2, 2)$를 지나므로
$2=-3\times2+b$ $\therefore b=8$
$\therefore y=-3x+8$

(2) 기울기가 2이므로 구하는 일차함수의 식을 $y=2x+b$라 하면 이 그래프가 점 $(-3, 2)$를 지나므로
$2=2\times(-3)+b$ $\therefore b=8$
$\therefore y=2x+8$

(3) 기울기가 $\frac{1}{2}$이므로 구하는 일차함수의 식을 $y=\frac{1}{2}x+b$라 하면 이 그래프가 점 $(4, -7)$을 지나므로
$-7=\frac{1}{2}\times4+b$ $\therefore b=-9$
$\therefore y=\frac{1}{2}x-9$

(4) 기울기가 $-\frac{2}{3}$이므로 구하는 일차함수의 식을 $y=-\frac{2}{3}x+b$라 하면 이 그래프가 점 $(-6, -5)$를 지나므로
$-5=-\frac{2}{3}\times(-6)+b$ $\therefore b=-9$
$\therefore y=-\frac{2}{3}x-9$

(5) 기울기가 -1이므로 구하는 일차함수의 식을 $y=-x+b$라 하면 이 그래프가 점 $(6, 1)$을 지나므로
$1=-6+b$ $\therefore b=7$
$\therefore y=-x+7$

(6) 기울기가 $\frac{2}{5}$이므로 구하는 일차함수의 식을 $y=\frac{2}{5}x+b$라 하면 이 그래프가 점 $(-5, 8)$을 지나므로
$8=\frac{2}{5}\times(-5)+b$ $\therefore b=10$
$\therefore y=\frac{2}{5}x+10$

05 (1) 기울기가 -4이므로 구하는 일차함수의 식을 $y=-4x+b$라 하면 이 그래프가 점 $\left(-\frac{1}{2}, 5\right)$를 지나므로
$5=-4\times\left(-\frac{1}{2}\right)+b$ $\therefore b=3$
$\therefore y=-4x+3$

(2) 기울기가 $\frac{1}{3}$이므로 구하는 일차함수의 식을 $y=\frac{1}{3}x+b$라 하면 이 그래프가 점 $\left(1, -\frac{1}{3}\right)$을 지나므로
$-\frac{1}{3}=\frac{1}{3}\times1+b$ $\therefore b=-\frac{2}{3}$
$\therefore y=\frac{1}{3}x-\frac{2}{3}$

(3) 기울기가 $\frac{3}{5}$이므로 구하는 일차함수의 식을 $y=\frac{3}{5}x+b$라 하면 이 그래프가 점 $(10, -6)$을 지나므로
$-6=\frac{3}{5}\times10+b$ $\therefore b=-12$
$\therefore y=\frac{3}{5}x-12$

(4) 기울기가 5이므로 구하는 일차함수의 식을 $y=5x+b$라 하면 이 그래프가 점 $(-2, 0)$을 지나므로
$0=5\times(-2)+b$ $\therefore b=10$
$\therefore y=5x+10$

(5) 기울기가 $\frac{4}{2}=2$이므로 구하는 일차함수의 식을 $y=2x+b$라 하면 이 그래프가 점 $(5, 1)$을 지나므로
$1=2\times5+b$ $\therefore b=-9$
$\therefore y=2x-9$

(6) 기울기가 $\frac{1}{3}$이므로 구하는 일차함수의 식을 $y=\frac{1}{3}x+b$라 하면 이 그래프가 점 $(6, 1)$을 지나므로
$1=\frac{1}{3}\times6+b$ $\therefore b=-1$
$\therefore y=\frac{1}{3}x-1$

(7) 기울기가 $\frac{6}{8}=\frac{3}{4}$이므로 구하는 일차함수의 식을 $y=\frac{3}{4}x+b$라 하면 이 그래프가 점 $(-4, 0)$을 지나므로
$0=\frac{3}{4}\times(-4)+b$ $\therefore b=3$
$\therefore y=\frac{3}{4}x+3$

(8) 기울기가 $\frac{-6}{4}=-\frac{3}{2}$이므로 구하는 일차함수의 식을 $y=-\frac{3}{2}x+b$라 하면 이 그래프가 점 $(2, -4)$를 지나므로
$-4=-\frac{3}{2}\times2+b$ $\therefore b=-1$
$\therefore y=-\frac{3}{2}x-1$

06 (1) 기울기가 $\frac{7-1}{4-2}=3$이므로 구하는 일차함수의 식을 $y=3x+b$라 하면 이 그래프가 점 $(2, 1)$을 지나므로
$1=3\times2+b$ $\therefore b=-5$
$\therefore y=3x-5$

(2) 기울기가 $\frac{0-2}{2-1}=-2$이므로 구하는 일차함수의 식을 $y=-2x+b$라 하면 이 그래프가 점 $(2, 0)$을 지나므로
$0=-2\times2+b$ $\therefore b=4$
$\therefore y=-2x+4$

(3) 기울기가 $\frac{-3-1}{2-(-2)}=-1$이므로 구하는 일차함수의 식을 $y=-x+b$라 하면 이 그래프가 점 $(-2, 1)$을 지나므로

$1=-1\times(-2)+b \quad \therefore b=-1$

$\therefore y=-x-1$

(4) 기울기가 $\frac{3-(-1)}{1-(-1)}=2$이므로 구하는 일차함수의 식을 $y=2x+b$라 하면 이 그래프가 점 $(-1, -1)$을 지나므로

$-1=2\times(-1)+b \quad \therefore b=1$

$\therefore y=2x+1$

(5) 기울기가 $\frac{2-1}{1-(-1)}=\frac{1}{2}$이므로 구하는 일차함수의 식을 $y=\frac{1}{2}x+b$라 하면 이 그래프가 점 $(-1, 1)$을 지나므로

$1=\frac{1}{2}\times(-1)+b \quad \therefore b=\frac{3}{2}$

$\therefore y=\frac{1}{2}x+\frac{3}{2}$

(6) 기울기가 $\frac{2-1}{1-(-3)}=\frac{1}{4}$이므로 구하는 일차함수의 식을 $y=\frac{1}{4}x+b$라 하면 이 그래프가 점 $(1, 2)$를 지나므로

$2=\frac{1}{4}\times1+b \quad \therefore b=\frac{7}{4}$

$\therefore y=\frac{1}{4}x+\frac{7}{4}$

07 (1) 주어진 직선이 두 점 $(0, -3)$, $(3, 2)$를 지나므로

$(\text{기울기})=\frac{2-(-3)}{3-0}=\frac{5}{3}$

따라서 구하는 일차함수의 식을 $y=\frac{5}{3}x+b$라 하면 이 그래프가 점 $(0, -3)$을 지나므로 $b=-3$

$\therefore y=\frac{5}{3}x-3$

(2) 주어진 직선이 두 점 $(0, 1)$, $(2, 3)$을 지나므로

$(\text{기울기})=\frac{3-1}{2-0}=1$

따라서 구하는 일차함수의 식을 $y=x+b$라 하면 이 그래프가 점 $(0, 1)$을 지나므로 $b=1$

$\therefore y=x+1$

(3) 주어진 직선이 두 점 $(-2, 1)$, $(-1, 2)$를 지나므로

$(\text{기울기})=\frac{2-1}{-1-(-2)}=1$

따라서 구하는 일차함수의 식을 $y=x+b$라 하면 이 그래프가 점 $(-2, 1)$을 지나므로

$1=-2+b \quad \therefore b=3$

$\therefore y=x+3$

(4) 주어진 직선이 두 점 $(-2, 3)$, $(2, 1)$을 지나므로

$(\text{기울기})=\frac{1-3}{2-(-2)}=-\frac{1}{2}$

따라서 구하는 일차함수의 식을 $y=-\frac{1}{2}x+b$라 하면 이 그래프가 점 $(2, 1)$을 지나므로

$1=-\frac{1}{2}\times2+b \quad \therefore b=2$

$\therefore y=-\frac{1}{2}x+2$

(5) 주어진 직선이 두 점 $(-4, 1)$, $(1, -2)$를 지나므로

$(\text{기울기})=\frac{-2-1}{1-(-4)}=-\frac{3}{5}$

따라서 구하는 일차함수의 식을 $y=-\frac{3}{5}x+b$라 하면 이 그래프가 점 $(1, -2)$를 지나므로

$-2=-\frac{3}{5}\times1+b \quad \therefore b=-\frac{7}{5}$

$\therefore y=-\frac{3}{5}x-\frac{7}{5}$

(6) 주어진 직선이 두 점 $(-2, -4)$, $(1, 5)$를 지나므로

$(\text{기울기})=\frac{5-(-4)}{1-(-2)}=3$

따라서 구하는 일차함수의 식을 $y=3x+b$라 하면 이 그래프가 점 $(1, 5)$를 지나므로

$5=3\times1+b \quad \therefore b=2$

$\therefore y=3x+2$

08 (1) $(\text{기울기})=-\frac{2}{3}$이고 y절편이 2이므로

$y=-\frac{2}{3}x+2$

(2) $(\text{기울기})=-\frac{-3}{4}=\frac{3}{4}$이고 y절편이 -3이므로

$y=\frac{3}{4}x-3$

(3) $(\text{기울기})=-\frac{2}{-1}=2$이고 y절편이 2이므로

$y=2x+2$

(4) $(\text{기울기})=-\frac{-3}{-2}=-\frac{3}{2}$이고 y절편이 -3이므로

$y=-\frac{3}{2}x-3$

(5) $(\text{기울기})=-\frac{-10}{5}=2$이고 y절편이 -10이므로

$y=2x-10$

(6) $(\text{기울기})=-\frac{-4}{-2}=-2$이고 y절편이 -4이므로

$y=-2x-4$

09 (1) x절편이 3, y절편이 6이므로

$(\text{기울기})=-\frac{6}{3}=-2 \quad \therefore y=-2x+6$

(2) x절편이 -4, y절편이 -1이므로

$(\text{기울기})=-\frac{-1}{-4}=-\frac{1}{4} \quad \therefore y=-\frac{1}{4}x-1$

(3) x절편이 -3, y절편이 -4이므로

$(\text{기울기})=-\frac{-4}{-3}=-\frac{4}{3} \quad \therefore y=-\frac{4}{3}x-4$

(4) x절편이 5, y절편이 -2이므로

(기울기)$=-\frac{-2}{5}=\frac{2}{5}$ $\therefore y=\frac{2}{5}x-2$

(5) x절편이 -2, y절편이 3이므로

(기울기)$=-\frac{3}{-2}=\frac{3}{2}$ $\therefore y=\frac{3}{2}x+3$

(6) x절편이 1, y절편이 -3이므로

(기울기)$=-\frac{-3}{1}=3$ $\therefore y=3x-3$

힘수 만점 118쪽

01 ② **02** ② **03** $y=-5x-6$ **04** $y=-\frac{2}{3}x+6$
05 ⑤

01 기울기가 -5이므로 일차함수의 식을 $y=-5x+b$라 하면 이 그래프가 점 $(-1, 3)$을 지나므로

$3=-5\times(-1)+b$ $\therefore b=-2$

따라서 일차함수의 식은 $y=-5x-2$이므로 $y=0$을 대입하면

$0=-5x-2$ $\therefore x=-\frac{2}{5}$

따라서 x절편은 $-\frac{2}{5}$이다.

02 기울기가 $\frac{2-(-4)}{-4-(-3)}=-6$이므로 구하는 일차함수의 식을 $y=-6x+b$라 하면 이 그래프가 점 $(-4, 2)$를 지나므로

$2=-6\times(-4)+b$ $\therefore b=-22$

$\therefore y=-6x-22$

03 (기울기)$=\frac{-6-4}{0-(-2)}=-5$이고 y절편이 -6이므로

$y=-5x-6$

04 (기울기)$=-\frac{-2}{-3}=-\frac{2}{3}$이므로 구하는 일차함수의 식을 $y=-\frac{2}{3}x+b$라 하면 이 그래프가 점 $(6, 2)$를 지나므로

$2=-\frac{2}{3}\times 6+b$ $\therefore b=6$

$\therefore y=-\frac{2}{3}x+6$

05 (기울기)$=-\frac{2}{1}=-2$이고 y절편이 2이므로 주어진 그래프를 나타내는 일차함수의 식은 $y=-2x+2$

이 그래프가 점 $(-4, k)$를 지나므로

$k=-2\times(-4)+2$ $\therefore k=10$

31강+ 일차함수의 활용 119~120쪽

01 (1) $y=600x+5000$ (2) 14000원 (3) 24자루
02 (1) $y=0.6x+331$ (2) 초속 343 m (3) 15 ℃
03 (1) $y=2x+4$ (2) 26 cm (3) 14 g
04 (1) $y=2x+30$ (2) 46 L (3) 10분
05 (1) $y=30-\frac{1}{14}x$ (2) 27 L (3) 210 km
06 (1) $y=400-110x$ (2) 180 km (3) 2시간 30분
07 (1) $y=15x$ (2) 45 cm^2 (3) 8초

01 (2) $y=600x+5000$에 $x=15$를 대입하면

$y=600\times 15+5000=14000$

따라서 연필 15자루와 필통 한 개의 값의 합은 14000원이다.

(3) $y=600x+5000$에 $y=19400$을 대입하면

$19400=600x+5000$, $600x=14400$ $\therefore x=24$

따라서 19400원을 지불했을 때, 구매한 연필은 24자루이다.

02 (2) $y=0.6x+331$에 $x=20$을 대입하면

$y=0.6\times 20+331=343$

따라서 기온이 20 ℃일 때, 소리의 속력은 초속 343 m이다.

(3) $y=0.6x+331$에 $y=340$을 대입하면

$340=0.6x+331$, $0.6x=9$ $\therefore x=15$

따라서 소리의 속력이 초속 340 m일 때, 기온은 15 ℃이다.

03 (2) $y=2x+4$에 $x=11$을 대입하면

$y=2\times 11+4=26$

따라서 11 g인 물체를 매달았을 때, 용수철 저울의 길이는 26 cm이다.

(3) $y=2x+4$에 $y=32$를 대입하면

$32=2x+4$, $2x=28$ $\therefore x=14$

따라서 용수철 저울의 길이가 32 cm일 때, 매단 물체의 무게는 14 g이다.

04 (2) $y=2x+30$에 $x=8$을 대입하면

$y=2\times 8+30=46$

따라서 8분 후에 수조에 들어 있는 물의 양은 46 L이다.

(3) $y=2x+30$에 $y=50$을 대입하면

$50=2x+30$, $2x=20$ $\therefore x=10$

따라서 수조에 들어 있는 물의 양이 50 L일 때는 물을 넣기 시작한지 10분 후이다.

05 (1) 1 km를 가는데 휘발유를 $\frac{1}{14}$ L씩 사용하므로 x km 가는 데는 휘발유를 $\frac{1}{14}x$ L 사용한다. 따라서 x km를 달리고 남은 휘발유의 양은

$y=30-\frac{1}{14}x$

(2) $y=30-\frac{1}{14}x$에 $x=42$를 대입하면

$y=30-\frac{1}{14}\times42=27$

따라서 42 km를 달린 후 남은 휘발유의 양은 27 L이다.

(3) $y=30-\frac{1}{14}x$에 $y=15$를 대입하면

$15=30-\frac{1}{14}x$, $\frac{1}{14}x=15$ $\quad\therefore x=210$

따라서 남은 휘발유의 양이 15 L일 때, 자동차가 달린 거리는 210 km이다.

06 (2) $y=400-110x$에 $x=2$를 대입하면

$y=400-110\times2=180$

따라서 A역을 출발한 지 2시간 후 기차와 B역 사이의 거리는 180 km이다.

(3) $y=400-110x$에 $y=125$를 대입하면

$125=400-110x$, $110x=275$ $\quad\therefore x=\frac{5}{2}$

따라서 기차와 B역 사이의 거리가 125 km일 때, 기차가 A역을 출발한 지 2시간 30분 후이다.

07 (1) x초 후의 삼각형 ABP의 밑변의 길이는 $3x$ cm이므로

$y=\frac{1}{2}\times3x\times10=15x$

(2) $y=15x$에 $x=3$을 대입하면 $y=15\times3=45$

따라서 점 P가 출발한 지 3초 후의 삼각형 ABP의 넓이는 45 cm^2이다.

(3) $y=15x$에 $y=120$을 대입하면

$120=15x$ $\quad\therefore x=8$

따라서 삼각형 ABP의 넓이가 120 cm^2가 될 때는 점 P가 점 B를 출발한 지 8초 후이다.

만점

121쪽

01 36분 **02** 48분 **03** 18분 **04** 40분
05 290 mL

01 x분 후 물의 온도를 y ℃라 하면

$y=2x+8$

$y=80$을 대입하면

$80=2x+8$

$2x=72$ $\quad\therefore x=36$

따라서 물의 온도가 80 ℃가 되려면 36분을 가열하면 된다.

02 x분 후 남은 양초의 길이를 y cm라 하면

$y=24-0.5x$

$y=0$을 대입하면

$0=24-0.5x$

$0.5x=24$ $\quad\therefore x=48$

따라서 양초가 완전히 타는데 걸리는 시간은 48분이다.

03 x분 후의 남은 물의 양을 y L라 하면

$y=300-15x$

$y=30$을 대입하면

$30=300-15x$

$15x=270$ $\quad\therefore x=18$

따라서 남은 물의 양이 30 L일 때는 물이 흘러나간 지 18분 후이다.

04 (10 km)=(10000 m)이므로 x분 후 결승점까지 남은 거리를 y m라 하면

$y=10000-150x$

$y=4000$을 대입하면

$4000=10000-150x$

$150x=6000$ $\quad\therefore x=40$

따라서 한결이와 결승점까지의 거리가 4 km가 되는 것은 한결이가 출발한지 40분 후이다.

05 주어진 그래프에서 (기울기)$=-\frac{450}{225}=-2$이고 y절편이 450이므로 주어진 그래프의 식은

$y=-2x+450$

$x=80$을 대입하면

$y=-2\times80+450=290$

따라서 80분 후에 남은 링거액의 양은 290 mL이다.

32강 중단원 연산 마무리 122~125쪽

01 (1) × (2) ○ (3) ○ (4) ○ **02** (1) 2 (2) 4 (3) -4 (4) 1

03 (1) -5 (2) 4 (3) -4 (4) $-\frac{5}{3}$

04 (1) × (2) × (3) ○ (4) ○ **05** (1) -1 (2) -2

06 (1) $y=3x-4$ (2) $y=-\frac{1}{2}x+3$ **07** (1) -2 (2) $\frac{1}{2}$

08 (1) x절편: 1, y절편: -2 (2) x절편: -3, y절편: -9
(3) x절편: -8, y절편: 2 (4) x절편: 3, y절편: 1

09 풀이 참조 **10** (1) -4 (2) -3 (3) 3 (4) -6

11 (1) 5 (2) 2 **12** 풀이 참조

13 (1) ㄴ, ㄹ, ㅂ (2) ㄱ, ㄷ, ㅁ (3) ㄷ, ㅂ (4) ㄴ, ㄹ, ㅁ

14 (1) <, < (2) >, > **15** (1) 평 (2) 일 (3) 평 (4) 일

16 (1) -12 (2) -2

17 (1) $a=-12$, $b=-5$ (2) $a=-4$, $b=-\frac{3}{2}$

18 (1) $y=-2x+1$ (2) $y=\frac{1}{2}x-7$ (3) $y=-3x-8$

19 (1) $y=-\frac{1}{2}x+3$ (2) $y=-\frac{5}{3}x-6$ (3) $y=-2x+2$

20 (1) $y=x+2$ (2) $y=-\frac{3}{4}x-3$

21 (1) $y=-\frac{5}{3}x+5$ (2) $y=-\frac{1}{3}x-1$

22 -8℃ **23** ④ **24** ⑤ **25** ②, ⑤ **26** 100분

01 (1) x의 값이 1일 때, y의 값은 2, 3, 4, …로 하나로 정해지지 않으므로 y는 x에 대한 함수가 아니다.
(2) $xy=20$에서 $y=\frac{20}{x}$이고 x의 값이 변함에 따라 y의 값이 하나씩 정해지므로 y는 x에 대한 함수이다.
(3) $y=200-x$이고 x의 값이 변함에 따라 y의 값이 하나씩 정해지므로 y는 x에 대한 함수이다.
(4) $y=5x$이고 x의 값이 변함에 따라 y의 값이 하나씩 정해지므로 y는 x에 대한 함수이다.

02 (1) $f(3)=3-1=2$
(2) $f(3)=\frac{12}{3}=4$
(3) $f(3)=-3\times3+5=-4$
(4) $f(3)=-\frac{1}{6}\times3+\frac{3}{2}=1$

03 (1) $f(a)=3\times a=-15$ $\quad\therefore a=-5$
(2) $f(a)=\frac{6}{a}=\frac{3}{2}$ $\quad\therefore a=4$
(3) $f(-2)=-2a=8$ $\quad\therefore a=-4$
(4) $f\left(-\frac{1}{3}\right)=a\div\left(-\frac{1}{3}\right)=a\times(-3)=5$ $\quad\therefore a=-\frac{5}{3}$

05 (1) $f(2)=2a+4=2$ $\quad\therefore a=-1$
(2) $f(-1)=4+a=2$ $\quad\therefore a=-2$

07 (1) 평행이동한 그래프의 식은 $y=-6x-2$
$y=-6x-2$에 $x=a$, $y=10$을 대입하면
$10=-6a-2$ $\quad\therefore a=-2$
(2) 평행이동한 그래프의 식은 $y=\frac{2}{3}x-\frac{1}{6}$
$y=\frac{2}{3}x-\frac{1}{6}$에 $x=1$, $y=a$를 대입하면
$a=\frac{2}{3}\times1-\frac{1}{6}=\frac{1}{2}$

08 (1) $y=0$일 때 $0=2x-2$ $\quad\therefore x=1$
$x=0$일 때 $y=-2$
따라서 x절편은 1, y절편은 -2이다.
(2) $y=0$일 때 $0=-3x-9$ $\quad\therefore x=-3$
$x=0$일 때 $y=-9$
따라서 x절편은 -3, y절편은 -9이다.
(3) $y=0$일 때 $0=\frac{1}{4}x+2$ $\quad\therefore x=-8$
$x=0$일 때 $y=2$
따라서 x절편은 -8, y절편은 2이다.
(4) $y=0$일 때 $0=-\frac{1}{3}x+1$ $\quad\therefore x=3$
$x=0$일 때 $y=1$
따라서 x절편은 3, y절편은 1이다.

09 $y=0$일 때 $0=-x-3$ $\quad\therefore x=-3$
$x=0$일 때 $y=-3$
따라서 x절편은 -3, y절편은 -3이므로 이를 이용하여 그래프를 그리면 아래 그림과 같다.

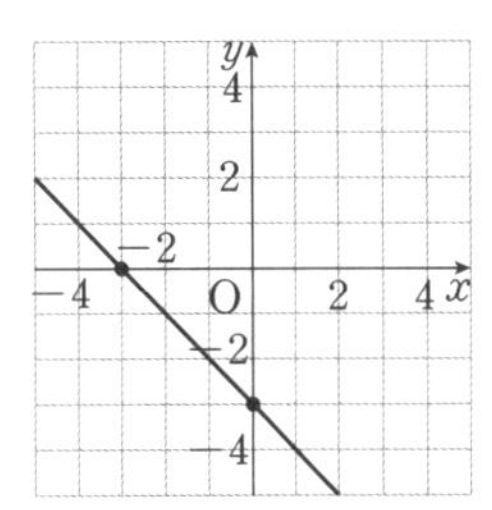

10 (1) 기울기가 -2이므로
$\frac{(y\text{의 값의 증가량})}{2}=-2$
$\therefore$ (y의 값의 증가량)$=-4$
(2) 기울기가 3이므로
$\frac{(y\text{의 값의 증가량})}{-1}=3$
$\therefore$ (y의 값의 증가량)$=-3$
(3) 기울기가 $\frac{1}{2}$이므로
$\frac{(y\text{의 값의 증가량})}{6}=\frac{1}{2}$

$\therefore$ (y의 값의 증가량)$=3$

(4) 기울기가 $-\frac{3}{5}$이므로

$\frac{(y\text{의 값의 증가량})}{10}=-\frac{3}{5}$

$\therefore$ (y의 값의 증가량)$=-6$

11 (1) (기울기)$=\frac{12-(-3)}{2-(-1)}=5$

(2) (기울기)$=\frac{2-(-4)}{5-2}=2$

12 (1) 기울기는 2, y절편은 -1이므로 그래프는 점 $(0, -1)$에서 x의 값이 1만큼 증가하고 y의 값이 2만큼 증가한 점 $(1, 1)$을 지난다. 따라서 그래프는 아래 그림과 같다.

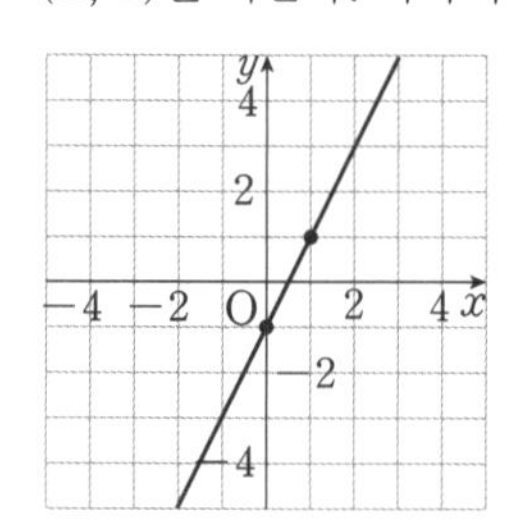

(2) 기울기는 $-\frac{1}{3}$, y절편은 -3이므로 그래프는 점 $(0, -3)$에서 x의 값이 3만큼 증가하고 y의 값이 1만큼 감소한 점 $(3, -4)$를 지난다. 따라서 그래프는 아래 그림과 같다.

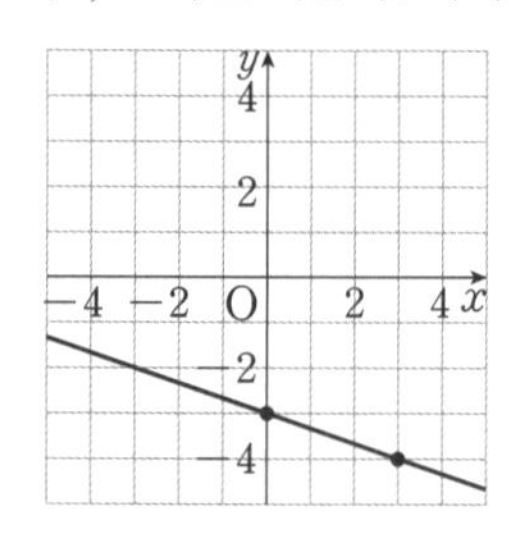

13 (1) 기울기가 양수인 직선이므로 ㄴ, ㄹ, ㅂ이다.
(2) 기울기가 음수인 직선이므로 ㄱ, ㄷ, ㅁ이다.
(3) y절편이 양수인 직선은 ㄷ, ㅂ이다.
(4) y절편이 음수인 직선이므로 ㄴ, ㄹ, ㅁ이다.

14 (1) 주어진 그래프가 오른쪽 위로 향하는 직선이므로

(기울기)$=-b>0$ $\quad\therefore b<0$

y축과 음의 부분에서 만나므로

(y절편)$=a<0$

(2) 주어진 그래프가 오른쪽 아래로 향하는 직선이므로

(기울기)$=-a<0$ $\quad\therefore a>0$

y축과 음의 부분에서 만나므로 (y절편)$=-ab<0$

$ab>0$에서 a와 b의 부호는 같으므로 $b>0$

16 (1) 두 일차함수의 그래프의 기울기가 같아야 하므로

$-\frac{a}{3}=4$ $\quad\therefore a=-12$

(2) 두 일차함수의 그래프의 기울기가 같아야 하므로

$4a=-8$ $\quad\therefore a=-2$

17 (1) 두 일차함수의 그래프의 기울기와 y절편이 각각 같아야 하므로

$\frac{a}{2}=-6$에서 $a=-12$, $10=-2b$에서 $b=-5$

(2) 두 일차함수의 그래프의 기울기와 y절편이 각각 같아야 하므로

$-2a=8$에서 $a=-4$, $-\frac{9}{2}=3b$에서 $b=-\frac{3}{2}$

18 (2) 기울기가 $\frac{1}{2}$이고 y절편이 -7이므로 구하는 일차함수의 식은 $y=\frac{1}{2}x-7$

(3) 기울기가 $\frac{-6}{2}=-3$이고 y절편이 -8이므로 구하는 일차함수의 식은 $y=-3x-8$

19 (1) 기울기가 $-\frac{1}{2}$이므로 구하는 일차함수의 식을

$y=-\frac{1}{2}x+b$라 하면 이 그래프가 점 $(2, 2)$를 지나므로

$2=-\frac{1}{2}\times2+b$ $\quad\therefore b=3$

$\therefore y=-\frac{1}{2}x+3$

(2) 기울기가 $-\frac{5}{3}$이므로 구하는 일차함수의 식을

$y=-\frac{5}{3}x+b$라 하면 이 그래프가 점 $(-6, 4)$를 지나므로

$4=-\frac{5}{3}\times(-6)+b$ $\quad\therefore b=-6$

$\therefore y=-\frac{5}{3}x-6$

(3) 기울기가 $\frac{-2}{1}=-2$이므로 구하는 일차함수의 식을

$y=-2x+b$라 하면 이 그래프가 점 $(-1, 4)$를 지나므로

$4=-2\times(-1)+b$ $\quad\therefore b=2$

$\therefore y=-2x+2$

20 (1) 기울기가 $\frac{-1-4}{-3-2}=1$이므로 구하는 일차함수의 식을

$y=x+b$라 하면 이 그래프가 점 $(2, 4)$를 지나므로

$4=2+b$ $\quad\therefore b=2$

$\therefore y=x+2$

(2) 기울기가 $\frac{-6-3}{4-(-8)}=-\frac{3}{4}$이므로 구하는 일차함수의 식을 $y=-\frac{3}{4}x+b$라 하면 이 그래프가 점 $(4, -6)$을 지나므로

$-6=-\frac{3}{4}\times4+b$ $\quad\therefore b=-3$

$\therefore y=-\frac{3}{4}x-3$

21 (1) x절편이 3, y절편이 5이므로

$(기울기)=-\frac{5}{3}$ $\therefore y=-\frac{5}{3}x+5$

(2) x절편이 -3, y절편이 -1이므로

$(기울기)=-\frac{-1}{-3}=-\frac{1}{3}$ $\therefore y=-\frac{1}{3}x-1$

22 1 km씩 높아질 때마다 기온이 6 ℃씩 내려가므로 x km 높아지면 기온이 $6x$ ℃만큼 내려간다. 높이가 x km인 지점의 기온을 y ℃라 하면

$y=28-6x$

$x=6$일 때 $y=28-6\times6=-8$

즉 높이가 6 km인 지점의 기온은 -8 ℃이다.

23 ① $y=0$일 때 $0=-x-4$ $\therefore x=-4$

따라서 x절편은 -4이다.

② $y=0$일 때 $0=\frac{1}{2}x+2$ $\therefore x=-4$

따라서 x절편은 -4이다.

③ $y=0$일 때 $0=3x+12$ $\therefore x=-4$

따라서 x절편은 -4이다.

④ $y=0$일 때 $0=-\frac{1}{4}x-\frac{3}{4}$ $\therefore x=-3$

따라서 x절편은 -3이다.

⑤ $y=0$일 때 $0=-\frac{1}{4}x-1$ $\therefore x=-4$

따라서 x절편은 -4이다.

24 $(기울기)=\frac{(y의\ 값의\ 증가량)}{(x의\ 값의\ 증가량)}=\frac{-4-8}{k-(-3)}$

$=-\frac{12}{k+3}$

$-\frac{12}{k+3}=-2$이므로 $k+3=6$ $\therefore k=3$

25 ① $y=-\frac{1}{3}x-2$에 $y=0$을 대입하면

$0=-\frac{1}{3}x-2$, $\frac{1}{3}x=-2$ $\therefore x=-6$

따라서 x절편은 -6이다.

② y절편이 음수이므로 y축의 음의 부분과 만난다.

③ 기울기가 음수이므로 오른쪽 아래를 향하는 직선이다.

④ 기울기가 음수이므로 x의 값이 증가할 때 y의 값은 감소한다.

⑤ 일차함수의 그래프는 아래 그림과 같으므로 제1사분면을 지나지 않는다.

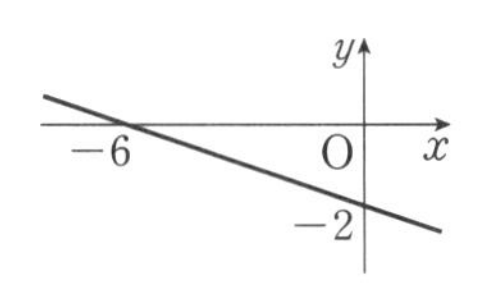

26 1분에 1.5 L의 물이 흘러나가므로 x분 후 남은 물의 양을 y L라 하면

$y=150-1.5x$

$y=0$을 대입하면

$0=150-1.5x$ $\therefore x=100$

따라서 수조 안에 있는 물이 완전히 흘러나가는 것은 100분 후이다.

33강 일차함수와 일차방정식 126~128쪽

01 (1) 0, 1, 2, 3, 4 (2) 풀이 참조 (3) 풀이 참조

02 (1) $y=-2x+3$ (2) $y=-3x+10$ (3) $y=-\frac{1}{2}x+\frac{5}{2}$ (4) $y=-\frac{5}{2}x+6$

03 (1) 3, $\frac{5}{3}$, -5 (2) $\frac{2}{3}$, -1, $\frac{2}{3}$ (3) $\frac{1}{2}$, 4, -2 (4) $-\frac{3}{4}$, 4, 3

04 (1) 2, 2, 2, 2, 2 (2) 풀이 참조 (3) 2, 2

05 (1) 2, 2, 2, 2, 2 (2) 풀이 참조 (3) 2, 2

06 풀이 참조 **07** (1) ㄱ, ㄹ (2) ㄴ, ㄷ

08 (1) $x=4$ (2) $y=1$ (3) $x=3$ (4) $y=-1$ (5) $y=-1$ (6) $x=1$ (7) $x=-4$ (8) $y=5$

09 (1) 8 (2) -1 (3) 2 (4) $-\frac{2}{5}$

01 (2)

(3)

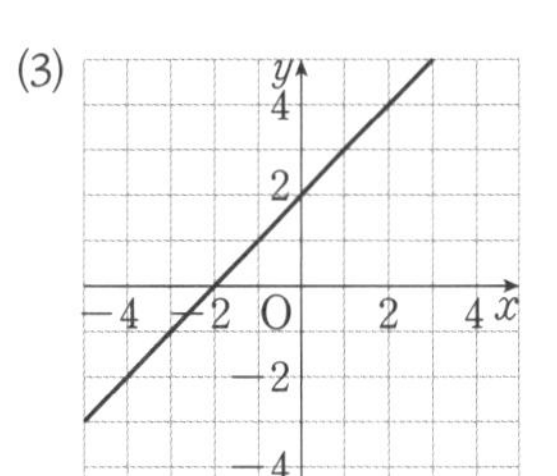

03 (1) $3x-y-5=0$에서 $y=3x-5$이므로 기울기는 3, y절편은 -5이다.

또 $y=0$일 때 $0=3x-5$ $\therefore x=\frac{5}{3}$

즉, x절편은 $\frac{5}{3}$이다.

(2) $2x-3y+2=0$에서 $y=\frac{2}{3}x+\frac{2}{3}$이므로 기울기는 $\frac{2}{3}$, y절편은 $\frac{2}{3}$이다.

또 $y=0$일 때 $0=\frac{2}{3}x+\frac{2}{3}$ $\quad\therefore x=-1$

즉, x절편은 -1이다.

(3) $-x+2y+4=0$에서 $y=\frac{1}{2}x-2$이므로 기울기는 $\frac{1}{2}$, y절편은 -2이다.

또 $y=0$일 때 $0=\frac{1}{2}x-2$ $\quad\therefore x=4$

즉, x절편은 4이다.

(4) $3x+4y-12=0$에서 $y=-\frac{3}{4}x+3$이므로 기울기는 $-\frac{3}{4}$, y절편은 3이다.

또 $y=0$일 때 $0=-\frac{3}{4}x+3$ $\quad\therefore x=4$

즉, x절편은 4이다.

04 (2)

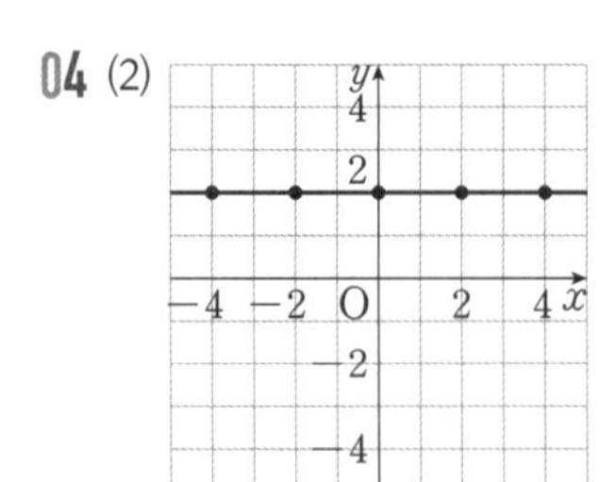

05 (2)

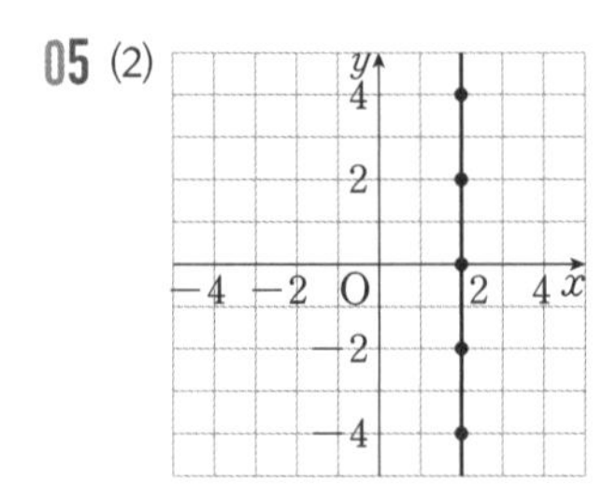

06 (2) $2y=-8$에서 $y=-4$

(3) $-2x=6$에서 $x=-3$

(4) $3x-2=10$에서 $x=4$

07 ㄱ. $y=-3$

ㄴ. $x+y+4=y$에서 $x=-4$

ㄷ. $5x-15=0$에서 $x=3$

ㄹ. $4y=1$에서 $y=\frac{1}{4}$

(1) x축에 평행한 직선의 방정식은 ㄱ, ㄹ이다.

(2) y축에 평행한 직선의 방정식은 ㄴ, ㄷ이다.

09 (1) 두 점의 y좌표가 같아야 하므로

$a-6=2$ $\quad\therefore a=8$

(2) 두 점의 x좌표가 같아야 하므로

$a+3=2$ $\quad\therefore a=-1$

(3) 두 점의 x좌표가 같아야 하므로

$5-2a=1$ $\quad\therefore a=2$

(4) 두 점의 y좌표가 같아야 하므로

$2a+6=4-3a$ $\quad\therefore a=-\frac{2}{5}$

함수 만점 129쪽

01 ① **02** ③ **03** $y=3$ **04** 2

01 $x+2y-4=0$에서 $y=-\frac{1}{2}x+2$

$y=0$일 때 $0=-\frac{1}{2}x+2$ $\quad\therefore x=4$

$x=0$일 때 $y=2$

따라서 주어진 일차방정식의 그래프의 x절편은 4, y절편은 2이므로 그 그래프는 ①이다.

02 $3x+y+1=0$에서 $y=-3x-1$

① $y=-3x-1$에 $y=0$을 대입하면

$0=-3x-1$ $\quad\therefore x=-\frac{1}{3}$

따라서 x절편은 $-\frac{1}{3}$이다.

② $y=-3x-1$에 $x=0$을 대입하면

$y=-1$

따라서 y절편은 -1이다.

③ $y=-3x-1$에 $x=1$, $y=4$를 대입하면

$4\neq-3\times1-1$

따라서 점 $(1, 4)$를 지나지 않는다.

④ 기울기가 음수이므로 오른쪽 아래로 향하는 직선이다.

⑤ 그래프는 아래 그림과 같으므로 제1사분면을 지나지 않는다.

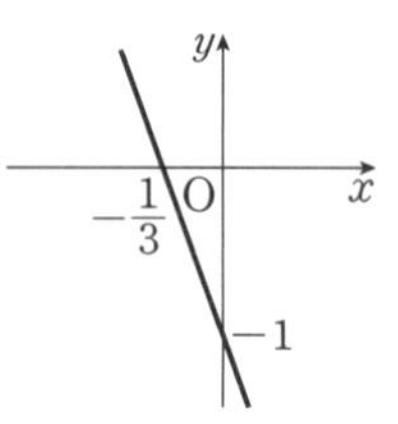

03 x축에 평행하고 점 $(-4, 3)$을 지나는 직선의 방정식은 $y=3$이다.

04 두 점의 x좌표가 같아야 하므로

$-3a-1=2a-11$ $\therefore a=2$

34강 연립방정식의 해와 그래프 130~132쪽

01 (1) $x=3,\ y=2$ (2) $x=-1,\ y=3$ (3) $x=2,\ y=-3$

02 (1) $x=-2,\ y=3$ (2) $x=-1,\ y=-2$ (3) $x=0,\ y=2$

03 (1) $a=2,\ b=3$ (2) $a=3,\ b=5$ (3) $a=-2,\ b=3$
(4) $a=1,\ b=-1$

04 풀이 참조

05 (1) 일치한다., 해가 무수히 많다.
(2) 평행하다., 해가 없다.
(3) 한 점에서 만난다., 한 쌍
(4) 평행하다., 해가 없다.
(5) 일치한다., 해가 무수히 많다.
(6) 한 점에서 만난다. 한 쌍

06 (1) 3 (2) -3 (3) $\frac{1}{3}$ (4) 9

07 (1) $a=2,\ b=2$ (2) $a=-4,\ b=9$
(3) $a=-2,\ b=-6$ (4) $a=-3,\ b=-8$

02 (1)

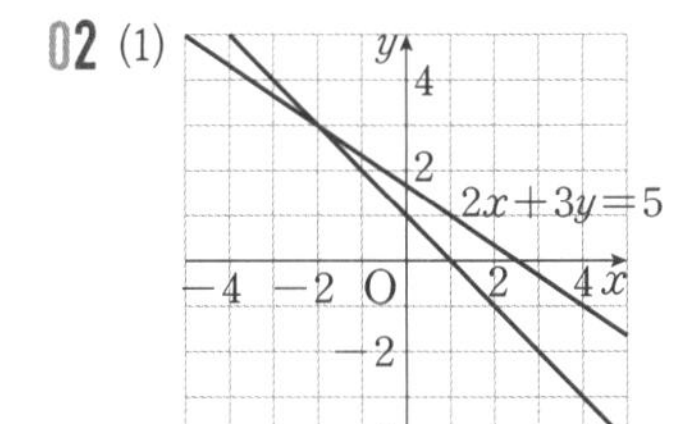

⇨ $x=-2,\ y=3$

(2)

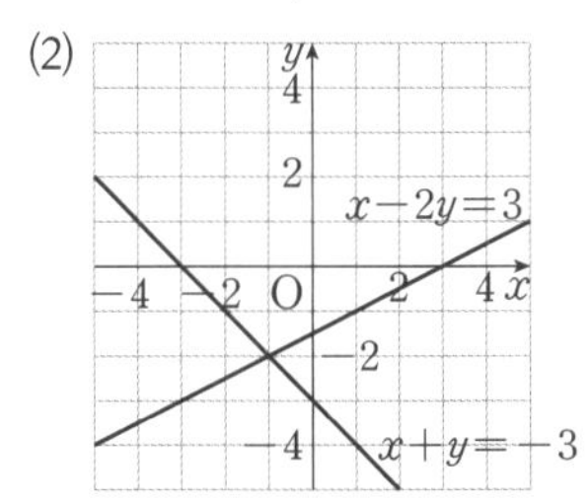

⇨ $x=-1,\ y=-2$

(3)

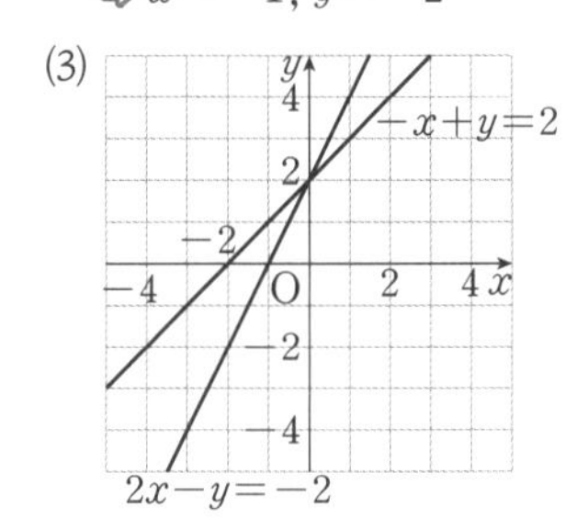

⇨ $x=0,\ y=2$

03 (1) 교점의 좌표가 $(1,\ -1)$이므로

$1+a=3$ $\therefore a=2$

$b-4=-1$ $\therefore b=3$

(2) 교점의 좌표가 $(-2,\ 1)$이므로

$-2a+2=-4$ $\therefore a=3$

$4+1=b$ $\therefore b=5$

(3) 교점의 좌표가 $(1,\ 2)$이므로

$3+2a=-1$ $\therefore a=-2$

$2+2b=8$ $\therefore b=3$

(4) 교점의 좌표가 $(-1,\ 2)$이므로

$-1+2=a$ $\therefore a=1$

$-2+2b=-4$ $\therefore b=-1$

04 (1)

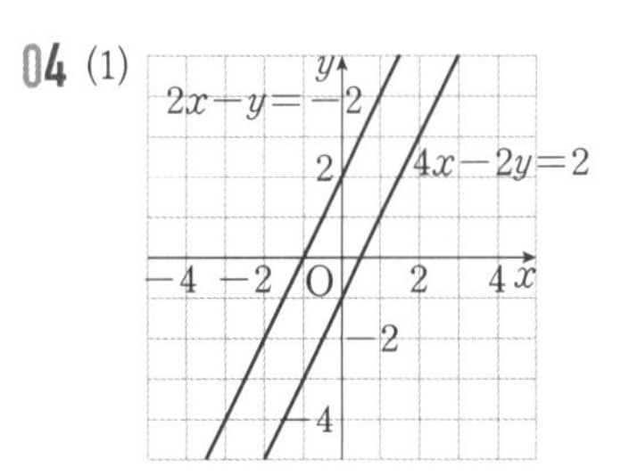

⇨ 해가 없다.

(2)

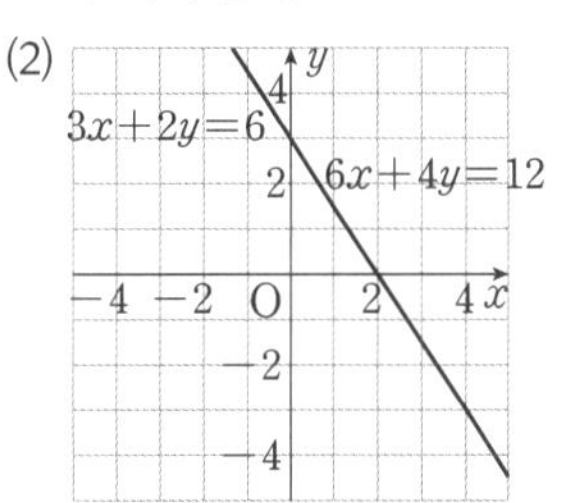

⇨ 해가 무수히 많다.

(3)

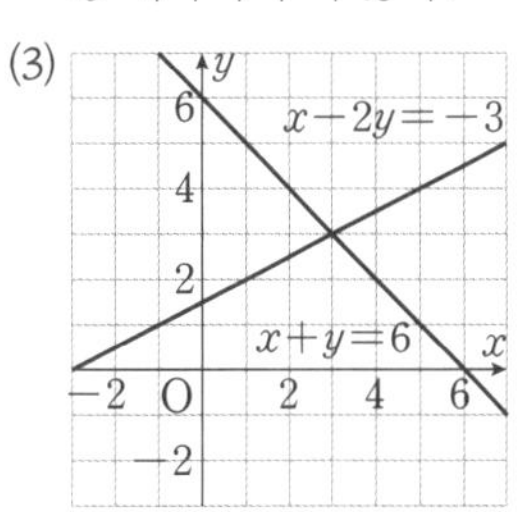

⇨ $x=3,\ y=3$

05 (1) $\begin{cases} x+2y=2 \\ 2x+4y=4 \end{cases}$ 에서 $\begin{cases} y=-\frac{1}{2}x+1 \\ y=-\frac{1}{2}x+1 \end{cases}$

기울기와 y절편이 각각 같으므로 두 그래프는 일치한다. 즉 두 직선의 교점이 무수히 많으므로 연립방정식의 해는 무수히 많다.

(2) $\begin{cases} 2x-y=2 \\ 4x-2y=-2 \end{cases}$ 에서 $\begin{cases} y=2x-2 \\ y=2x+1 \end{cases}$

기울기가 같고 y절편이 다르므로 두 그래프는 평행하다.

즉 두 직선의 교점이 없으므로 연립방정식의 해는 없다.

(3) $\begin{cases} x+y=-2 \\ 2x-y=1 \end{cases}$ 에서 $\begin{cases} y=-x-2 \\ y=2x-1 \end{cases}$

기울기가 다르므로 두 그래프는 한 점에서 만난다. 즉 연립방정식의 해의 개수는 한 쌍이다.

(4) $\begin{cases} 3x+y=2 \\ 6x+2y=2 \end{cases}$ 에서 $\begin{cases} y=-3x+2 \\ y=-3x+1 \end{cases}$

기울기가 같고 y절편이 다르므로 두 그래프는 평행하다. 즉 두 직선의 교점이 없으므로 연립방정식의 해는 없다.

(5) $\begin{cases} x-y=1 \\ 4x-4y=4 \end{cases}$ 에서 $\begin{cases} y=x-1 \\ y=x-1 \end{cases}$

기울기와 y절편이 각각 같으므로 두 그래프는 일치한다. 즉 두 직선의 교점이 무수히 많으므로 연립방정식의 해는 무수히 많다.

(6) $\begin{cases} x+2y=1 \\ 2x+y=-4 \end{cases}$ 에서 $\begin{cases} y=-\frac{1}{2}x+\frac{1}{2} \\ y=-2x-4 \end{cases}$

기울기가 다르므로 두 그래프는 한 점에서 만난다. 즉 연립방정식의 해의 개수는 한 쌍이다.

06 (1) $\begin{cases} ax-2y=1 \\ 6x-4y=-4 \end{cases}$ 에서 $\begin{cases} y=\frac{a}{2}x-\frac{1}{2} \\ y=\frac{3}{2}x+1 \end{cases}$

두 직선의 기울기는 같고 y절편은 다르므로

$\frac{a}{2}=\frac{3}{2}$ $\quad\therefore a=3$

(2) $\begin{cases} 2x+4y=4 \\ ax-6y=3 \end{cases}$ 에서 $\begin{cases} y=-\frac{1}{2}x+1 \\ y=\frac{a}{6}x-\frac{1}{2} \end{cases}$

두 직선의 기울기는 같고 y절편은 다르므로

$-\frac{1}{2}=\frac{a}{6}$ $\quad\therefore a=-3$

(3) $\begin{cases} ax+y=-1 \\ 2x+6y=15 \end{cases}$ 에서 $\begin{cases} y=-ax-1 \\ y=-\frac{1}{3}x+\frac{5}{2} \end{cases}$

두 직선의 기울기는 같고 y절편은 다르므로

$-a=-\frac{1}{3}$ $\quad\therefore a=\frac{1}{3}$

(4) $\begin{cases} 3x+4y=5 \\ ax+12y=3 \end{cases}$ 에서 $\begin{cases} y=-\frac{3}{4}x+\frac{5}{4} \\ y=-\frac{a}{12}x+\frac{1}{4} \end{cases}$

두 직선의 기울기는 같고 y절편은 다르므로

$-\frac{3}{4}=-\frac{a}{12}$ $\quad\therefore a=9$

07 (1) $\begin{cases} ax+y=1 \\ 4x+2y=b \end{cases}$ 에서 $\begin{cases} y=-ax+1 \\ y=-2x+\frac{b}{2} \end{cases}$

두 직선의 기울기와 y절편이 각각 같으므로

$-a=-2,\ 1=\frac{b}{2}$ $\quad\therefore a=2,\ b=2$

(2) $\begin{cases} 2x+ay=6 \\ 3x-6y=b \end{cases}$ 에서 $\begin{cases} y=-\frac{2}{a}x+\frac{6}{a} \\ y=\frac{1}{2}x-\frac{b}{6} \end{cases}$

두 직선의 기울기와 y절편이 각각 같으므로

$-\frac{2}{a}=\frac{1}{2},\ \frac{6}{a}=-\frac{b}{6}$

$-\frac{2}{a}=\frac{1}{2}$에서 $a=-4$

$a=-4$를 $\frac{6}{a}=-\frac{b}{6}$에 대입하면

$-\frac{6}{4}=-\frac{b}{6}$ $\quad\therefore b=9$

(3) $\begin{cases} ax+3y=-6 \\ 4x+by=12 \end{cases}$ 에서 $\begin{cases} y=-\frac{a}{3}x-2 \\ y=-\frac{4}{b}x+\frac{12}{b} \end{cases}$

두 직선의 기울기와 y절편이 각각 같으므로

$-\frac{a}{3}=-\frac{4}{b},\ -2=\frac{12}{b}$

$-2=\frac{12}{b}$에서 $b=-6$

$b=-6$을 $-\frac{a}{3}=-\frac{4}{b}$에 대입하면

$-\frac{a}{3}=-\frac{4}{-6}$ $\quad\therefore a=-2$

(4) $\begin{cases} 4x+ay=-1 \\ bx+6y=2 \end{cases}$ 에서 $\begin{cases} y=-\frac{4}{a}x-\frac{1}{a} \\ y=-\frac{b}{6}x+\frac{1}{3} \end{cases}$

두 직선의 기울기와 y절편이 각각 같으므로

$-\frac{4}{a}=-\frac{b}{6},\ -\frac{1}{a}=\frac{1}{3}$

$-\frac{1}{a}=\frac{1}{3}$에서 $a=-3$

$a=-3$을 $-\frac{4}{a}=-\frac{b}{6}$에 대입하면

$-\frac{4}{-3}=-\frac{b}{6}$ $\quad\therefore b=-8$

힘수 만점 133쪽

01 $x=1,\ y=2$ **02** ② **03** 6 **04** ①

01 두 일차방정식의 그래프의 교점의 좌표가 $(1,\ 2)$이므로 주어진 연립방정식의 해는 $x=1,\ y=2$이다.

02 교점의 좌표가 $(2,\ 2)$이므로

$2+2a=1$ $\quad\therefore a=-\frac{1}{2}$

$2+2=b$ $\quad\therefore b=4$ $\quad\therefore ab=-\frac{1}{2}\times 4=-2$

03 $ax-4y=2$에서 $y=\frac{a}{4}x-\frac{1}{2}$

$3x-2y=-8$에서 $y=\frac{3}{2}x+4$

두 직선의 교점이 존재하지 않으므로 두 직선은 평행해야 한다.

$\frac{a}{4}=\frac{3}{2}$ $\quad\therefore a=6$

04 $\begin{cases} ax+2y=3 \\ 2x+by=-6 \end{cases}$에서 $\begin{cases} y=-\frac{a}{2}x+\frac{3}{2} \\ y=-\frac{2}{b}x-\frac{6}{b} \end{cases}$

두 직선의 기울기와 y절편이 각각 같으므로

$-\frac{a}{2}=-\frac{2}{b}$, $\frac{3}{2}=-\frac{6}{b}$

$\frac{3}{2}=-\frac{6}{b}$에서 $b=-4$

$b=-4$를 $-\frac{a}{2}=-\frac{2}{b}$에 대입하면

$-\frac{a}{2}=-\frac{2}{-4}$ $\quad\therefore a=-1$

$\therefore a+b=-5$

35강 중단원 연산 마무리

134~135쪽

01 (1) $y=\frac{1}{3}x-\frac{5}{3}$ (2) $y=2x-6$
(3) $y=-2x+\frac{5}{2}$ (4) $y=5x-9$

02 (1) $\frac{1}{2}$, -6, 3 (2) 3, 4, -12

03 풀이 참조 **04** (1) $x=1$ (2) $x=-3$ (3) $y=2$

05 (1) 3 (2) 1 (3) $\frac{4}{3}$ (4) 1

06 풀이 참조 **07** (1) $a=3$, $b=1$ (2) $a=-2$, $b=2$

08 (1) 일치한다., 해가 무수히 많다. (2) 평행하다., 해가 없다.

09 (1) -1 (2) 3 **10** (1) $a=-6$, $b=2$ (2) $a=2$, $b=6$

11 ① **12** ③ **13** ③

02 (1) $x-2y+6=0$에서 $y=\frac{1}{2}x+3$이므로 기울기는 $\frac{1}{2}$, y절편은 3이다.
또 $y=0$일 때 $0=\frac{1}{2}x+3$ $\quad\therefore x=-6$
즉, x절편은 -6이다.
(2) $3x-y-12=0$에서 $y=3x-12$이므로 기울기는 3, y절편은 -12이다.
또 $y=0$일 때 $0=3x-12$ $\quad\therefore x=4$
즉, x절편은 4이다.

03 (2) $3y=9$에서 $y=3$
(3) $-2x=4$에서 $x=-2$
(4) $1-3x=-11$에서 $x=4$

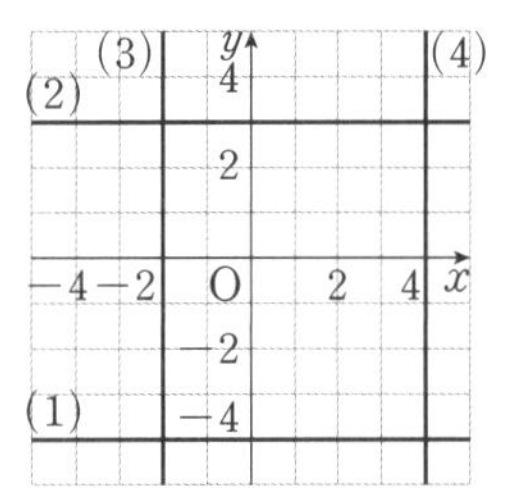

05 (1) 두 점의 y좌표가 같아야 하므로
$5-a=2$ $\quad\therefore a=3$
(2) 두 점의 x좌표가 같아야 하므로
$2a+3=5$ $\quad\therefore a=1$
(3) 두 점의 x좌표가 같아야 하므로
$5-3a=1$ $\quad\therefore a=\frac{4}{3}$
(4) 두 점의 y좌표가 같아야 하므로
$a+6=10-3a$ $\quad\therefore a=1$

06 (1)

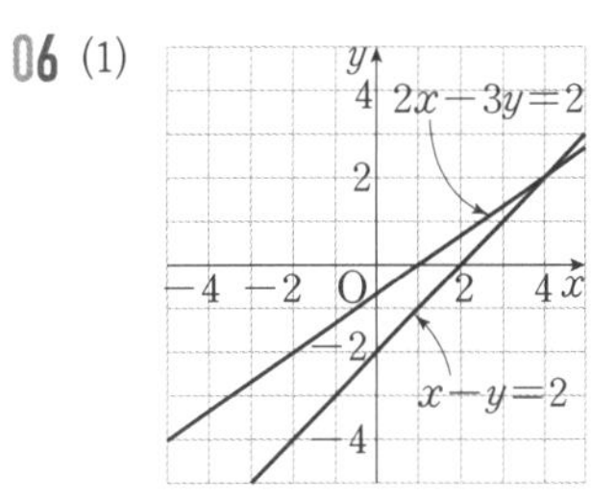

⇨ $x=4$, $y=2$

(2)

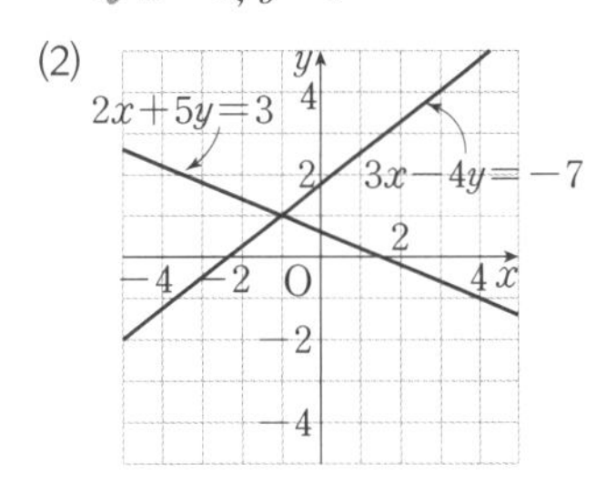

⇨ $x=-1$, $y=1$

07 (1) 교점의 좌표가 $(3, 5)$이므로
$3a-5=4$ $\quad\therefore a=3$
$2\times3-5=b$ $\quad\therefore b=1$
(2) 교점의 좌표가 $(-1, 2)$이므로
$-1-a\times2=3$ $\quad\therefore a=-2$
$-b-2=-4$ $\quad\therefore b=2$

08 (1) $\begin{cases} x-y=2 \\ 2x-2y=4 \end{cases}$에서 $\begin{cases} y=x-2 \\ y=x-2 \end{cases}$

기울기와 y절편이 각각 같으므로 두 그래프는 일치한다. 즉 두 직선의 교점이 무수히 많으므로 연립방정식의 해는 무수히 많다.

(2) $\begin{cases} 2x+y=4 \\ 4x+2y=4 \end{cases}$에서 $\begin{cases} y=-2x+4 \\ y=-2x+2 \end{cases}$

기울기가 같고 y절편이 다르므로 두 그래프는 평행하다.
즉 두 직선의 교점이 없으므로 연립방정식의 해는 없다.

09 (1) $\begin{cases} ax-2y=-1 \\ 2x+4y=6 \end{cases}$에서 $\begin{cases} y=\frac{a}{2}x+\frac{1}{2} \\ y=-\frac{1}{2}x+\frac{3}{2} \end{cases}$

두 직선의 기울기는 같고 y절편은 다르므로

$\frac{a}{2}=-\frac{1}{2}$ $\quad \therefore a=-1$

(2) $\begin{cases} 2x+4y=4 \\ ax+6y=5 \end{cases}$에서 $\begin{cases} y=-\frac{1}{2}x+1 \\ y=-\frac{a}{6}x+\frac{5}{6} \end{cases}$

두 직선의 기울기는 같고 y절편은 다르므로

$-\frac{1}{2}=-\frac{a}{6}$ $\quad \therefore a=3$

10 (1) $\begin{cases} -4x+2y=a \\ bx-y=3 \end{cases}$에서 $\begin{cases} y=2x+\frac{a}{2} \\ y=bx-3 \end{cases}$

두 직선의 기울기와 y절편이 각각 같으므로

$2=b$, $\frac{a}{2}=-3$ $\quad \therefore a=-6$, $b=2$

(2) $\begin{cases} ax+4y=6 \\ 3x+by=9 \end{cases}$에서 $\begin{cases} y=-\frac{a}{4}x+\frac{3}{2} \\ y=-\frac{3}{b}x+\frac{9}{b} \end{cases}$

두 직선의 기울기와 y절편이 각각 같으므로

$-\frac{a}{4}=-\frac{3}{b}$, $\frac{3}{2}=\frac{9}{b}$

$\therefore a=2$, $b=6$

11 $5x-2y+3=0$에서 $y=\frac{5}{2}x+\frac{3}{2}$

① $y=\frac{5}{2}x+\frac{3}{2}$에 $y=0$을 대입하면

$0=\frac{5}{2}x+\frac{3}{2}$ $\quad \therefore x=-\frac{3}{5}$

따라서 x절편은 $-\frac{3}{5}$이다.

② $y=\frac{5}{2}x+\frac{3}{2}$에 $x=0$을 대입하면 $y=\frac{3}{2}$

따라서 y절편은 $\frac{3}{2}$이다.

③ $y=\frac{5}{2}x+\frac{3}{2}$에 $x=1$, $y=4$를 대입하면

$4=\frac{5}{2}\times 1+\frac{3}{2}$

따라서 점 $(1, 4)$를 지난다.

④ 그래프는 다음 그림과 같으므로 제4사분면을 지나지 않는다.

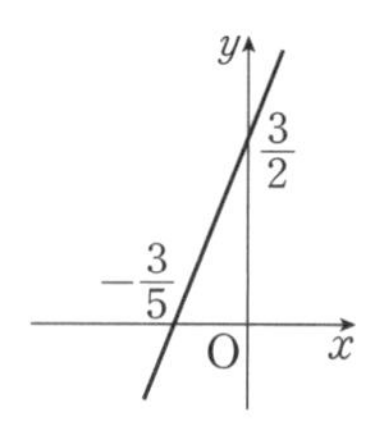

⑤ $15x-6y+10=0$에서 $y=\frac{5}{2}x+\frac{5}{3}$이므로 두 그래프는 기울기가 같고 y절편은 다르다. 따라서 두 그래프는 평행하다.

12 교점의 좌표가 $(1, 2)$이므로

$a+2=5$ $\quad \therefore a=3$

$2+2b=-4$ $\quad \therefore b=-3$

$\therefore a+b=0$

13 $\begin{cases} ax-8y=10 \\ 9x+by=-15 \end{cases}$에서 $\begin{cases} y=\frac{a}{8}x-\frac{5}{4} \\ y=-\frac{9}{b}x-\frac{15}{b} \end{cases}$

두 직선의 기울기와 y절편이 각각 같으므로

$\frac{a}{8}=-\frac{9}{b}$, $-\frac{5}{4}=-\frac{15}{b}$

따라서 $a=-6$, $b=12$이므로

$a+b=6$

날짜		단원명			
강의 구분		강의명			
난이도	상 / 중 / 하	틀린 이유	☐ 문제를 잘못 읽음	☐ 계산 실수	☐ 문제를 이해 못함
			☐ 개념 이해 부족	☐ 기타(	)

틀린 문제

핵심 개념 및 Key Point

바른 풀이

자기평가

완전이해 오답이해 다시하기

날짜	단원명
강의 구분	강의명
난이도 상 / 중 / 하	틀린 이유 ☐ 문제를 잘못 읽음 ☐ 계산 실수 ☐ 문제를 이해 못함 ☐ 개념 이해 부족 ☐ 기타( )

틀린 문제

핵심 개념 및 Key Point

바른 풀이

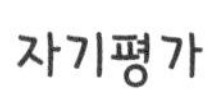

완전이해

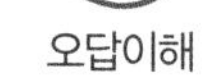

다시하기

푸르넷 에듀 E-learning 사이트 학습 System

On-Off 라인 통합학습

On-Off 라인 통합학습 관리 System

푸르넷 에듀 (개인별 맞춤학습) + 학생 + 푸르넷 에듀 선생님 (개인별 학습지도 및 관리)

- 지도교사가 학습 스케줄 작성, 동영상 학습지도, 학습관리 및 평가를 실시합니다.
- 회원은 푸르넷 에듀 사이트에서 동영상 학습 및 여러 평가 학습을 진행합니다.
- 회원의 학습 과정 및 결과는 회원관리 프로그램을 통해 지도교사가 확인 및 점검합니다.
- 이를 바탕으로 학생 개개인에 맞는 체계적인 수업을 진행합니다.

내신 만점 학습 전략

국어 · 영어

출판사별 교과서 맞춤 강의 제공
교과서의 핵심 개념 파악 및 학교 시험대비 3단계 학습 전략

- Step1: 교과서 단원별 필수 개념 다지기
- Step2: 교과서 작품 및 지문 완전 분석
- Step3: 단원별 문제풀이 학습

수학 · 사회 · 역사 · 과학

1. **단계별 내신대비 학습:** 주제별/유형별로 기본 개념부터 보충·심화 강의까지 개념별·유형별 연계 학습이 가능

- Step1: 개념 강의 (리더스/진도플러스)
- Step2: 문제풀이 강의 (내신플러스)
- Step3: 단원별 보충·심화 강의

2. **수준별 수학 학습:** 개인별 학습 능력 수준에 맞는 학습

- Step1: **입문** 쉽고 재미있는 입문 개념 학습
- Step2: **기본** 기본 개념의 핵심 개념 학습
- Step3: **심화** 고난도 문제 유형 학습
- Step4: **유형** 핵심 유형별 문제 트레이닝 학습

힘이 붙는 수학 연산 중등 2-1

정답과 해설